Schaduw

Neil Jordan

Schaduw

Vertaald door Irving Pardoen

Anthos|Amsterdam

Deze uitgave kwam mede tot stand dankzij financiële steun van
Ireland Literature Exchange (Translation Fund), Dublin
www.irelandliterature.com
info@irelandliterature.com

ISBN 90 414 0879 7
© 2004 Neil Jordan
© 2004 Nederlandse vertaling Ambo|Anthos *uitgevers*,
Amsterdam en Irving Pardoen
Oorspronkelijke titel *Shade*
Oorspronkelijke uitgever John Murray
Omslagontwerp Roald Triebels, Amsterdam
Omslagillustratie Photonica/Image Store
Foto auteur © Bryan Meades

Verspreiding voor België:
Veen Bosch & Keuning uitgevers n.v., Wommelgem

Lieve schaduwen, nu weten jullie alles

W.B. Yeats

1

Ik weet precies wanneer ik stierf. Het was tien voor halfvier op de veertiende januari van het jaar 1950, een middag met felle zon voor de tijd van het jaar en een striemende wind die de witte wolken aan de blauwe hemel boven me voortjoeg en op de Ierse Zee in de verte een meer dan normaal aantal witte paarden deed steigeren.

Zelfs op de rivier was er wit. Uit mijn kinderjaren bij de rivier wist ik dat de wind zeldzaam hard moest zijn om de golven op te zwiepen tot witte schuimstrepen, maar er stond die dag dan ook een zeldzaam harde wind. Als kind had ik aan de oevers van de kleinere zijstromen met de rand van mijn gele jurk tussen mijn knieën en mijn kin geklemd naar dat zwarte water zitten kijken, want golven hadden in al hun bewegingen een vreemde fascinatie voor me. Van het inktzwarte, zilver weerspiegelende, niet door de lucht beroerde oppervlak, de opkomende en verdwijnende parabolische rimpelingen en het regelmatige klotsen van de piramidetjes van water tot de gebeeldhouwde schuimkoppen met hun witte spikkels. Dat alles was die dag op de rivier te zien, en meer nog. Minstens windkracht 5, zou een zeeman zeggen. En George, die me doodde, was ooit zeeman geweest.

George doodde me met zijn tuinschaar, de tuinschaar waarmee hij de uit zijn krachten gegroeide klimop aan het achttiende-eeuwse huis snoeide en de randen van het uitgestrekte gazon bijwerkte, net als de heg en de rest van de tuin, die naar beneden afliep in de richting van de slikken en zijstromen van de Boyne.

Hij had grote handen, de handen van een tuinman, met tal van littekens van de scherpe gereedschappen die hij gebruikte: tuinschaar, snoeischaar, maaimachine en zeis. Hij miste één vinger, en zijn gezicht was getekend door de herinnering aan vuren van lang geleden. Als je zelf je moordenaar kon kiezen, zou je natuurlijk niet George hebben gekozen. Je zou zachtere handen hebben gekozen, of efficiëntere, het soort handen dat je in films ziet of waarover je in boeken leest. Handen met in elk geval vijf vingers, die iemand makkelijk konden verstikken of met één beweging je nek breken. Maar het echte leven imiteert zelden datgene wat je kunt verzinnen, zoals we allemaal weten, en evenmin voltrekt het zich op zo'n vreemd efficiënte manier zoals de films waarin ik ooit heb geacteerd. En als het leven George ergens op heeft voorbereid, dan was het wel om mij een dood te bezorgen die zijn stempel droeg.

In de plantenkas hield hij de snoeischaar tegen mijn hals, en op uiterst onhandige wijze bracht hij een sikkelvormige snee in mijn keel aan. Hij zag mijn bewusteloosheid aan voor dood, maar bracht me weer tot leven toen hij me tussen de rozen door sleepte, tot leven en tot bewustzijn van de voortjagende wolken boven me. Hij keek hoe mijn laatste restje bloed het modderige kanaal in stroomde en vulde dat met zijn tranen aan. Hij besloot me geen zeemansgraf te geven en droeg me als een levensgrote pop naar de oude rioolput, maar toen hij me erin wilde laten zakken, besefte hij dat ik nog leefde. Hij besteedde nog één laatste minuut aan een poging het hoofd te scheiden van het lichaam dat hij toch sinds zijn vroege jeugd had gekend. Zo kwam het dat het laatste wat ik zag niet de hemel, de zee of de rivier was, maar het met bloedspatten overdekte horloge om zijn dikke pols, en op dat horloge was te zien dat het tien voor halfvier was.

De tijd eindigde toen voor mij, maar verder niets. Ik kan dat niet verklaren, kan me alleen verwonderen over het verhaal dat zich voltrekt, het meest onmogelijke en toch ook het gewoonste verhaal, zoals in de boeken die ik als kind in dat huis heb gelezen. Alsof ik een verteller ben voor wie verleden, heden en tot op zekere hoogte toekomst hetzelfde zijn en die daartussen met bovenmenselijk gemak heen en weer springt. Mijn Pip is mijn Estella, en beiden zijn zij mijn Joe Gargery, en wat Joe tegen Pip zegt, zou ik tegen George willen zeggen. Dikke pret, Pip.

Daar zit ik dan, zeven jaar oud, op de houten schommel die aan de kastanjeboom hangt, onder aan de helling die van het met gras bedekte mangat naar beneden loopt. Daar zijn Gregory en George, achter me of onder me. Ik ben bang dat ze mijn onderbroek kunnen zien, maar dan ineens vreemd genoeg helemaal niet meer, en kijk naar de lange, droevige vrouw, gekleed in een grijze bontjas, zwarte baret en kaplaarzen, die op haar beurt naar mij kijkt. Deze vrouw ben ik, en dat zijn mijn werkkleren voor in de tuin. Ondanks de frotté jas straal ik elegantie uit, ondanks mijn halsstarrige droefheid glimlach ik, ik ben mijn eigen geest. Ik ben blij dat ik dat toen niet heb geweten, blij dat het meisje dat ik was ten volle heeft kunnen genieten van deze geruststellende aanwezigheid, van deze huisgeest, zonder te weten hoe vertrouwd die haar feitelijk was.

Maar ik wist het wel toen hij mijn stoffelijke resten ten slotte in die ronde put met rioolwater deponeerde, het roestig ijzeren deksel er weer op legde en het eroverheen groeiende gras met zijn negen bebloede vingers gladstreek, toen wist ik het allemaal wel.

Je hebt me in de aula op school Rosalinde zien spelen, George, zou ik gezegd hebben als ik kon. Maar natuurlijk kon ik het niet, en zijn naam werd in het vage bewustzijn dat ik nog had op allerlei manieren verhaspeld: George, Eorgeg, Erg Geo, Orgege, Gregory. In elke tijd zijn de mensen gestorven en door wormen opgegeten, en niet uit liefde. Uit liefde hebben de mensen wel gedood, eindeloos vaak.

En toen hij me in mijn graf van uitwerpselen gooide, was dat misschien met de vage hoop dat het lichaam waarnaar hij had verlangd op een dag weg zou lekken naar de plek waar al het oude afvalwater naar weglekte, naar de rivier en vandaar naar de zee. En misschien had hij het wel gedaan uit een gekwetst, vervormd soort genegenheid, had hij me willen laten weglekken in de monding van de rivier waarvan ik gehouden had, zodat ik ten slotte opgenomen zou worden in de zee, die voor ons allen sinds onze kinderjaren oneindig had geleken.

Me naar die zee gedragen te willen hebben, me te hebben willen laten weglekken in het gulzige water van de rivier: het kan liefde zijn geweest, een liefde waarover althans Rosalinde had kunnen mijmeren. Maar lijken lekken niet weg zoals afvalwater. George heeft me in feite achtergelaten op een plek waar ik niet gevonden zou worden en vanwaar ik de zee niet zou bereiken, noch een glimp zou opvangen van die kust waarachter geen andere kust meer ligt. Hij zou gearresteerd worden, want hij had een afschuwelijk spoor van bloed en weefsel achtergelaten. Maar de recherche zou mijn lichaam niet vinden, daar had hij voor gezorgd. Het graf naast dat van mijn ouders op het kerkhof van Baltray zou ongeopend blijven. En ik zou in een rioolput blijven liggen, te midden van oud afvalwater.

Ik kijk naar mezelf met ogen die even onnatuurlijk rustig zijn als de ogen waarmee George naar mij keek op de middag van de voortjagende wolken, de wind en de moord. Ik zou bezorgd kunnen zijn om mezelf, maar die bezorgdheid zal volstrekt nutteloos zijn. Het meisje dat ik was zal haar eigen weg gaan, en ik, haar huisgeest, kan niets doen om dat te voorkomen. Maar haar blik heeft iets troostends, en dat probeer ik te begrijpen. Nog schommelt ze boven de hoofdstroom van de rivier op de schommel die haar vader met zoveel zorg voor haar heeft gemaakt, hoog op schommelt ze, zodat ze over het water uit kan kijken, over de grauwgroene strook die ze later Mozambique zal noemen, naar de witte kappen die het water van de zee tooien. Ik draai me om en volg haar blik naar de kust waarachter geen andere kust meer ligt; als haar gezicht op gelijke hoogte is met mijn achterhoofd, voel ik hoe de wind van het leven mijn dode haar in beweging brengt, en als ik me weer omdraai, kijk ik ineens recht in die prachtige ogen.

Ik zie mezelf in die ogen, mijn eigen spiegelbeeld, dat zich van me verwijdert als zij op de schommel achteruitzwaait, en ik besef dat de troost is dat ik gezien word, ik word gezien dus ik ben. Ik weet het met een zekerheid zoals ik alleen heb ervaren toen hij het hoofd van mijn gehavende lichaam hakte en ik zeker wist dat de dood zou komen, een zoete, rustgevende dood, en de zekerheid is dat ik ben, dat ik op de een of andere manier besta in die verrukkelijke bruine vijvers van haar ogen, die naar me toe en van me af bewegen op de schommel die Dan Turnbull en haar vader voor haar hebben gemaakt, of was het voor mij?

Haar verhaal begint dus zoals het ook eindigt: met een geest.

2

Enige tijd voor het begin van de nieuwe eeuw was ze in dat huis geboren, drie jaar ervoor om precies te zijn, maar toen ze zich bewust werd van die trieste aanwezigheid was de nieuwe eeuw net begonnen. Toen ze dus in of omstreeks het jaar 1900 drie jaar was, trof haar moeder haar een keer in een hoekje van het brede trappenhuis aan, waar ze zich rustig en vertrouwelijk onderhield met iemand die er niet was. Het zonlicht scheen door het bobbelige glas van het hoge, ronde venster, en zij zat daaronder met haar pop tegen haar smalle borst geklemd zomaar voor zich uit te praten.

'Nina Hardy,' zei haar moeder – want zo heette ze: Nina, en de naam van de moeder was Elizabeth – 'wat doe jij nou? Zit je daar op die tochtige trap tegen jezelf te praten? Kom naar beneden voor je ontbijt.'

'Mag ik haar meenemen?' zei Nina, en toen haar moeder vroeg wie, wees Nina naar het niets in het bijzonder waarmee ze had gesproken.

'Ja hoor, natuurlijk,' zei moeder, die wijs genoeg was om niet in twijfel te trekken wat kinderen in hun eigen wereldje beleven, en ze nam Nina bij de hand en liep met haar de trap af naar stenen vloer van de keuken, waar de plavuizen koud aanvoelden aan haar blote voeten, waar het witgeschilderde kalksteen een boog vormde boven de grenenhouten tafel en het fornuis waaraan Mary Dagge de eieren klaarmaakte. 'Kijk eens, Nina,' zei Mary Dagge, 'hier heb je je eiren.'

Ze sprak het woord 'eieren' uit alsof het uit twee lettergrepen bestond in plaats van drie, want ze was afkomstig uit Drogheda, het nabijgelegen stadje waar 'eieren' werd uitgesproken als 'ei-ren'. En toen ze het gebarsten bord met het blauwe gekanteelde patroon en de dampende gele berg roereieren voor Nina had neergezet, maakte Nina er keurig twee porties van, een voor haarzelf en een voor haar onzichtbare speelkameraad. Met het verstrijken der jaren zou Mary Dagge gewend raken aan deze verdeling van de buit, aan porties eten die aan de rechterkant van het bord bleven liggen, aan de gesuikerde snoepjes die zorgvuldig gedeeld werden met iemand die er niet was en aan de gesprekken met schaduwen in afgelegen hoekjes van het tochtige huis. Want Nina was een kind met een levendige fantasie, haar grote bruine ogen waren vijvers waar je je met plezier in zou kunnen onderdompelen, en het huis was groot, te groot voor een kind alleen zoals zij.

Het huis lag aan een bocht in de monding van de Boyne, dicht bij de kleine delta van slikken waar de rivier in zee stroomde. Via een onverzorgde tuin kwam je bij de zijstroompjes van de rivier met daarnaast een kastanjeboom die er schuin overheen hing en waaraan haar vader aan de stevigste zijtak twee touwen had vastgemaakt met daar tussenin een houten plankje zodat het geheel een schommel vormde. Zo kon Nina, als het weer het toestond, boven het koolzwarte water heen en weer schommelen en af en toe een glimp opvangen van de witte kappen op de golven in de zee in de verte, dat wil zeggen, als ze hoog genoeg kwam. Aan de ene kant van de schommel stond een plantenkas en aan de andere kant lag een moestuin omgeven door muren, die langs de weg doorliepen naar de oever van de rivier.

Dat ze er was aan het begin van de nieuwe eeuw was iets wat haar vader plezier deed, dat voelde ze instinctief aan, al zal ze misschien niet hebben geweten wat het woord 'eeuw' betekende. Maar toen ze zag hoe onder zijn toezicht het touw aan het houten zitplankje van de schommel werd vastgemaakt, waartoe dat touw was gesplitst en netjes om het traanvormige stuk ijzer heen geleid, hoe de kop van de schroef precies verzonk in het voorgevormde kuiltje in het hout, begreep ze dat zich hier iets afspeelde wat technisch en exact was, dat het hier ging om metaal en goed uitmeten en dat deze schommel veel beter was dan alle andere schommels die eerder gemaakt waren. En toen haar vader haar ten slotte optilde, haar op de gereedgekomen schommel zette, en Dan Turnbull, die de laatste schroeven had aangedraaid, haar van achteren een duwtje gaf, vond ze het een raar gevoel om op een schommel te zitten die zo nieuw was en uit te kunnen kijken over het water en in het gezicht van een droevige en lieflijke aanwezigheid die deel uitmaakte van een verhaal dat ze nooit zou kennen, dat zich lang geleden moest hebben afgespeeld.

Ook haar vader was oud, maar hij was zo verliefd op het nieuwe dat zijn ouderdom zich op de een of andere manier voegde naar alles wat nieuw was. Ze kon zich niet voorstellen dat ze van iemand meer zou houden dan van haar vader, behalve misschien soms heimelijk van haar geheime vriendin, maar omdat die geheim was, telde dat niet. Nee, haar vader hoorde bij een wereld die zich aan haar voordeed als de werkelijkheid, daarom hield ze van hem, en ook vanwege zijn liefde voor alles wat nieuw was.

Toen hij haar meenam naar de visfabriek die hij aan de monding van de Boyne had laten bouwen, een keer laat op een zomerdag toen de zalmen al opsprongen, om haar de nieuwe ijsmachine te tonen, was ze helemaal dol op hem. Hij nam haar bij de hand en voerde haar de bedompte, stinkende ruimte binnen waar de stralen van de zomerzon door de ramen aan één kant naar binnen priemden, waar arbeiders met de schaaldieren in de weer waren en aan hun pet tikten terwijl ze voorbijliepen in de richting van het ritmische gebonk achterin. Er hingen wolken als van stoom, maar het was koude stoom, en het lawaai kwam door twee dingen: door de drijfriem die bonkte bij het ronddraaien, en doordat de grote ijsblokken steeds met een klap op de houten ondergrond vielen, dan uiteenspatten in wolken van koude stoom en vervolgens nog verder desintegreerden onder het geweld van de voorhamers die de mannen met ontbloot bovenlijf erop deden neerkomen. Toen hij haar vertelde dat de schaaldieren dankzij dat ijs in leven en vers zouden blijven totdat ze in de steden in Engeland aankwamen, kon ze niet anders dan zijn genoegen delen, hoewel ze er niet zeker van was wat dit betekende.

Om eerlijk te zijn was ze blij toen ze dat helse gebouw weer verlieten, maar ze werd pas weer helemaal blij toen hij met haar bij de rivier neerknielde en toekeek hoe de watermassa voorbijstroomde en hij haar weer het verhaal vertelde van de geboorte van de rivier. Het verhaal waarin verteld werd dat bij de bron iedereen met stomheid geslagen was die zo dapper was geweest om erin naar zijn spiegelbeeld te kijken. Dat een meisje van onvergelijkelijke schoonheid met lange lokken net als die van haar, er haar haren in had willen wassen. Dat het water geschrokken was van haar schoonheid en omhooggekomen was, dat ze weggerend was om eraan te ontkomen, en dat het haar uiteindelijk aan de kust bij Mornington had ingehaald, waar het water haar zowel van haar gezichtsvermogen als van haar leven had beroofd. Boinn heette ze, en zo was ook de rivier genoemd, naar haar eerste slachtoffer.

Onder water bewogen lange slierten zeewier mee met de afwisseling van eb en vloed. En toen ze ernaar keek, kon ze zich goed voorstellen dat het een lang bed van haren was van het meisje van onvergelijkelijke schoonheid dat nog daar beneden verbleef, waar het water haar steeds langer wordende haren voor eeuwig waste. Als ze omhoogkeek zag ze de obelisk van met mosselen begroeid steen die op de plek waar de rivier in zee uitkwam omhoogrees en die Lady's Finger werd genoemd, met daarachter de dreigende omtrekken van de ruïne van de Maiden's Tower. Als zeelieden de riviermonding in wilden varen, vertelde haar vader, manoeuvreerden ze hun schip zo dat ze de Lady's Finger en de Maiden's Tower achter elkaar zagen liggen, en dan wisten ze dat ze de drempel over konden. Wat die drempel te betekenen had, wist ze niet, maar een rivier waarvan de monding bewaakt werd door de Lady's Finger en de Maiden's Tower en die het haar van een meisje als bron had, moest volgens haar beslist een vrouwelijke rivier zijn. En de mannen die er met hun zeilbootjes op heen en weer voeren, die de vis in donkere, natte netten uit haar trokken, die jakobsschelpen, kokkels en mosselen wegsleepten uit haar met zeewier begroeide diepten, mochten zich gelukkig prijzen met een vrouw die zo vrijgevig was. Ze vroeg zich af of het verdronken meisje en haar geheime vriendin een en dezelfde waren, maar na enig nadenken besloot ze dat dit niet het geval kon zijn, aangezien haar geest kleding uit een latere tijd droeg, en ook omdat die kleren nooit nat waren.

~

Schaduw. Van een vleermuisvleugel, van een plataan op het middaguur, van een es in ijl maanlicht, in de grootste van alle schaduwen. Nachtschade. De schaduw van wat voorbij is. Ik ben iets heel vreemds, alleen nog maar een afwezigheid. Een gerucht, een schaduw in een schaduw, een herinnering aan een aandenken, namelijk aan mijzelf. Een zwerfhond heeft mijn laars te pakken gekregen, begraaft hem in een aardappelveldje, graaft hem op, begraaft hem weer.

George zit na het gebeurde in zijn huisje op het terrein en luistert naar de verslagen van de paardenrennen van die middag op zijn radio. Vanuit de verte klinkt het kraken van het smeedijzeren hek bij het huis als de postbode het openduwt. Een zacht geluid van knerpende voetstappen terwijl hij met zijn fiets de kronkelende oprijlaan op loopt, een stuk of wat dubbelgevouwen bruine enveloppen in de brievenbus stopt, die op de geverniste vloer vallen. Als het tij keert, valt de wind weg, gaan de wolken trager bewegen en verdwijnen de paarden. Een hemel met eindeloos veel schapenwolkjes vormt het decor voor de ondergaande zon. Oestervissers zoeken hun weg over de slikken in de riviermonding. Langs de randen van de rivier zet zich een laagje ijs af. Het bloed op het gras wordt wit van de rijp. De wereld wordt een schilderij waar ik niet op sta.

George komt overeind van de autobank, zijn enige zitmeubel, en loopt zijn huisje uit, maar laat de deur halfopen en de radio aan. Hij loopt tussen het bosje essen en vlieren door alsof hij zelf een geest is. In zijn met twijndraad dichtgebonden laarzen waadt hij de rivier over en laat voetafdrukken als van olifantspoten in de modder achter. Het water komt tot aan zijn nek, wast hem bijna schoon. Terwijl de maan opkomt, baant hij zich aan de overkant van de rivier een weg, plukt mosselen van de bevroren oever en eet ze rauw op. De woorden in zijn hoofd zijn oude woorden, ze bestaan uit één lettergreep en hebben te maken met de riviermonding – mulch, stront, leem, klei. Hij gaat op zijn buik in het zand liggen en voelt het zilte nat door zijn oude tweedjasje met de leren elleboogstukken sijpelen. De lijnen met zeepieren strekken zich voor hem uit in de richting van het rimpelige zand op de oever, waar het water traag in het maanlicht klotst. Als hij zich kon ingraven in het zand waarop hij ligt, zou hij het doen. Als hij zijn jasje en zijn flanellen hemd, zijn vettige spijkerbroek en het oranje twijndraad dat de broek ophoudt kon uittrekken, als hij zichzelf, zijn lichaam en de weefsels die het samenbinden, in zijn geheel kon uittrekken en weggooien als een natte oude huid, zou hij het doen.

Er is geen samenhang meer in zijn denken, maar de woorden gonzen door hem heen. De aarde is bedekt met mulch en afval, een levend wezen is eraan overgeleverd. Hij is opgenomen in de barbaarse ordening van alles. En nu voelt George het gemurmel van vernieuwing in zich. Een krabbetje kruipt tussen zijn vingers en verdwijnt schichtig in een wormgat. Een drieteenmeeuw krijst. En dan staat hij op, loopt langs de oever bij Mornington, en de zuigende geluiden van het natte zand onder zijn voeten gaan over in een gekraak van brekende schelpen. Jakobsschelpen, kokkels, mosselen, alikruiken, elke voetstap getuigt van de noodzaak van de dood, hoe de aarde behoefte heeft aan de skeletten.

Mornington, Bettystown, Laytown, geen oever slaat hij over, en hij waadt tot aan zijn middel door de Nanny: een grote, gebogen gestalte, scherp afgetekend tegen de fosforachtige gloed van de brekende golven. Hij is bezig aan een terugreis van de rede, van de plaats waar ze hem hebben laten gaan, de psychiatrische inrichting Sint-Ita in Portrane.

Het is ochtend als hij daar aankomt. Hij loopt van de oever

3

Haar moeder werd er, in tegenstelling tot haar vader, niet warm of koud van dat er een nieuwe eeuw begon. Het huis was van haar, was in haar bezit gekomen via haar vader, Jeremiah Tynan, wiens fortuin zich sinds de oprichting van de Drogheda Steampacket Company gestaag had vermeerderd en die het had gekocht van de winst die hij had gemaakt met de eerste ijzeren stoomraderboot, de Colleen Bawn, die op de route Drogheda-Liverpool voer. Hij was al overleden vóór de tewaterlating van de Kathleen Mavourneen, de grootste stoomboot die de Drogheda Steampacket Company had laten bouwen, tachtig meter lang, met een grootste breedte van vijftig meter en een bruto tonnage van negenhonderdachtennegentig, maar het fortuin was intact gebleven, was zelfs nog verder aangegroeid, en op een gegeven moment was het bedrijf verkocht en was het huis in handen gekomen van zijn vrouw en uiteindelijk in die van zijn jongste dochter, maar toen was het al alsof het altijd al van hen was geweest, Baltray House, op de noordelijke oever van de monding van de Boyne, met uitzicht op Mornington aan de overkant van de rivier, in het zuiden.

Zijn enige dochter waren de wisselvalligheden van het zakenleven bespaard; ze werd opgevoed in het Siena-klooster voor onderwijs aan katholieke jongedames aan Chord Road in Drogheda, dat was gegrondvest door moeder Catherine Plunkett, een achternicht van de martelaar Sint-Oliver. Na haar eindexamen was ze in het gezelschap van een door haar moeder uitverkoren non naar de stad Siena gereisd, waar ze evenwel geen belangstelling had gekregen voor de mystiek van de heilige Catharina van Siena, maar wel liefde voor de schone kunsten. In Arezzo had ze plichtsgetrouw de Piero della Francesca's gekopieerd, en naderhand in Florence de Raphaels in het Uffizi en de reusachtige *David* van Michelangelo bij de Accademia.

En daar, voor de *David* van Michelangelo, had ze een jonge Engelsman ontmoet die luisterde naar de naam David Hardy en die op zijn rechthoekige blocnote het beeld getrouw had nagetekend, op de marmeren penis na. Onder het wakend oog van de chaperonnerende non waren ze een gesprek begonnen, dat ze twee jaar later hadden voortgezet toen ze elkaar toevallig ontmoetten voor Velásquez' schilderij van de onbevlekte ontvangenis in de National Gallery aan Trafalgar Square in Londen, waar Elizabeth Tynan naartoe was gereisd voor een verdere bestudering van de schone kunsten. De tranen hadden hem over de wangen gelopen, tranen, legde hij haar uit, die veroorzaakt waren door zijn gevoel van volstrekte ontoereikendheid bij het aanschouwen van de volmaakte schildering die daar voor hem hing, een volmaaktheid die hij nooit zou kunnen evenaren. Pas een jaar of acht daarna, toen de zoon die van hem weggehouden was in hun leven kwam, zou ze begrijpen dat die tranen door iets geheel anders waren veroorzaakt. Maar toen ze daar voor dat doek stond, leek de serene schoonheid van het gezicht van de Maagd een meer dan passende verklaring, en het had dan ook niet lang geduurd voordat ook zij begon te huilen. Hij had haar haar zakdoek teruggegeven, en daarbij hadden hun handen elkaar even aangeraakt.

Omdat ze er eigenlijk allebei nogal onverschillig tegenover stonden, had hun belangstelling voor Velásquez al snel plaatsgemaakt voor interesse in elkaar en waren ze begonnen elkaar het hof te maken, al kon dat niet op de klassieke formele wijze, aangezien ze beiden in feite wezen waren, omdat ze allebei kortgeleden de langstlevende van hun beide ouders hadden verloren – zij haar moeder, hij zijn vader. Maar al snel had hij de eerste van een hele serie oversteken over de Ierse Zee gemaakt, van Liverpool naar Drogheda, aan boord van de Kathleen Mavourneen, die inmiddels was overgegaan in het bezit van de British and Irish Steampacket Company, waarin Elizabeth en haar vier broers een aanmerkelijk belang bezaten. David Hardy, die voldoende eigen middelen bezat om zich niet in verlegenheid gebracht te voelen door de welstand van zijn verloofde, was verliefd geworden op het schip, op de muzikaliteit van de naam, en vervolgens bij aankomst op het vaalgrijze uitzicht over de monding van de Boyne, dat hem aan niets zoveel deed denken als aan de Hollandse landschappen van Jacob van Ruisdael.

Misschien was hij er verliefd op geraakt omdat hij daar behoefte aan had, behoefte aan een thuis voor zijn turbulente emoties, die zo radicaal verschilden van wat hij tot dan toe had meegemaakt. Dat hij verliefd was op Elizabeth was voor hem boven alle twijfel verheven. Maar misschien had hij toch aan dat gevoel moeten twijfelen, had hij moeten nagaan of hij de betrekkelijk korte tragedie die hij achter zich had gelaten niet ging inwisselen voor een langduriger tragedie waarin hij nu verzeild zou raken. Maar er is nog een derde veronderstelling, namelijk dat hier sprake was van een gelukkig toeval zoals dat maar zelden voorkomt, dat hij die frêle hand die in de zijne rustte alle troost kon bieden die ze nodig had. En toen hij tegen de gewelfde ijzeren omhulling van de reusachtige stoomschoep leunde, zijn andere hand om Elizabeths smalle middel legde en de obelisk van de Lady's Finger voorbij zag schuiven, de Maiden's Tower er recht achter en daarachter weer het uitgestrekte strand van Mornington, had hij een hoogst merkwaardige genegenheid opgevat voor een landschap en een land dat hij nooit eerder had gezien, dat hij zich niet had voorgesteld ooit te zullen zien.

~

Als de avond weer valt, spreekt de radio voor zichzelf in het lege huisje van George. Een weerman voorspelt veel zon voor de tijd van het jaar. De amberkleurige lamp in de wijzerplaat van de radio werpt een zwak schijnsel op de ramen met de ijsbloemen erop.

Het bleke licht van de maan tekent de takken van de es daarachter haarscherp af. Droefheid, als ik droefheid kon voelen, zou die onzichtbare stem die oproepen. Hij heeft hem aan laten staan, en het bericht dat er de komende dagen een winters zonnetje zal schijnen, wordt uitgezonden naar een plek waar geen mens is. Terwijl de avond verder voortschrijdt, de maan verschuift en alle schaduwen op de bomen meeschuiven, lijkt het alsof het rustige weer dat de radio heeft voorspeld al ingetreden is. De wind die de afgelopen drie dagen heeft gewaaid, is op weg naar de Azoren.

Ik had de voortekenen natuurlijk moeten zien. George had net als wij allemaal ook zijn weersomstandigheden. Hij was rusteloos geworden door de wind en hij deed andere dingen dan ik hem opdroeg. De randen van het gazon waren niet bijgeknipt, en in de ommuurde tuin was mest neergelegd aan de wortels van de zwartebessenstruiken en de kersenbomen.

'Het is winter, George, de grond is bevroren, waarom zou je bevroren grond bemesten?'

'Ik doe wat me opgedragen wordt,' zei hij.

'Ik heb het je niet opgedragen,' zei ik.

'Nee,' zei hij, 'wat weet jij van tuinen?'

Bij de oever van de rivier had ik een mus gevonden waarvan het kopje afgehakt was.

'Wie zou een mus onthoofden, George?' vroeg ik hem.

'Een nerts,' zei hij. Hij wees in de richting van Baltray, waar de nertsfarm was. Maar het kopje was er messcherp afgesneden, alsof het met een tuinschaar was gedaan.

'Misschien heb jij het wel gedaan, George, terwijl je aan het snoeien was.'

'Waarom zou ik snoeien?' had hij me gevraagd. 'Midden in de winter?'

Ja, waarom eigenlijk, vroeg ik me af, en ik dacht er niet verder over na.

Ik had hem die middag aangetroffen onder de appelboom, terwijl hij op zijn buik in het bevroren gras lag.

'Je bevriest zo, George,' zei ik tegen hem.

'Misschien,' zei hij, 'maar ik verwarm de aarde.'

'Dat zal de aarde zeker op prijs stellen, George,' zei ik, 'maar waarom laat je dat niet aan het voorjaar over?'

'Het voorjaar heeft hulp nodig,' zei hij, 'en de zomer heeft ook hulp nodig.'

'Ben jij dan Adonis, George, in je overall?'

'Wie is Adonis?' vroeg hij.

'Adonis bracht de aarde weer tot leven.'

'Was hij dan een tuinman?'

'Ja,' zei ik, 'een soort tuinman.'

'Hier hebben we vroeger gelegen,' zei hij, 'gewoon zomaar, met ons vieren.'

'Ja,' zei ik, 'maar dat was in de zomer, het gras was toen hoger, en wij waren nog kinderen.'

Toen kwam hij overeind en ging moeizaam staan, alsof hij zijn te grote, volwassen ledematen opnieuw betrok.

'Je hebt me mijn rol afgenomen,' zei hij, of dacht ik dat hij zei, en hij wendde zich af.

'Wat heb ik?' vroeg ik.

Hij zei het nog een keer, boven het waaien van de wind uit: 'Je hebt me mijn rol afgenomen.'

Ik keek naar de omtrekken van zijn lichaam die in het wintergras waren achtergebleven. Ik dacht terug aan het theatertje van ons vieren onder die appelboom in het lange septembergras van mijn kinderjaren. Zijn rol was die van Toetssteen geweest, niet Adonis. En dat drukt mij meer terneer dan een geduchte afrekening in een klein vertrek.

4

Toen David Hardy het huis onder ogen kreeg – of toen het hem onder ogen kreeg, want het kwam even kalm en zwijgend op hém af
als Dan Turnbull de grijze merrie in de richting van de kalkstenen
pilaren van de toegangspoort voerde – vond hij het extravagant,
een nabootsing van een beschaafde façade, met een uitzicht dat je
net zo goed op de Azoren, bij onze tegenvoeters of – zoals op de
schilderijen van Jacob van Ruisdael – aan een van de Hollandse ri-
viermondingen had kunnen vinden. Het had een vreemdheid die
het nooit kwijt zou raken, de vreemdheid die hij voelde toen Dan
het paard door het halfopenstaande hek manoeuvreerde en de
wielen van de sjees met een knerpend geluid over het sinds lang
ongeknerpte grind rolden, langs het huis achterom, waar hij tot
zijn verbazing besefte dat hij aan de voorkant was.

Ik weet nu natuurlijk wat hij had achtergelaten. Hoe ik dat
weet? Dat is de genade van mijn staat. Ik ben overal maar leef nergens, de narratieve ideaalpositie. Hij kreeg een stofdeeltje in zijn
oog, opgeworpen door de hoeven van de merrie, en toen hij het
eruit wreef, zag hij het huis dat hij nooit had verwacht te zullen
zien, het armzalige kalksteen een affront voor de laaggelegen landerijen.

Ik zou haar vele jaren lang de toestand verwijten zoals die door
zijn toedoen was ontstaan. Zijn ribfluwelen broek, zijn tweedjasje, de soldatenriem met zijn koperen gesp die ik zo graag aanraak-
te, het linnen overhemd met daaronder de strak zittende blauw
met rode borstrok, de met ijzer beslagen schoenen op het grind

toen hij haar hielp uitstappen, achter dat alles ging iets banaals en Victoriaans schuil: een geheim. En geheimen – dat moet hij zelfs toen hebben geweten – komen altijd uit.

Met een zelfverzekerdheid die hij niet werkelijk gevoeld kan hebben pakte hij haar bij haar elleboog. Omdat hij niet anders kon, onderdrukte hij een huivering, vrees zelfs, voor wat dit huis wellicht voor hem in petto had. Ze stuurde Dan met een hoofdknikje weg en leidde hem, door haar elleboog geruststellend tegen zijn dikke, aarzelende vingers te drukken, naar de deur. Ze had het gevoel dat hij gerustgesteld wilde worden en ze dacht te weten waarom. Hij was in een ander land, het huis was groot, en Mary Dagge, die de deur opende, was een en al stijfsel en onnatuurlijk wit.

Kom in mijn wereld, leek ze te willen zeggen, een wereld die jou vreugde zal geven, dat beloof ik je. Maar terwijl hij het half-duistere huis betrad, vroeg hij zich af of die belofte waargemaakt zou worden. Ze vrijden in de vroege namiddag op het grote eikenhouten bed in de kamer die ze hadden besloten tot de hunne te maken, en hoewel de stralen van de lage oktoberzon die over het bobbelige raam, de beddensprei en haar in de knoop geraakte kousen streek iets vriendelijks hadden, was er ook een leegte. Hij was een vreemde tussen de dingen die haar vertrouwd waren. Een vreemde uit eigen verkiezing, een reiziger. Hij wilde zijn reis hier beëindigen, maar vroeg zich af of dat zou gebeuren: zou hij ook hier een vreemde blijven, hoe vertrouwd de plek hem ook zou worden?

Toen wellicht, of anders op een ander tijdstip in die eerste maand, werd het kind verwekt, nóg een vreemde in haar lijf. En naarmate het in haar groeide, werden haar bewegingen trager, het belemmerde haar in de onbehouwen snelheid waar ze zo trots op was, het zadelde haar op met een zwaarte die ze het nooit helemaal heeft vergeven. Hij was dolblij met het vooruitzicht dat een nieuw wezen in de plaats zou komen van wat hij verloren dacht te hebben. Maar voor haar waren het baren van een kind en moederschap zaken die haar vervreemdden van het meisje dat ze zelf was, een last die ze geen tweede keer op zich zou nemen.

Twee vreemden dus. En het gevoel van vreemdheid maakte bij hem energieën los die hij niet van zichzelf kende, energieën die hij aan schaaldieren besteedde – godbetert. Hij hield ervan om naar de oevers van de riviermonding te lopen, aan de kant van Mornington en Baltray, en onder zijn voeten het knerpen te horen van de daar gedurende decennia aangevoerde jakobsschelpen. Hij hield ervan om de vissers te schilderen bij het binnenhalen van hun zalmnetten, en terwijl hij de olieverf liet opdrogen, luisterde hij naar wat ze zeiden. Hij hoorde hoe opgewonden ze waren over het naderen van het zalmseizoen, waarna ze de rest van het jaar honger leden, merkte op dat ze de kreeften en garnalen teruggooiden in het water, zette bij wijze van proef een eerste coöperatie op, die in ijs verpakte dozen met kreeften, garnalen, kokkels en mosselen per pakketboot verscheepte naar Liverpool. In Liverpool bleek de honger naar schaaldieren onstilbaar, de ladingen werden groter en groter, en het netwerk spreidde zich uit tot Blackpool, Southampton, Brighton en Londen.

Al snel bleek de nieuwe bedrijvigheid niet goed uitgevoerd te kunnen worden in de armzalige vissershutten. Er moest een fabriek komen, die ook gefinancierd moest worden, en aan het einde van de oude eeuw constateerde hij tot zijn verbazing dat hij zich tot een verbazend geslaagde zakenman ontwikkelde. Binnen korte tijd was hij geworteld in dit vreemde land en dit vreemde huis, alsof hij er eerder was geweest, en het enige dat nog herinnerde aan het leven dat hij achter zich had gelaten, was dat af en toe nog de tranen uit zijn donkerbruine ogen vloeiden, altijd onverwacht, waarvoor hij dan tegenover zijn jonge vrouw als verklaring slechts het woord 'Velásquez' aanvoerde.

Velásquez was voor hen het codewoord geworden voor dat wat in het alledaagse voor eeuwig verloren is, voor die onderhuidse hoop die je had maar die je uit je hoofd moest zetten, voor ambities gefnuikt door ongeluk, onmacht of allebei. En zoals het met dit soort woorden gaat, was het ook van toepassing op het moment dat ze elkaar voor de tweede keer hadden ontmoet en binnen enkele minuten wisten dat ze voor altijd bij elkaar zouden blijven. Bij die globe op de donkere achtergrond van het doek, met de zwak glinsterende sterren.

En toen zij kwam, kon hij aan niets anders denken: de kindmaagd met het geknepen gezicht op het hoogste punt, volstrekt alleen in een kil universum. En toen de dokter hem vertelde dat dit kind hun laatste zou zijn, waren er geen tranen. Hij kon zich niet voorstellen dat deze volmaaktheid ooit herhaald zou worden.

Ze werd het huis binnengedragen door haar vader, haar wangetje rustend op de witte gehaakte sjaal over het gerimpelde ribfluweel van haar vaders mouw. Haar moeder volgde in een rieten kraamstoel gedragen door Dan Turnbull en twee boerenknechts, voorzichtig, alsof het een exotisch stuk porselein was dat elk moment zou kunnen breken. Het huis begroette haar zoals het elke nieuwkomer begroette: met een mysterieuze omhelzing waaraan niet te ontkomen viel.

Haar ogen bekeken het huis door een vloeibaar prisma, kalm en bedaard als vijvers vol moeraswater waar geen zuchtje wind merkbaar vat op heeft, onstoffelijk als elke geest, terwijl ze door armen waarvan ze zich nauwelijks bewust was door de voordeur naar binnen werd gedragen, het gapende donker in van de hal waarin het eikenhouten trappenhuis oprees tot aan de hoge ramen met de ovalen van grijs, Iers licht. Ze sloot haar ogen met onregelmatige tussenpozen, en dan vloeide het donker naar binnen als een meer. Toen ze ze in een opwelling weer opendeed, zagen ze weer iets heel anders, een andere kamer, een verpleegster die zich over haar heen boog, zwart haar dat als vleugels langs haar gezicht streek, een fles met een gummispeen die naar omlaag op haar afkwam. De moeder, in dekens gewikkeld, strekte zich in de kamer met veranda daaronder uit op haar luie stoel, controleerde met haar hand de hechtingen in haar vagina, terwijl de vader op de begane grond heen en weer beende, nu eens een riedeltje speelde op de piano in de eetkamer, dan weer met houtskoolpotlood een schets maakte van zijn slapende vrouw in het waterig bleke licht dat door de beschimmelde ramen naar binnen drong.

Maar de vrouw sliep niet; ze had haar ogen gesloten om niet in de zijne te hoeven kijken. Ze leek overmand te zijn door uitputting, een soort razernij was het, gericht tegen het vlees, de huid, het weefsel en de botten van het dier in haar dat deze geboorte mogelijk had gemaakt. Ze sprak natuurlijk wel als het moest – ja, schat, moe misschien, ja dat moet haast wel, thee, ja alsjeblieft – maar haar ziel, haar hart, welke bloem ze hem ook aanreikte, was er vreselijk aan toe en was in winterslaap.

In de kamer boven gingen de ogen van het kind open, maar wat een zuigeling het meest bezighoudt was er niet in te lezen, en ze staarde over het ravenzwarte haar van de verpleegster heen naar iets wat er niet was. Geen waarneming, geen herkenning. Alleen een starende blik.

Een geïsoleerd kind. Het zou haar naam hebben kunnen zijn, Isolatie, Isolde, met de associatie van rust in het alleenzijn. De ogen als donkere vijvers, donkerder dan de bruine ogen van haar vader, keken van zijn hand die haar droeg in de doopjurk van haar moeder boven de stenen doopvont in het Siena-klooster. Volgens zeggen zouden ze geen moment hebben geknipperd toen het water langs haar gerimpelde voorhoofd naar beneden sijpelde. Het verschrompelde hoofd van Oliver Plunkett, dat meer dan tweehonderd jaar geleden van zijn romp was gehakt, stond er in zijn glazen kistje aan de andere kant van het schip volkomen onbeweeglijk bij. De ogen leken voorbestemd te zijn voor dat te grote huis met het donkere houtwerk, het vochtige kalksteen, de tocht en de schaduwen. Toen ze begon te praten was ook dat volgens zeggen vroeg, en ze leek het altijd tegen iemand anders te hebben. Ze dachten eerst dat ze een lui oog had omdat ze mama en papa altijd leek toe te spreken op een punt schuin achter hen. Maar toen ze dokter Quirk erbij haalden en hij zijn vinger voor die bruine kijkers heen en weer bewoog, bleek er met de ogen niets mis te zijn. En omdat ze goddank niets van dokter Freud wisten, die trouwens toen nog niets op papier had gezet, schoven ze het op inbeelding en fantasie.

Ze noemden haar Nina.

~

De hemel is betrokken en de potloodschaduwen op de takken lijken in het sombere schijnsel zachter geworden. Het licht dat op het raam valt, het enige in de omgeving, is inmiddels warmer. Dat het dag wordt is eerder te voelen dan te zien. Het koeren van een ontwakende duif weerklinkt, de wind lijkt toe te nemen en de dode bladeren komen in beweging, ergens achter het bosje klinkt geklapwiek van vleugels. Na een patriottisch deuntje op een schraal klinkend orgel en een serie piepjes waarover nagedacht is komt de radio in de kamer waar niemand is tot leven met nieuws over hoge- en lagedrukgebieden en langzaam oplopende millibars. En dan komt het zwakke daglicht. De nacht treedt andermaal terug in de schaduwen, in de donkere plekken die de lichte bepalen.

George moet die ochtend na het wakker worden de radio hebben aangezet en die aan hebben gelaten toen hij zag dat er geen melk in de koelkast stond en hij vervolgens door de beijzelde landerijen naar het huis liep. Want toen ik half aangekleed naar beneden kwam omdat ik iets in de keuken hoorde klapperen, bleek de deur open te staan en rolde er op de grenenhouten tafel een fles melk heen en weer, waaruit de inhoud op de vloer droop. Een serie afdrukken van zijn laarzen toonde hoe hij van de tafel naar de deur was gelopen. Ik mopperde er in stilte over terwijl ik het opveegde en weer eens overwoog om zijn betrekking als tuinman, klusjesman en manusje-van-alles te beëindigen. Waar ben je, mijn Adonis, met je gemorste melk en je bloedende mussen?

Ik hoorde het hem nog zeggen: je hebt me mijn rol afgenomen, terwijl ik me om mijn dagelijkse bezigheden bekommerde, die dag die voortijdig eindigde toen ik hem twee uur later in de plantenkas tegenkwam. Het gebroken glas rinkelde aan zijn voeten toen hij door het gordijn van dode tomatenplanten stapte. Hij herhaalde de zin die ik voor het eerst onder de appelboom had gehoord. Maar niet zijn rol had ik hem afgenomen. Hart, zei hij.

'Je hebt me mijn hart afgenomen.'

5

In het derde jaar van de nieuwe eeuw besloot haar moeder dat Nina ook eens minder denkbeeldig gezelschap moest hebben. Dus nam ze de trein naar Dublin en bracht in Eustace Street een bezoek aan het Instituut voor Gouvernantes, een monumentale naam voor een benauwd kamertje op de derde verdieping, waar ze de ene dame na de andere uit de onderwijsgevende klasse te spreken kreeg. Ze koos uiteindelijk voor juffrouw Isobel Shawcross, van de Shawcrossen van Kildare, een vrouw met een preuts mondje en een kaarsrechte lichaamshouding. Het was een groot huis, vertelde mevrouw Hardy, Nina was een rustig kind, dat veel dagdroomde en de neiging had om op verloren momenten te fantaseren. Ze had het soort afleiding nodig dat een vroeg begin met onderwijs kon verschaffen. Juffrouw Shawcross knikte, en daarmee leek ze aan te geven dat ze daar begrip voor had, ze had begrip voor kleine meisjes met veel fantasie in grote huizen. Er moesten referenties worden nagetrokken en het honorarium moest nog worden vastgesteld, maar het hoofdknikje was voor mevrouw Hardy doorslaggevend, en juffrouw Shawcross was in feite aangenomen.

En zo zat ze dan een week later in een trein die de Boyne overstak, waarin de harder traag zijn rondjes zwom en een ijsvogel met zijn blauwe vleugels over het woelige water scheerde, dat een treffende gelijkenis vertoonde met het schuimende glas stout dat juffrouw Shawcross naar haar lippen bracht. Want de kinderjuffrouw lustte graag een glas stout, met bruin schuim op het bruine vocht.

Dan Turnbull wachtte haar op het station op en droeg haar vele koffers naar de sjees. Haar beeld van de omgeving werd bepaald door zijn donkere, breedgerande hoed met de vishaakjes en vliegen die over de rand bungelden. Ze had links of rechts ervan kunnen kijken en zou er dan geen last van hebben gehad, maar juffrouw Shawcross was graag zakelijk, en daarom was haar blik ook zakelijk en keek ze recht voor zich uit. Zo trokken de kaden van de stad met deze donkere voorgrond aan haar voorbij, alsof iemand zo dom was geweest het projectieapparaat vóór het filmscherm neer te zetten. De omgeving was armoedig, verwaarloosd en lawaaiig, zoals ze had verwacht. Wat ze echter niet had verwacht, was dat de aanblik gaandeweg bekoorlijker werden naarmate de herrie op de North Quay overging in het zachte ruisen van de heggen van fuchsia's langs de wielen van het rijtuig. Langs de golvende lijn van de heg links zag ze rode en oranje vlekken, want de fuchsia en de kamperfoelie stonden in volle bloei, en rechts zag ze de bij eb droogvallende slikken en de schots en scheef staande masten van de vissersbootjes in het slib, alsof die daar door een onzichtbare hand vanaf grote hoogte waren neergegooid. De enige geluiden waren die van het knarsen en kraken van de wielen langs de heg, het schrapen van de hoeven van de merrie en het zoemen van bijenvleugeltjes rond fuchsia en kamperfoelie.

Juffrouw Shawcross, die, anders dan haar stramme uiterlijk deed vermoeden, een fantasievol mens was, begon te speculeren hoe haar nieuwe pupil zou zijn, en dat speculeren ging langzamerhand, mede door de Guinness die ze op had, over in een soort dagdromerij. Ze zag een met krullen omzoomd ovaal gezichtje voor zich, boogvormige lippen met grote, bruine ogen daarboven, en dat gezichtje bewoog zich beurtelings naar haar toe en van haar af, zodat ze het nu eens scherp en dan weer onscherp zag, alsof zij, juffrouw Shawcross, helemaal niet in een prachtig rijtuig zat dat gemend werd door een daarbij behorende gestalte van wie ze al niet meer wist hoe hij eruitzag, maar eigenlijk op een reusachtige, heen en weer zwaaiende slinger. En omdat ze door de Guinness wat minder tot speculeren geneigd was, raakte ze gedurende bijna twintig minuten geheel in de ban van deze droom, zodat ze zowel verbaasd als niet-verbaasd was toen ze, nadat ze zich ervan had losgeschud en haar blik had opgeslagen, een kronkelende oprijlaan in het oog kreeg die op een grijs kalkstenen huis toeliep, waar een meisje voor stond dat naar de naderende sjees stond te kijken met precies diezelfde starende bruine ogen als waarvan ze zojuist had gedroomd. Dan Turnbull liet de merrie uit zichzelf het smeedijzeren hek openduwen en binnengaan. Uit luiheid had hij er lang geleden al van afgezien zich ermee te bemoeien, en hij bewonderde trouwens de slimheid en ijzeren volharding waarmee het dier haar vlakke, gespikkelde voorhoofd tegen het metaal duwde en onder gepiep van de roestige scharnieren de opening langzaam groter maakte. Brave meid, Garibaldi, daar gaan we. De zware hekken schuurden langs de flanken van het paard toen het de sjees erdoorheen trok. Hij hoorde het langzame, voorzichtige knerpen van de hoeven in het grind, en achter zich het knarsen van de hengsels van het hek en een geluid als van iemand die licht snurkt, waarvan hij meende dat het afkomstig was van de onderwijzeres, die, als een koe half rechtop, lag te slapen. Terwijl de merrie haar pas versnelde en het grind onder de wielen uiteendreef, zwaaiden de hekken terug naar de halfopen positie die ze daarvoor hadden gehad. Vanaf het grasveld keek Nina toe, met eerst het huis achter zich, dat zich echter naarmate ze de binnenplaats naderden steeds meer naar opzij verplaatste. Dan hief zijn arm op in een trage zwaai, die Nina hem nadeed met een nieuwsgierige en analyserende blik op haar gezichtje. Ze begon mee te lopen, rende een stukje en ging toen weer gewoon lopen, achter de sjees aan, om de kalkstenen muren heen.

De zon links van het huis spreidt voorzichtig zijn beverige vingers over de muur van de boomgaard en laat zijn stralen vallen op Dan Turnbull, het paard en de wagen en de dame met de als een potlood zo stijve rug en de nog stijvere breedgerande hoed, terwijl het huis erachter in de schaduw blijft. De dame is inmiddels rechtop gaan staan in het rijtuig en het goudkleurige licht geeft haar iets alarmerend theatraals. Dan schopt met zijn voet het houten trapje los, pakt haar gehandschoende hand en regisseert haar omzichtige afdaling stap voor stap, totdat ze op het grind staat.

'Dit is Nina,' zegt hij, en hij roept: 'Nina, Nina!' Zijn stem is bruin en geolied als oude tabak en kan niet anders dan warm klinken. 'Hoe is het met je, Nina, hoe is het met je.' Hij heeft handen als kolenschoppen, met een geheel eigen geur van tabak en smeerolie.

Ik liep om het huis heen, herinner ik me, in de richting van het kwijlende paard en de vrouw met de donkere hoed. Dan noemde het paard altijd Garibaldi, naar een Italiaan die in een oorlog had gevochten. Dan bleef me roepen, hoewel ik al op hem afliep, maar zo was hij nu eenmaal, Dan; soms vroeg hij iets twee keer, zelfs al had je het antwoord al gegeven. Hij tilde me op met die handen als kolenschoppen, ik rook de tabak, en hij zei: 'Dit is het meisje, juffrouw. Nina, dit is je onderwijzeres', en ik wist toen al dat ze het niet lang zou volhouden. De donkere rand van haar hoed boog zich naar mij over en ze stroopte haar handschoen af en stak haar hand uit. Haar adem rook naar mout en haar nagels waren vuil, maar ik schudde hem wel.

'Dag, mijn kleintje,' zei ze.

~

Een tankauto passeert het geopende hek, rijdt de oprijlaan op en komt op het grind tot stilstand. Hij blijft daar staan, de roestige uitlaatpijpen braken wolken dieselrook uit, hij claxonneert, wacht even, claxonneert dan nog eens en vervolgens nog eens. Een man als een kleerkast, gekleed in een blauwe overall, stapt uit en steekt een sigaret op. Hij roept de naam van George, George die de olie heeft besteld, af te leveren op 16 januari 1950. Uit de cabine klinkt het geluid van een radio, een politicus zegt iets over plannen voor de aanleg van elektriciteitsleidingen op het platteland en de betekenis daarvan voor de graafschappen Roscommon, Sligo en Leitrim. Hij luistert naar de stem die in de stilte opklinkt, rookt zijn sigaret zo ver mogelijk op en loopt dan naar de keukendeur. Hij duwt hem langzaam open, roept George nog een keer. Terwijl zijn stem in de bijkeuken wegsterft, ziet hij de portemonnee op de grenenhouten tafel liggen. Hij luistert, en als de stilte volkomen lijkt, pakt hij de portemonnee en knipt hem open. Hij ziet de opgevouwen biljetten erin maar bedenkt zich kennelijk, want hij knipt hem dicht, legt hem neer en loopt de tuin weer in.

Hij loopt via het pad van verharde aarde in de richting van de kas en roept weer: 'Is daar iemand, in jezusnaam?', en blijft pas staan als hij op het bevroren en geplette gras de rode vegen ziet die op de witte rijp gekalligrafeerd lijken te zijn. Hij volgt de bloederige voetstappen een voor een naar de kapotgeslagen deur van de kas, duwt die voorzichtig open, betreedt de warmere wereld waar het magere zonnetje door de ruiten heen zijn wonderen verricht en stapt meteen in de plas stroperige, koperkleurige vloeistof. Hij zegt niets, kijkt ernaar met de nieuwsgierigheid van een kind en maakt alleen een geluid als hij zijn eigen voetafdrukken ziet: net als die van George in de melk, maar roodbruin van het bloed dat er al een dag ligt, met in het doorsneden ovaal van de zool minuscule roestkleurige rechthoekjes. Hij hijgt, maakt vanuit longen die allang verwoest zijn door het vele roken een geluid dat aan emfyseem doet denken. Het lijkt alsof hij het op een lopen wil zetten, maar hij weet zich te beheersen en tilt in plaats daarvan zijn voet op, pakt met zijn rechterhand zijn enkel vast, draait zijn schoen omhoog om de zool te bekijken. Hij zet zijn voet zorgvuldig neer op een plek waar geen bloed ligt, loopt behoedzaam naar buiten en doet dan iets onverwachts. Hij veegt zijn voeten af op het berijpte gras. Het is een reiniging die hij automatisch verricht. Hij voelt zich bezoedeld, ofwel hij is bang erbij betrokken te raken, ofwel hij voelt gewoon afkeer.

Dan rent hij terug naar het pad van bevroren aarde, onder de galerij bij de bijgebouwen door, springt in de cabine van zijn tank-

wagen, die vervolgens trillend tot leven komt en dikke rookwolken uitbraakt en dan kreunend gekeerd wordt en uit het zicht verdwijnt, een bleke nevel van dieseldampen achterlatend, waarin de
gevel van het huis langzaam weer vorm aanneemt.

6

Het huis waar Isobel Shawcross achterom, via de keukendeur naar binnen ging, was een groot huis, een heel groot huis. De eerste, instinctmatige reactie van juffrouw Shawcross was om het kleiner te willen maken. Ze liep erdoorheen alsof ze grotere huizen met oneindig veel meer weelde gewend was, niet met zo'n prozaïsche keuken met een omgekeerde fiets voor de bijkeukendeur, niet met zo'n allegaartje van koperbeslag op de traploper met daarboven de rechthoekige achttiende-eeuwse ramen met blokken stoffig licht, alsof ze gewend was aan huizen waar het allemaal veel beter georganiseerd was. En al kan ze het toen niet geweten hebben, ze voelde wel aan dat dit een huis was waar in de wanorde dingen konden verdwijnen: snuisterijen, pennenmesjes, bestek, kammen van walvisbeen en ivoor, losse sokken en schoenen, brieven, kantwerk en ringen van lapis lazuli. Ze zou dingen kwijtraken in dit huis, voelde ze, maar ze kan toen nooit geweten hebben hoeveel. Ze kan niet geweten hebben dat ze veel meer zou verliezen dan de inhoud van die kloeke leren koffers die Dan Turnbull naar binnen droeg, één in wankel evenwicht op zijn vettige kruin, één onder zijn oksel en een derde met zijn met spijkers beslagen laars vooruitschuivend over de plavuizen vloer.

'Ik zal u uw kamer laten zien, mevrouw. Eh... mevrouw?'

Juffrouw Shawcross draaide zich in het halletje van de bijkeuken om.

'Ja?'

'Ik heb maar twee handen. Zou u me kunnen helpen met die koffer?'

Ze aarzelde even, en haar neusvleugels verwijdden zich even alsof ze ze uit wilde slaan, een beweging die Nina en Dan zich zouden blijven herinneren als iets wat alleen zij deed. Toen bukte ze zich, pakte met beide handen de koffer op en ging opzij, waarna hij de hoek om manoeuvreerde en achtereenvolgens het stenen trapje op, de hal met het tapijt op de vloer in en de houten trap met de hoge ramen en het bleke namiddaglicht op naar de bovenverdieping. Aan weerszijden waren deuren die allemaal half openstonden, waardoor ze nog meer aanwijzingen kreeg voor het bestaan van de wanorde die ze al had voorvoeld. Maar toen ze haar kamer betrad, bleek die een wonder van netheid te zijn. Een gladde sprei op een simpel eikenhouten bed, een schrijftafel bij een sierlijk gotisch raam.

'Ik zet ze hier neer, mevrouw.'

'Juffrouw,' zei Isobel Shawcross. 'Juffrouw Isobel Shawcross,' voegde ze er nog aan toe, terwijl ze uit het raam keek naar iets wits dat beneden in de verte aan de kastanjeboom heen en weer zwaaide.

~

Maar nu, in het heden, in de gelijkmatig voortschrijdende tijd, die zich versnelt noch vertraagt, op deze zestiende januari om negen minuten voor halfelf, passeert een politieman op een zwart rijwiel de doorhangende hekken. De witte baard is geheel van de grasvelden verdwenen, maar heeft een gelijkmatige, glinsterende dauw achtergelaten, zodat het weer ochtend zou kunnen zijn. Het is Buttsy Flanagan van het politiebureau verderop aan de rivier, voorbij de haven en de cementfabriek, gevestigd in de oude barakken van de Royal Irish Constabulary, die tijdens de troebelen tot de grond toe zijn afgebrand en na de onafhankelijkheid weer zijn opgebouwd voor de eigen, Ierse politie. Hij fietst langzaam, alsof hij geen zin heeft om aan te komen. En als hij bij de door de banden van de tankwagen in het grind getrokken cirkel achter het huis is, begint hij traag aan zijn onderzoek, met een ontspannenheid waardoor het bijna lijkt alsof het hem niet interesseert. Hij neemt het geplette gras waar, de voetafdrukken, de plas opgedroogd bloed in de plantenkas. Hij ademt langzaam, en elke ademtocht condenseert als een amechtig vraagteken in de koude ochtendlucht. Hij heeft George gekend, hij heeft Nina Hardy gekend, hij heeft Georges zus Jane gekend, maar hij kan de herinneringen van zijn kinderjaren net zomin met de situatie nu in verband brengen als hij het zou kunnen met een heksensabbat. Hij herinnert zich drie figuren boven op een berg hooi die in de late avondzon achter op een voorthobbelende tractor heen en weer zwaait. Hij herinnert zich het prachtige meisje, een vrouw eigenlijk al, die in de jurk met het opgedrukte bloemmotief langs het vaantje van de achttiende hole op weg is naar het dansfeest van de tennisclub. Hij herinnert zich de geur van heide en pasgemaaid gras en het geluid van een nummer van Percy French dat uit het clubhuis opklinkt. *O die dansavonden in Kerry, o die deuntjes van de doedelzakspeler, alles herinneren we ons nog in het uur van onze waanzin...* Hij kan er even niet op komen wat de volgende regel ook alweer is, en net als hij ophoudt er moeite voor te doen, schiet deze hem weer te binnen... *Verdwenen, helaas; als onze jeugd – te snel!* Hij mijmert even over het feit dat die zin zoveel leestekens bevat. Dan hoort hij het geluid van een auto die achter het massieve huis aan komt ronken; hij is opgelucht, omdat hij niet degene zal zijn die zal moeten vaststellen wat zich hier nu feitelijk heeft afgespeeld. In elk geval niet in zijn eentje.

De auto stopt bij het hek en laat een politieman uit, die met veel plichtplegingen het hek achter zich sluit; zijn komst trekt de aandacht van een kluitje kinderen die voor het middageten van school naar huis onderweg waren, hun aanwezigheid is weer aanleiding dat de melkboer die zijn ronde maakt zijn bestelauto stilzet, en ook een tractor beladen met veevoer blijft staan. Tegen lunchtijd is de zon door de wolken gebroken, het gras is inmiddels droog, het aantal nieuwsgierigen bij het hek is nog toegenomen en de politiemannen bewegen zich als slaapwandelaars met grote passen voort over de gazons. Niemand verheft zijn stem, er zijn geen emotionele uitbarstingen, en het lijkt alsof het al lang geleden is dat de tragedie heeft plaatsgevonden – als het al waar is dat er zich een tragedie heeft afgespeeld. Er arriveert nog een auto, waar politiemannen uit stappen, die het terrein oversteken zoals de eersten deden, terwijl zij die het al overgestoken zijn in het koude winterse zonlicht staan te stampvoeten, een sigaret roken en op gedempte toon met elkaar praten. Tegen de avond arriveert er een derde auto, een gewone personenauto deze keer, die zich tussen de groepjes nieuwsgierigen door een weg baant, wacht terwijl de hekken worden geopend, en dan knerpend over het grind naar de achterkant van het huis rijdt, die dan in feite de voorkant blijkt te zijn.

Buttsy Flanagan staat onder de galerij die de binnenplaats omringt en herkent de onbeweeglijke, ineengedoken gestalte op de achterbank. Hij ziet aan de voorkant een man in een witte doktersjas uitstappen, die de achterdeur opent, zijn arm ophoudt en wacht. Hij ziet George uitstappen, die zijn reusachtige knuist om de elleboog van de man met de witte jas vouwt. Hij wacht totdat George bij hem wordt gebracht, doet een stap opzij en loopt dan met hen mee, langs het kronkelende bloedspoor naar de plantenkas. Hij ziet de blik in de ogen van George, vol onbegrip en met stomheid geslagen, en volgt hen ook als dokter en patiënt weer doorlopen in de richting van de rivier – hij weet niet op wiens initiatief. Te midden van concentrische golven in het water ligt een boot te schommelen, waarin twee politiemannen aan het dreggen zijn door met lood verzwaarde touwen door het slijk te halen. George staart voor zich uit – zijn ogen gaan schuil achter zijn knipperende oogleden – en blijft zwijgen. Dan maakt hij zich los van de arm van de dokter, draait zich om en schuifelt weg. De dokter wil hem tegenhouden, maar Buttsy schudt even heimelijk met zijn hoofd. Dan laten ze George begaan en lopen achter hem aan, volgen de bocht in de rivier, door het woeste veld met moerasplanten dat naar het bosje met essen en vlierbomen leidt. Het kost hun moeite om hem daar

7

Het licht sterft weg in het huis, en drie keer schuift het gele licht van de koplampen van een vertrekkende auto over de muren. Bij het raam boven staat iemand, ik misschien, maar er is geen spiegelbeeld en er condenseert geen adem op het glas. Het uitzicht houdt mijn blik oneindig lang gevangen, en dan verschijnen er toch ineens druppeltjes op de ruit, condensatie die weer weggeveegd wordt door een meisjeshand, die nog een keer verschijnt als ze weer uitademt, weer veegt. Ze is jong en staat in haar eentje in deze enorme kamer, ze kijkt nu door het raam naar het hek en de landerijen daarachter met de hooischelven, want het is al laat in de zomer. Ik sta dus achter haar, en zij is hier, zij is mij natuurlijk, en alsof we niet door jaren van elkaar gescheiden zijn, verwonder ik me over haar aanwezigheid, haar geduld, haar kalme aanvaarding van het feit dat ze wordt gadegeslagen. Aan gerinkel beneden is te horen dat de thee wordt klaargezet, en haar moeder zal haar zo meteen beneden roepen, maar voor het moment staat ze in alle rust op het raam te ademen en te kijken hoe de hooischelven verdwijnen in de mist van haar adem, die ze steeds wegveegt en die steeds weer terugkomt. De figuur die ze af en toe opmerkt, haar engelbewaarder of verborgen zuster, en ik. En als ze straks beneden wordt geroepen, zal ze naast zich voor mij een plaats inruimen aan de eettafel.

'Een bord voor mijn vriendin,' zal ze zeggen.

'En hoe heet je vriendin vandaag?' zal haar moeder vragen.

'Emily,' zal ze zeggen, of Susan of Sarah, want bij elke stemming hoort een andere naam, en haar stemmingen kunnen heel veranderlijk zijn.

Er zal vanavond nog iemand anders aan tafel zitten, weet ze, vanavond en vele andere avonden: de vrouw met de kaarsrechte rug en de naar bloemkool ruikende adem, die, zoals ze nu al weet, wantrouwend zal toekijken hoe ze de etenswaren verdeelt, hoe ze in het luchtledige praat.

Maar deze bezorgdheid is even snel vergeten als hij bij haar is opgekomen. Ze heeft een geluid gehoord, het schrapen van de zware deur langs de kalkstenen latei, en ze rent naar beneden, flitst van de trap de halfopenstaande deuren door en stort zich in zijn armen, want ze weet dat hij die zal spreiden om haar te begroeten. Hij ruikt naar vis, een geur die ze bij ieder ander afstotelijk zou vinden, maar niet bij hem. Hij voert de scepter in de fabriek waar ze schaaldieren verpakken aan de monding van de rivier, hij is daarvoor uit Engeland hiernaartoe gekomen, ze weet niet waarom, hoewel ze om de een of andere reden wel weet dat het belangrijk voor hem is: dat hij daarvandaan is gekomen, uit een land dat ze nooit heeft gezien en waar hij zijn afgemeten manier van praten vandaan heeft, naar het land waar zij woont. En als ze geluk heeft, zal hij haar en haar moeder, en Mary Dagge en de nieuweling met de stijve rug na de thee in de sjees meenemen naar de riviermonding. En dan zullen ze, als hij nog een laatste keer heeft gekeken of alles in orde is in het ijspakhuis, met het ijs dat voor haar gevoel altijd brandt, bij het muurtje aan het water gaan zitten om te kijken hoe de zalm stroomopwaarts de rivier op zwemt. En dan zal hij haar nog een keer het verhaal vertellen van de geest van de rivier.

De volgende ochtend werd ze gadegeslagen door meer ogen dan haar lief was. Ze zwaaide boven het water heen en weer en ze zag zichzelf ook heen en weer zwaaien, vanuit haar uitkijkpost achter het hoge raam boven. Ze hield er niet van om zichzelf zo te zien; ze wilde alleen de kromming van de rivier beneden zien, de duinen en het huisje met het rode dak en de zee, die ten slotte ook in het zicht kwam. Daarom hield ze op met heen en weer zwaaien, pakte haar pop, liep ermee van de kastanjeboom naar de ommuurde tuin en weer terug, totdat ze ook daar genoeg van kreeg. Ze wist dat alles in die kleine wereld van haar werd gadegeslagen, zoals de pop weer door haar werd gadegeslagen. Maar inmiddels was er een nieuw paar ogen binnengedrongen, ogen die achter het bovenste raam verschenen en verdwenen, waar juffrouw Shawcross bezig was haar kleren van de koffers naar de kast te verplaatsen. Het zou niet meevallen om aan deze nieuwe toeschouwer te wennen, had ze het gevoel.

'Zij is nu onze gouvernante,' zei ze tegen popje, 'en zij gaat ons allerlei dingen leren.'

'Wat voor dingen?' vroeg popje, met een stem als het ruisen van zijde.

'O, je weet wel,' mompelde Nina terwijl ze doorliep, 'van alles, bijvoorbeeld dat je aan tafel rechtop moet zitten en in welke hand je mes en vork moet houden.'

'Is ze dan de gouvernante van eten?' vroeg popje.

'Nee, nee,' zei Nina, die afwisselend geërgerd en geamuseerd reageerde op popjes traagheid van begrip, 'ze is gouvernante van drinken en van lezen en schrijven, en volgens mij ook van sommen maken.'

'Wat is sommen maken?' vroeg popje prozaïsch, want popje was meestal prozaïsch.

'Sommen maken,' zei Nina, 'nou ja, sommen maken. Gewoon wat het is. Sommen maken is sommen maken.' En toen Nina vervolgens doorliep, viel er een schaduw over haar heen en botste ze met haar voorhoofd tegen een buik met een korset erom en keek ze neer op de rijglaarsjes van Isobel Shawcross.

Isobel Shawcross pakte haar handje vast alsof ze daar het recht toe had. Haar rokken ruisten toen ze zich vooroverboog, maar van de geur van donker bier restte nog slechts een vage lucht van gerst met een associatie aan braaksel.

'Jij was aan het praten, Nina,' zei ze.

'O ja?' zei het meisje. 'Hoe kan dat nou? Ik ben toch alleen?'

'Maar ik hoorde toch duidelijk stemmen...'

De grote hand klemde zich vaster om de kleine. Het was een hand zonder ringen met bruine spikkels en aderen die onder de huid opzwollen.

'Misschien praatte je tegen jezelf?'

'Popje, ik praatte tegen popje.'

'Nee,' zei ze, en ze begon met haar in de richting van de rivier te lopen, 'je was wél in jezelf aan het praten, Nina, want popje kan niet horen en geen antwoord geven. Voortaan geldt er een boete bij praten in jezelf.'

'Wat is een boete?' vroeg Nina, in de hoop dat de vrouw met de gespikkelde handen en de naar braaksel ruikende adem op de een of andere manier zou verdwijnen.

'Boete staat ergens tussen penitentie en straf in. Penitentie heeft altijd de vorm van een gebed, straf is een lichamelijke kastijding. De boete zal lering zijn. Lessen. Ik ga hier over de lessen, en dit zal mijn eerste taak zijn: ervoor zorgen dat jij de wereld van de fantasie ontwent en in de realiteit gaat leven. Elk gesprek dat je zomaar voor je uit voert zal met een les worden gestraft, of misschien moet ik zeggen: beboet. En de les voor vandaag,' zei ze, 'is dat popje een dood ding is, er zit geen leven in, popje bestaat uit aardewerk en paardenhaar, maar waar het vooral om gaat, is dat popje niet praat.'

'Met mij praat ze wel,' zei Nina.

'Hoe dan? Fluistert ze? Mompelt ze? Kreunt ze? Als je haar in de rivier laat vallen, roept ze dan om hulp?'

'Nee,' zei Nina, 'maar ik zou wel weten dat ze hulp nodig had als ze...'

Toen pakte juffrouw Shawcross popje uit Nina's hand en liet haar boven het water bungelen.

'Horen wij popje roepen? Om wat dan ook?'

Popje reageerde met een lege blik op Nina's betraande gezicht.

Toen liet ze haar vallen, en een kreet verscheurde de stilte. Niet van popje, maar van Nina. Popje viel met een kleine plons in het water. Ze dreef in de richting van de kastanjeboom, waarvan de takken als vingers over het water streken.

'Popje huilt wel,' fluisterde Nina, 'want ik hoor haar. Ze huilt omdat ze nat is.'

'Dat ben je zelf, Nina,' zei juffrouw Shawcross.

Nina brulde het uit en bevestigde zo dat zij het inderdaad zelf was. Ze brulde van pijn en woede omdat die hand de hare omklemde en haar wegtrok van de doorweekte pop. Hoe harder er aan haar getrokken werd, hoe meer haar vingers werden samengeknepen, des te luider brulde ze.

'Met huilen bereiken we niks, Nina.'

Nina begon nog harder te brullen, want ze vroeg zich af wat het eerst zou breken, haar hart of haar vingers. Haar vingers, besloot ze, dus zette ze haar tanden in de gespikkelde vingers die de hare fijnknepen en beet, en tegelijkertijd wist ze op de een of andere manier toch door te gaan met brullen. Ze hoorde een kreet van pijn, wurmde zich los en schoot onder de schommel, pakte het touw en reikte naar haar pupil, die daar op het water in de takken vastgeklemd zat.

'Hier, popje,' zei ze.

Popje staarde haar aan.

'Nee, maak je geen zorgen, ik kom eraan, ik kom eraan...'

Maar het water voerde popje mee, ze raakte los van de vingers van de takken en dreef weg op de stroom. Nina stak haar hand nog verder uit. Het touw glipte tussen haar vingers door, en ze zag het water op zich af stormen.

Ze raakte het wateroppervlak, zonk naar beneden, maaide in een wereld van groene belletjes om zich heen en zag popje in de vorm van een kruis boven zich drijven. Ze stak haar hand omhoog en pakte haar vast, stak haar hoofd boven water om lucht te krijgen, en toen ze wegzonken, huilden ze allebei, waarna ze weer omhoogkwamen en naar lucht hapten.

Nu huilde juffrouw Shawcross ook.

Maar terwijl ze zo steeds weer kopje-onder gingen had Nina onder water haar voeten stevig op de dikste wortel van de kastanjeboom geplant. Ze dacht wel dat Dan dit zou weten toen hij over het brede gazon aan kwam rennen en de hark die hij bij zich had in haar richting stak om haar aan land te trekken. Ze dacht dat popje het ook zou weten, want haar ogen en haar glimlach van aardewerk straalden rust uit, wat vreemd was gezien de gevaarlijke situatie en de hoge gillen die Nina slaakte. Ze was er echter wel zeker van dat juffrouw Shawcross het niet wist, want ze stond hartverscheurend te jammeren van spijt.

'O, mijn kleine meid,' riep ze. 'O, mijn kleine meid!'

Dan Turnbull haalde haar uit het water, en thuis sloeg Mary Dagge haar armen om haar heen. Ze wikkelde haar in een witte handdoek terwijl het bad volliep, en toen het zeepwater ten slotte om haar heen kabbelde, luisterde ze naar het gefluister van de volwassenen buiten op de gang. Ze was zich ervan bewust dat ze een overwinning had behaald in de strijd tegen gouvernante Isobel Shawcross, niet de hele oorlog, zelfs niet de slag, maar misschien wel de eerste schermutseling. En bij de thee die middag hield ze wijselijk haar boogvormige mondje gesloten toen ze haar verslag hoorde doen van het incident. Het viel haar op dat bepaalde cruciale bijzonderheden werden weggelaten, waarvan de meest opvallende was dat juffrouw Shawcross popje boven het water had laten bungelen, en ze begreep dat het haar blijkbaar nog niet helemaal duidelijk was wat de gedragscode was die het contact tussen gouvernante en gegouverneerde regeerde. Maar ze zette popje naast haar op tafel en legde steeds wanneer ze dat nodig vond op in het oog lopende wijze wat eten op haar bord.

'Ze heeft honger,' mompelde haar vader terwijl hij door haar haar streek, 'en dat is ook wel te begrijpen na al dat koude water.' Nina knikte. Ze hadden allebei honger, en dat was ook wel te begrijpen.

Nina sliep die nacht zoals elke nacht met haar pop naast zich en stelde voor zichzelf een lijstje op van te volgen strategieën om te zorgen dat popje en zij met elkaar in contact zouden blijven. Ten eerste zouden alle gesprekken onder vier ogen worden gevoerd, buiten gehoorsafstand van zowel Isobel Shawcross, Mary Dagge als Dan Turnbull. Zelfs haar moeder en vader mochten daar geen getuige van zijn. Dat ze ook haar vader uitsloot, gaf haar een gevoel van verlies dat ze niet helemaal begreep. Haar vader hield van praten, wist ze, met wie en over wat dan ook, bezield of onbezield. Hij hield van verhalen, zoals dat over de vrouw in de rivier. Maar ze wist ook dat juffrouw Shawcross betaald werd voor haar werk, waarschijnlijk door hem, dus kon ze beter het zekere voor het onzekere nemen. Ten tweede dienden alle blikken van verstandhouding tussen de glazen en de echte ogen en alle tekenen van begrip over en weer achterwege te blijven, in het openbaar tenminste. Hierbij viel popjes hoofd naar voren, het hoofdje van aardewerk viel op de borst van paardenhaar. Maar Nina was erg zeker van haar zaak. Er zou een tijd komen dat de dingen weer waren zoals vroeger, zei ze, maar tot dan moest popje in het openbaar, als er volwassenen bij waren, en in het bijzonder als die boerende gouvernante in de buurt was, doen alsof ze van aardewerk en paardenhaar was, en Nina zou dat ook doen.

Toen kwam, zoals dat gaat, de slaap, en voordat ze het wist droomde ze, zoals altijd. Ze droomde van juffrouw Shawcross, die met *Magnall's Questions* opengeslagen op haar knieën op een bankje bij de bocht van de rivier zat, terwijl Nina hoog boven haar heen en weer zwaaide en plichtsgetrouw het alfabet opzei. Het water onder haar kwam langzaam omhoog, en tegen de tijd dat ze bij de p en de q was, zat juffrouw Shawcross ermiddenin. Toen ze bij de z kwam, dreef juffrouw Shawcross al zeewaarts in de richting van Mornington, terwijl Nina nog steeds aan het schommelen was, maar nu boven een ononderbroken azuren waterspiegel. Popje zat boven haar op een tak van de kastanjeboom, en ze zag een tevreden glimlach op haar gezicht verschijnen toen juffrouw Shawcross met gespreide armen en benen als een monsterlijke, korsetdragende pop langzaam in het heldere water wegzonk naar regionen waar, zoals zij beiden wisten, strengen zeewier vervlochten waren met de haren van de dode Boinn. En aan de tevreden glimlach van popje was te zien dat ze zich ervan bewust was dat die glimlach er eigenlijk niet had moeten zijn. Daarom verdween hij ook toen Nina haar aankeek en om haar te bestraffen zei: 'Nee, popje, nee.'

Ze werd wakker van de geur van stuifmeel en keek in het gezicht van haar vader, die zich in de late voorjaarszon naar haar vooroverboog en terwijl ze de ogen opsloeg nog mompelde: 'Dikke pret, Pip.'

'Wie is Pip?' vroeg ze voor de zoveelste keer, en natuurlijk vertelde hij het haar toen weer. 'Pip, die van Estella hield, woonde bij Bob en mevrouw Bob en at er zijn boterhammetjes. Tijd voor je boterhammetjes, Nina.'

In de banen laag invallend zonlicht dat door het raam naar binnen stroomde kleedde ze zich aan. Ze liep de gang uit, tussen de met de schaduwen contrasterende taartpunten van licht door en vervolgens tegen de brede stromen verlichte stofdeeltjes in de trap af. Was er dan meer zonlicht? Kennelijk wel, kennelijk wel. Het kwam Nina voor dat in de strijd tussen licht en donker het licht op het ogenblik aan de winnende hand was. Ze pakte haar doofstomme pop tussen duim en wijsvinger, en toen ze de eetkamer binnenging, zette ze de speelpop tegen de graankleurige kan waar de melk in zat. Haar vader, die al van tafel opstond, bleef voor hij wegging even stilstaan om op de vlecht boven op haar kruin een kus te drukken.

Er heerste stilte, en van de andere kant van de tafel klonken beschaafde kauwgeluiden. Daar zat juffrouw Shawcross met Mary Dagge achter een bord eieren van Mary Dagge. Eiren, dacht Nina, en ze wreef in haar slaperige ogen.

'Handen thuis,' zei juffrouw Shawcross. 'En niet aan jezelf zitten.'

Nina keek opzij en zag dat Mary Dagge van schrik haar ogen opensperde en overeind kwam.

'Zo, bedoelt u?' vroeg Nina, terwijl ze haar polsen net als juffrouw Shawcross met de handpalmen naar beneden op de grenenhouten tafel legde. Ze keek hoe een bord met de gele substantie van de roereieren tussen hen in werd gezet. Eiren, dacht ze weer, en ze verlangde naar een tijd die voorbij was.

'Ja,' zei juffrouw Shawcross.

'Hoe moet ik dan eten, juffrouw?' vroeg Nina.

'Zonder de ellebogen te bewegen,' zei juffrouw Shawcross, 'en met mes en vork.'

Nina schepte wat ei op haar vork en hief haar pols op.

'Je bent aan het lepelen,' zei juffrouw Shawcross. 'Niet lepelen.'

'Hoezo ben ik aan het lepelen?' vroeg Nina.

'Het is een vork, geen lepel. Gebruik hem dan ook als vork.'

Juffrouw Shawcross demonstreerde hoe. Met behulp van het mes werd er wat ei op de vork geprikt, die vervolgens hemelwaarts werd geheven. Ze deed haar mond een beetje open, de vork ging naar binnen, de mond sloot zich en kauwde nauwelijks merkbaar.

Nina deed hetzelfde, in een volmaakte imitatie. Ze was verrast dat ze zo genoot van het imiteren.

'En rechtop zitten,' zei juffrouw Shawcross.

'Rechtop,' zei Nina. En weer imiteerde ze haar.

In de daaropvolgende zonovergoten weken ontdekte Nina dat er lessen te leren waren voor alle denkbare handelingen in het leven, dat er van elke handeling die ze tot dusver zonder erbij na te denken had uitgevoerd een betere, oneindig superieure versie bestond. Ze leerde zitten zonder haar benen over elkaar te slaan, lopen zonder haar voeten naar buiten te keren, haar mond te houden als haar niks gevraagd was, haar handen thuis te houden en niet aan zichzelf te zitten, en zitten en staan met een rug die nog rechter was dan die van juffrouw Shawcross. Ze leerde hoe het was om niet Nina te zijn – ja, zelfs om een heel ander iemand te zijn, iemand die een naam moest hebben, een heel andere naam dan die ze had. Ze koos Emily als naam voor die ander die ze aan het worden was, en hoewel ze er wel van genoot om Emily te zijn, ervan genoot om te doen alsof ze haar was, ervan genoot om Emily's parmantige maniertjes aan te leren, wist ze diep in haar hart dat ze een afkeer van haar had. Emily leerde het alfabet, leerde de bijbelverhalen, leerde de tafel van twee, en zat altijd kaarsrecht in dat op een kast lijkende kamertje dat juffrouw Shawcross had uitgekozen als hun klaslokaal. Maar Nina verlangde ernaar om wijdbeens op Dan Turnbulls kar te zitten, verlangde ernaar om met een wapperende jurk op de schommel te zitten die hij voor haar had gemaakt, verlangde ernaar eieren uit te spreken als eiren. Maar het meest van alles verlangde Nina ernaar om de kronkelende stroom over te steken en zich te voegen bij de twee kinderen die sinds kort aan de andere kant kwamen zitten om naar haar te kijken.

'Niet kijken,' zei juffrouw Shawcross, die met haar langs de oever liep om haar te laten zien wat het verschil was tussen gewone klaver en kleine klaver. Emily keek natuurlijk niet, maar Nina zelf kon zich niet bedwingen om even een blik te werpen. Het meisje had door de zon gebleekt blond haar, een kort geel jurkje met een vaag dessin en liep op blote voeten. De jongen naast haar was iets kleiner en dikker en stond net te kijken hoe de modder op de natte oever zich tussen zijn tenen omhoogperste.

'Gewone klaver heeft vier blaadjes,' zei juffrouw Shawcross, 'en komt overal op de Britse eilanden voor. Kleine klaver heeft drie blaadjes en komt in het bijzonder voor in Ierland.'

'Kleine klaver,' riep de jongen op de andere over. 'Kleine klaver, kleine klaver, kleine klaver.'

'Hou je mond, Georgie,' zei het meisje.

'Niet kijken,' fluisterde juffrouw Shawcross weer. 'Sint-Patrick gebruikte kleine klaver om de heidenen op dit eiland te bekeren. Hij bukte zich en plukte wat...' Juffrouw Shawcross bukte zich, plukte er wat van en zei: 'Drie personen in één God. Drie blaadjes aan de kleine klaver.'

'Maar deze heeft er vier,' zei Nina.

'Nee,' zei juffrouw Shawcross, 'de kleine klaver heeft er nooit meer dan drie.'

'Deze heeft er vier, en het is dus gewone klaver,' zei Nina.

'Gewone klaver,' riep de jongen. 'Gewone klaver, gewone klaver.'

'Hou je mond, Georgie,' zei het meisje.

'Nou, als hij er vier heeft, moet het gewone klaver zijn, maar kleine klaver heeft er drie. We gaan nu trouwens terug naar het huis, want het is theetijd. En niet kijken.'

Met haar ene hand in de gespikkelde hand van juffrouw Shawcross liep Nina terug naar het huis. Ze liep als Emily, maar met de ogen van Nina wierp ze stiekem een blik achterom. En Nina zwaaide met haar vrije hand.

Bij de thee die middag dacht Nina dat ze eigenlijk zou willen dat juffrouw Shawcross er niet meer was – en het was niet voor het eerst dat ze dat dacht. Terwijl ze haar zoute haring zat te eten, die ze in kleine stukjes netjes op haar vork prikte en met een sierlijk gebaar naar haar mond bracht, kwam er een beeld bij haar op, een beeld van hoe de gouvernante vreedzaam tussen het zeewier in de rivier voor de fabriek van haar vader lag, net als het meisje van de rivier, met het haar golvend op de stroom. Het beeld verdween net zo snel als het opgekomen was, alsof een rimpeling op datzelfde water haar het zicht op haar wensbeeld ontnam. Meteen voelde Nina zich schuldig en ze vroeg Emily om het van haar over te nemen. Dat deed Emily, en ze at haar bord keurig netjes leeg.

Na de thee die avond wenste juffrouw Shawcross, aangezien het vrijdag was en ze haar vrije avond had, een bezoek te brengen aan de stad Drogheda. Dan Turnbull bracht haar er met de sjees heen. Nina keek hoe het hoofd met de hoed op kleiner werd, en toen de sjees het hek door ging bande ze alle gedachten aan Emily uit haar hoofd en rende de galerij door, langs de plantenkas en het grasveld af naar de kastanjeboom, waar ze begon te schommelen en haar rokken liet wapperen. Ze zwaaide hoog op, zo hoog dat ze de zon in de zee zag glinsteren, boven het huisje met het ijzeren dak uit dat vlak bij het strand lag en dat haar nu voor het eerst opviel. Vier of vijf kinderen lieten zich van een duin rollen, renden naar boven en lieten zich vervolgens weer naar beneden rollen. Ze voelde een verlangen als een fysieke pijn in haar ribbenkast, voelde natte plekken op haar wangen naar beneden glijden en besefte dat ze huilde.

'Waarom huil je?' vroeg popje. Ze had popje pal boven zich met het gezicht naar beneden tussen de takken gezet.

'Daarom,' zei Nina, 'daarom, daarom, daarom.'

'Daarom, omdat je eenzaam bent,' zei popje.

'Hoe spel je eenzaam?' vroeg Nina, die aan het alfabet moest denken.

'E-e-n-s-a-a-m,' zei popje.

'Zou kunnen,' zei Nina. Ze schommelde weer hoog op, en popje verdween even uit het zicht. Ze zag hoe twee van de kinderen zich verwijderden van de zandwolken rond het duin en haar kant op renden. Het meisje met het door de zon gebleekte haar en de jongen.

'Jij wilt een broer,' zei popje plechtig toen ze weer in het zicht kwam.

'Waarom geen zus?' vroeg Nina.

'Daarom,' zei popje, 'daarom, daarom, daarom...'

'Hoe spel je daarom?' vroeg Nina, die het graag over iets anders wilde hebben.

'D-a-a-r-o-m.'

'Ja, daarom,' zei Nina, 'want als ik een zus had, hoefde ik niet met jou te praten.'

'Dat is niet eerlijk,' zei popje.

'Best wel eerlijk,' zei Nina. 'Als ik een zus krijg, praat ik zeker niet meer met jou. En klagerig kijken zal je niet helpen. Klagen maakt het zelfs alleen maar erger.'

'Wie klaagt er?'

Op de modderige oever aan de andere kant van de stroompjes verscheen ineens het meisje met de blote voeten en het dunne gele jurkje. En naast haar de jongen, half zo groot als zij, die weer keek hoe de modder zich tussen zijn tenen omhoogperste.

Nina schommelde nog even door en besloot dat popje niet langer gewoon popje kon blijven heten. Ze moest een naam hebben. En die nieuwe naam schoot haar meteen te binnen, rechtstreeks uit de bijbelverhalen van juffrouw Shawcross.

'Hester hoe, denk je?'

'Hester de pop?'

'Hester de zeurkous, Hester de klager, Hester de pester.'

'Hester de pester,' herhaalde de jongen. Hij deed een stapje opzij op de oever en keek hoe weer andere modder tussen zijn tenen opblubberde.

'Maar waarom klaagt ze dan?'

'Ach, vragen, vragen. Jij bent nog erger dan Emily.'

'Waar is Emily?'

'Zeg ik niet.'

Nina wendde haar blik af en schommelde nog hoger op, concentreerde zich op de blauwe lijn van de horizon en het kleine huisje met het rode dak. Tot haar verbazing hoorde ze ineens een plons. Ze keek naar beneden en zag dat het water net zo verbaasd was en om het in de gele jurk gehulde bruine lijf rimpelde, dat er als een kikkertje in zwom. De voeten tastten naar vaste grond, het hoofd kwam omhoog, en Nina's jurk – want Nina had besloten door te gaan met schommelen – streek zachtjes over het natte voorhoofd met de slierten blond haar.

'Nee, zeg het eens, waar is Emily?'

'Goed dan, je staat boven op haar.'

Het meisje sprong opzij, en Nina, die er wel mee ingenomen was dat haar fantasie erkend werd, liet haar slingerbeweging door de zwaartekracht vertragen.

'Het spijt me.'

'Emily houdt er niet van als er iemand op haar staat.'

'Ik zei toch dat het me speet.' Het meisje deed nog een stapje opzij. Keek naar het gras waarop niets te zien was. 'Waar stond ik dan op?'

'Op haar schoen.'

'Hoe ziet haar schoen eruit?'

'Net als de mijne feitelijk.' Nina vond het woord feitelijk wel leuk klinken en had het gevoel dat juffrouw Shawcross trots op haar geweest zou zijn. Maar toen viel haar een ander woord in, een woord dat 'feitelijk' geheel in de schaduw stelde. 'Ze is feitelijk mijn tweelingzus.'

'Het spijt me, tweelingzus.'

'Ze heet Emily.'

'Het spijt me, Emily.'

Nina draaide zich met de wijzers van de klok om in de schommel, waardoor de touwen boven haar hoofd in elkaar werden gedraaid, liet Hester op de tak van de kastanjeboom in het zicht komen, liet de hele wereld draaien, en stopte voor het meisje met de gele jurk. Door de natte stof heen kon ze haar ribben zien.

'Ze wil je verontschuldigingen wel accepteren,' zei Nina, 'maar alleen als ze weet hoe je heet.'

'Janie.'

'Janie, dit is Hester.' Nina sloeg haar ogen op, keek in die van Janie. Bruine sproeten eromheen, maar de ogen waren bruiner. 'Ik ben Nina.'

Op de andere oever begon de jongen te brullen.

'En wie is hij dan wel?'

'Dat is George. Hou je mond, George.'

gaf en op zoek ging naar de bron, vlak bij haar wankele gestalte bleek te bevinden, daar de illusie van afstand veroorzaakt werd door de aanwezigheid van de gele, afbladderende voorgevel van een gelegenheid met de merkwaardige naam Muziekcentrum Star of the Sea. Ze ging de trap op, liep de ingang in en vervolgens door een hal met een galerij, en betrad toen een ronde zaal met een houten vloer waar een orkestje een Weense wals speelde en passagierende zeelieden dansten met dames uit Drogheda. Ze ging aan een leeg tafeltje zitten en bestelde nog een gin, maar terwijl ze naar de werveling van dansende lichamen zat te kijken, werd ze overvallen door een donkerbruin gevoel van melancholie. Deze stemming werd enigszins getemperd doordat de gin die ze had besteld haar goed smaakte en door de aanwezigheid van ene Randal Noyce, zeeman ter koopvaardij, die niet bij haar weg te slaan was. Hij uitte zijn waardering voor het feit dat ze zich in hetzelfde etablissement bevond als hij, merkte op dat het aanzien van de zaak hierdoor toch wel zeer verbeterde, omdat het hier, tussen hen gezegd en gezwegen, toch eigenlijk nauwelijks meer was dan een gelegenheid van een twijfelachtige reputatie, en prees zichzelf gelukkig dat hij zo fortuinlijk was geweest in zo'n poel van zonde een verwante ziel te vinden. Hij informeerde naar haar beroep en toonde, nadat ze hem verteld had wat dat was, een grote belangstelling voor alles wat te maken had met de opvoeding van jongedames. Hij bestelde het ene na het andere glas gin voor juffrouw Isobel Shawcross, van – zoals hij tot zijn vreugde ontdekte – de Shawcrossen van Kildare, en constateerde met genoegen dat haar taalgebruik informeler werd naarmate ze meer glaasjes op had.

Hij vroeg haar ten dans en was, terwijl hij haar naar de dansvloer leidde, andermaal blij verrast toen hij constateerde dat haar zwaartepunt zich merkbaar in zijn richting verplaatste, een verplaatsing die zelfs nog geprononceerder werd toen de band zich toelegde op de zoveelste versie van 'De blauwe Donau' en zeeman ter koopvaardij Noyce en juffrouw Shawcross zich toelegden op hun versie van de wals. Meneer Noyce was echter een kleine, zwierige walser, en hij had er de grootste moeite mee om het zich steeds

minder van de zwaartekracht aantrekkende kolossale lijf van juffrouw Shawcross over de dansvloer te leiden. Wel had hij af en toe
het genoegen om met haar omvangrijke boezem in aanraking te
komen, nu eens met zijn linkerarm, dan weer met zijn rechterzij,
en zelfs af en toe met de punt van zijn kin. En dit genoegen wekte
het verlangen naar een omgeving die een grotere intimiteit bood
dan die van Muziekcentrum Star of the Sea, meende meneer Noyce
na enige tijd. Daarom nodigde hij haar uit voor een, zoals hij het
stelde, 'wandeling langs de rivier', welke uitnodiging ze onmiddellijk aannam, omdat ze ernaar verlangde om, zoals zij het stelde,
'het water te horen rolen'.

Toen ze eenmaal op de North Quay stonden, bleek juffrouw
Shawcross van de Shawcrossen van Kildare over een veel groter re-
pertoire te beschikken dan uitsluitend *Magnall's Questions* en de
King James-bijbel. Ze begon het scabreuze 'Captain Kelly's Kitchen'
voor te dragen, dat zeventien coupletten telde, begeleid door het
geklots van rivierwater en het gekraak van stalen trossen. Dit
duurde tot aan de Steampacket Quay, waar juffrouw Shawcross in
een niet meer gebruikte opslagplaats achter de Hope Mill-fabriek
een gymnastische soepelheid tentoonspreidde die geen pas gaf
voor een dame van de Shawcrossen van Kildare, die geen pas gaf
voor welke dame dan ook, al dacht zeeman ter koopvaardij Noyce
daar anders over, want hem kwam het heel goed van pas. Wat hem
zelfs nog beter van pas kwam, was dat ze zich na afloop al snel
overgaf aan Morpheus' armen, een betiteling waar de Shawcrossen
van Kildare zich zeker mee zouden hebben kunnen verenigen, al
zouden ze de wijze waarop ze erbij lag, op een houten pallet, met
de benen over elkaar en de armen gespreid, beslist hebben afgekeurd. Hij liet haar zachtjes snurkend achter tussen de kapotte
vaten en de vochtige houtvezels, in een geur van hop en uitwerpselen.

Veertig minuten later werd ze wakker. Beneveld als ze was door
zinnelijke begeerte en gin, had ze meteen zin in meer van beide.
Ze wankelde de loods uit en zocht zich een weg naar de plek waar
ze stemmen vandaan hoorde komen, die afkomstig leken uit een

9

Nina werd de volgende dag wakker met vlak naast haar hoofd de pop die sinds kort Hester heette. De naam bleek duurzaam, alleen al omdat ze die zaterdag merkte dat ze hem in alle vrijheid kon uitspreken, wanneer ze maar wilde. Juffrouw Shawcross verscheen die ochtend niet aan het ontbijt, ofschoon ze daar, omdat het zaterdag was, niet echt toe verplicht was. Het verbaasde Mary Dagge dan ook niet.

'Zou Hester trek hebben in eiren?' vroeg ze, blij dat ze het in haar keuken weer eens helemaal voor het zeggen had.

'Hester heeft trek in eiren,' zei Nina, 'en Nina trouwens ook.'

'Ja, dat Nina er trek in heeft, weten we,' grinnikte Mary Dagge, en ze lepelde twee porties op Nina's bord.

Hester bleek nog duurzamer te zijn, want na het ontbijt die ochtend kwamen Janie en George weer langs om dat fantasierijke meisje met de pop die zo heette boven de rivier te zien schommelen. De rivier was een breed, bruin, kolkend natuurverschijnsel dat hen fysiek van elkaar scheidde, maar de rivier scheidde hen ook in overdrachtelijke zin, want verschil moet er wezen tussen twee schooiertjes uit een huisje met een golfplaten dak en een meisje uit een groot kalkstenen huis. Hester, met haar Victoriaanse slabbetje en jurkje, haar afkeer van vragen en haar weerzin tegen elke logica, die babbelde met de onzichtbare Emily en de al te zichtbare Nina, had nu een duidelijk karakter gekregen. Hester bestond nu gewoon, je kon niet meer om haar heen.

'Hester de pester, Hester de pester,' reciteerde George toonloos in zichzelf, terwijl hij zijn grote blauwe ogen gericht hield op het donkere meisje dat met gekruiste, schoppende bewegingen makende benen boven de rivier heen en weer schommelde. Janie nam weer een duik en zwom naar het meisje toe dat alles vertegenwoordigde wat het woord 'schoonheid' bij hem zou oproepen als hij eenmaal zou weten wat dat was. Was zij Hester, vroeg hij zich af, of was Hester de pop? De schommel slingerde nu in zijn eentje heen en weer, en de pop zat erboven scheef op de tak, alsof zij ervoor zorgde dat de beweging in gang bleef. Janie was namelijk inmiddels aan de overkant aangekomen, en nu zaten ze allebei met hun voeten in het traag stromende water. Hij hoorde flarden van kinderversjes en moest moeite doen om niet te huilen. Hij zag hen samen in hun handen klappen – *een zeeman ging naar zee-zee-zee om te kijken wat die dee-dee-dee*. Toen liep hij de rivier in om zich niet zo alleen te voelen, hij zou door tranen overmand worden als hij nog langer wachtte, dacht hij. Hij voelde het modderige water om zijn knieën stromen, om zijn broek, om zijn middel, en hij verwarmde zijn koude lendenen met zijn urine, de stroom voerde hem mee, en om hem heen was alles bruin, een dikke, troostende, kolkende, bruine wereld zonder boven of beneden, waarin hij voor eeuwig had kunnen blijven wentelen als hij niet door vier handen was beetgepakt en naar de oppervlakte getrokken, waarna hij op de modderige oever aan de overkant terechtkwam.

'Zeg maar dank je wel, George,' zei de schoonheid met het bruine haar, terwijl ze haar modderige vingers aan haar witte jurkje afveegde.

'Als wij er niet geweest waren, zou je naar zee zijn weggedreven en zou je verdronken zijn,' zei Janie nuchter, 'dus ik zou maar dank je wel zeggen.'

'Dank je wel, Hester,' zei George.

En de schoonheid, al kende hij het woord nog niet, giechelde.

'Je moet Hester niet bedanken, je moet mij bedanken.'

'Ben jij dan niet Hester?' vroeg George.

'Nee,' zei ze, 'en ik ben ook niet Emily. Ik ben Nina.'

'Dank je wel, Nina,' zei George.

'Graag gedaan. En laten we je nou maar gaan wassen.'

George zag hoe ze opstond en naar het huis liep. Janie ging meteen achter haar aan, ze waren zowel in werkelijkheid als in de geest de rivier overgestoken, en hij was zich er vaag van bewust dat er nu andere regels golden. Voor George, van top tot teen een en al bruine modder, voor Janie met het natte jurkje dat aan haar lijf plakte. Misschien zelfs voor de smetteloze Nina met haar pop in haar armen, die als enige de weg wist.

'Ik heb een karweitje voor je dat jou op het lijf geschreven is, George,' zei ze, 'echt op het lijf geschreven.'

Het was een uitdrukking van Dan Turnbull die van toepassing leek te zijn op de situatie. En ook de tuinslang van Dan Turnbull tussen de rijen slaphangende tomatenplanten in de plantenkas die daar gezamenlijk leken uit te wasemen kwam zeer van pas. Nina sleepte hem naar buiten, draaide de kraan open en keek hoe het gummi kronkelde alsof er een onzichtbare slang doorheen schoot.

'Ga in de houding staan, George,' beval ze. 'Als een soldaat,' zei ze erachteraan, toen ze aan de onzekere uitdrukking op zijn bemodderde gezicht zag dat hij niet begreep wat ze bedoelde.

Dus ging George rechtop staan, met zijn rechterhand strak tegen zijn wenkbrauw, zoals hij het de soldaten in de South Quaykazerne had zien doen. En Nina liep om hem heen met haar reinigende sproeier, die veranderde in een bestraffende straal als ze haar vinger op de tuit drukte en die de modder van George verplaatste naar de gebarsten ruiten van de kas achter hem.

'Weet jij wat Hester denkt?' zei Nina dromerig terwijl ze keek hoe het haar van George onder druk van de tuinslang uiteenweek.

'Hester de pester,' zei George bijna zonder zijn mond te bewegen, als een soldaat.

'Wat denkt Hester?' vroeg Janie, die met de pop op haar buik aan Nina's voeten lag.

'Hester denkt dat wij vriendjes zouden kunnen zijn...'

Dan Turnbull dacht dat ze vriendjes waren. Dus toen hij Nina in de kar had gehesen waar hij Garibaldi, de grijze merrie, voor had gespannen, tilde hij Janie en George er ook in. Hij liet na om Hester op te pakken, die Nina bij de gummi slang en de kas met de modderspetters had laten liggen. George veronderstelde dat ze bij het huis, bij de rivier en bij de kastanjeboom hoorde en daarom niet mee mocht voor het ritje. Niet dat ze niet welkom was op deze tocht tussen de heggen van fuchsia's en kamperfoelie door, waar het zachte zoemen van de bijen overstemd werd door het ratelen van de ijzeren wielen van de kar, dacht hij, maar gewoon omdat ze niet aan haar dachten. Er waren inderdaad andere dingen om aan te denken, aan het zachte, bruine haar van het meisje naast hem bijvoorbeeld, dat donkerder was dan de schaduwen van de bruine koeien die in de smeltende middaghitte in de weilanden stonden. Of het roepen van de kinderen die uit alle huisjes kwamen aangerend en smeekten of ze ook op de kar mochten klimmen en meerijden. Maar Dan wilde ze er niet bij hebben, hè. Dan wilde alleen Nina, George en Janie op de kar hebben, want hij ging zeewier verzamelen voor de bloembedden van Baltray House en meer dan drie kon hij er niet hebben. Dus ga van die kar af, Buttsy Flanagan, en huilen zal je niet helpen, nietwaar, Nina? En Nina zei: nee, huilen helpt je geen zier.

Maar de waarheid was dat Nina Hester niet meenam omdat ze deze zaterdagochtend geen behoefte had aan Hester. Het gezelschap van Hester, Emily en van alle mogelijke andere onstoffelijke vrienden of vriendinnen die ze kon bedenken was nu ingewisseld voor dat van die twee die naast haar op de kar van Dan Turnbull zaten.

Dan stuurde de merrie naar de riviermonding, waar geen grote granieten rotsblokken meer lagen, maar kleine, gefossiliseerde steentjes, waar de Lady's Finger naar een onzichtbaar punt in de gloeiende hemel boven hun hoofden wees, de top van een driehoek met rivier en zee. Aan de overkant van de warme, trage rivier zag je de verstrooid liggende hutten rond de visfabriek van Nina's vader.

Met een hooivork plukte Dan het zeewier van de rotsblokken aan de waterkant, natte hompen naar pekel ruikende strengen met de kleur van opgedroogd bloed.

'Dat is haar,' zei Nina.

'Wat is haar?' vroeg Janie.

'Het haar van een vrouw,' zei Nina.

'Haar van Hester,' zei George.

En Nina vertelde hun wat haar vader haar had verteld, het verhaal van de bron en het schuimende water en het meisje dat ervan wegrende, maar werd ingehaald door het water, hier aan de monding van de rivier die de Boyne zou gaan heten. En als de kalkstenen toren haar vinger was, dan moest het zeewier natuurlijk haar haar zijn.

'Haar haar,' zei George, die op een steen bij de waterkant zat.

'Ja,' zei Nina, 'haar haar.'

'Nee, haar haar,' zei George, naar beneden wijzend.

En Dan Turnbull stak zijn hooivork naast George in het water en constateerde dat die verward raakte in iets wat inderdaad haar was, het haar van juffrouw Isobel Shawcross, gouvernante, van de Shawcrossen van Kildare, die naar boven werd gehaald als een aan een visspeer gestoken platvis.

~

Als de zon op de ochtend van de zeventiende januari opkomt, ligt er nog meer rijp. De weilanden zijn witte vlakten, en de plataan bij het hek is een palmboom met hemelwaarts gestoken zilveren vingers. Op centimeters boven de beijzelde vlakken ligt een mistsluier, die zich welft om de plataan en de zwarte Ford-automobiel die bij het hek geparkeerd staat en waarin één enkele politieman ligt te slapen. Als de mist zich verspreidt, komt er een tweede auto aanrijden om hem af te lossen; mannen in uniform stappen uit, stampvoeten op de grond en kloppen op het beijzelde raam totdat degene die de wacht had ontwaakt. Ze schenken thee voor hem in uit een veldfles, en terwijl de damp van hun mokken zich mengt met de oplossende mist stopt er een derde auto bij hen. Dokter Hannon stapt uit en voert George zachtjes aan de hand mee. Daarachter volgt Janie. Het meisje dat zo mager was en sproeten had loopt nu enigszins gebogen. Ze heeft een hoed op haar grijzende haar vastgespeld en draagt een zwarte jas met een zwarte bontkraag, misschien omdat ze denkt dat zwart een toepasselijke kleur is voor deze smartelijke gelegenheid.

'Kom mee, George,' zegt ze tegen haar broer, 'vertel het de heren nu maar.'

Maar George heeft niet veel te vertellen. Hij heeft pijn aan zijn voeten door zijn omzwervingen, hij heeft geen schoenveters in, en de leren randen van zijn schoenen hebben schrale plekken veroorzaakt op zijn enkels. Hij klaagt over zijn hielen terwijl Janie met hem het hek door loopt, op een afstandje gevolgd door de politiemannen, die denken dat het al mooi zou zijn als hij überhaupt iets zou zeggen. Ze lopen de oprijlaan op, in hetzelfde tempo als George met zijn schuifelende, onzekere passen, achterom naar de binnenplaats, door de galerij met de bijgebouwen. Bij de muur van de boomgaard blijft George plotseling staan. Hij kijkt naar de appelboom alsof hij eraan terugdenkt hoe de takken doorbogen onder de last van de vele vruchten. Om zijn mondhoeken verschijnt een dun, droevig glimlachje, en zijn ogen staan weemoedig. Het groepje politiemannen schuifelt ongemakkelijk achter hem heen en weer.

'Is het daar?' vraagt Janie zachtjes. 'Ergens in de boomgaard?'

'De boomgaard,' echoot George.

'Nee, niet in de boomgaard, Janie,' zegt Buttsy Flanagan. 'De boomgaard hebben we al doorzocht.'

En alsof hij het ermee eens is, komt George weer in beweging. Hij laat de kas rechts liggen. Loopt het pad met het platgetrapte gras af naar de rivier. De processie volgt.

De ogen van George zijn lichtblauw, de kleur van sigarettenrook, en die van Janie zijn bruin. Haar ogen en oogleden zijn met het verstrijken van de tijd niet mooier geworden, en eronder heeft ze kringen, maar haar gezicht met de opvallende veeg paarse lippenstift op de brede mond onder de hongerige, holle wangen heeft nog steeds een soort jongensachtige scherpte. In feite heeft de tijd alleen maar bijgedragen aan de verlorenheid die ze uitstraalt, als van een kamper. En nu nog, terwijl ze George bij de elleboog pakt en zich door hem naar het water laat leiden, houdt brigadier Buttsy Flanagan de blik niet gericht op het rimpelende water van de rivier, maar op de slingerbeweging van Janies heupen.

Het gras waar ze met haar onpraktische schoenen met hoge hakken op loopt is doordat er jarenlang kindervoeten over hebben gelopen zo platgetrapt dat er een soort pad is ontstaan. En daar waar de kastanjeboom zich over de rivier buigt, met nog steeds het ringvormige litteken op de tak boven het water en nog steeds een kale plek in het gras die herinneringen oproept aan de voeten die zich daar hebben afgezet, daar houdt George stil. Er trekt een floers over zijn blauwe ogen. Hij haalt een verfrommeld pakje Sweet Afton uit zijn borstzakje en tast in zijn zakken naar een vuurtje.

'Wil je een vuurtje, Georgie?' vraagt Janie. De politieman naast haar biedt het aan.

De lucifer vlamt op, de rook kringelt omhoog, en de mist in zijn ogen verandert in tranen. Misschien denkt hij terug aan het halfnaakte lijfje van zijn zusje dat als een knoestige tak boven het water heen en weer zwaaide, erin viel en vervolgens met de vanzelfsprekendheid van een stuk hout wegdreef. De gedachten van de politieman gaan natuurlijk uit naar iets anders. Hij ziet voor zich hoe George met de nauwgezetheid van een gestoorde een volwassen lijk in het water laat glijden. Hij ziet voor zich hoe het afgaand tij het lichaam langs de visfabriek en voorbij de oude golfbreker voert, voorbij de Lady's Finger, de zee in.

10

Dan draaide het lichaam met zijn hooivork een keer om, en nog een tweede keer, en zei toen tegen Nina, op zijn trage manier: 'Nina, breng jij de merrie eens naar die oever daar, zodat ze wat klaver kan eten.'

'Klaver,' zei Nina. Ze staarde naar een beeld dat ze eerder had gezien, ze wist alleen niet waar.

'Gras of klaver, het is haar allemaal om het even, ze heeft honger. Georgie, Janie, help haar eens even.'

Hij had het lichaam inmiddels gedraaid, en het lag in een wirwar van zeewier. Hij hoopte dat ze niet zouden begrijpen wat ze hadden gezien.

'Eet ze wel klaver?' vroeg Nina. Ze hield de leidsels van de merrie los in de hand en liep met haar weg van het beeld dat ze wilde vergeten.

'Ze eet alles,' zei Dan.

'Kleine klaver,' zei George.

Nina duwde het hoofd van de merrie omlaag naar het gras en zag dat ze haar lippen optrok, waardoor lange, gele tanden zichtbaar werden. Ze luisterde naar het knerpende geluid van het zeegras en rilde even, al gaf de zon zoveel warmte dat haar wangen gloeiden. Ze dacht eraan dat ze had gewild dat de gouvernante er niet meer zou zijn en wenste nu dat ze dat niet gewild had. Ze moest er niet aan denken wat er allemaal kon gebeuren als alles wat ze wel eens wilde werkelijkheid werd.

'Dat was juffrouw Shawcross, hè?' zei ze zachtjes tegen Dan, die zijn hooivork in de voorraad al verzameld zeewier stak en de leidsels van haar overnam.

'Denk jij daar nu maar helemaal niet over na.'

Dan tilde eerst haar, toen Janie, en als laatste George op de kar.

'Is ze verdronken?'

'Geverdronken,' echode Georgie.

'We brengen je nu naar huis, Nina,' zei Dan zachtjes, 'en ik wil niet dat je je zorgen maakt over wat je gezien hebt. Laat dat maar aan de politie over.'

'Ze heeft nog steeds honger,' zei Nina toen Dan het hoofd van de merrie overeind trok en haar met een klapje van de zweep de zandweg op liet draven.

'Dat heeft ze inderdaad,' zei Dan, 'en ik weet een mooi klaverveldje waar ze naar hartenlust kan grazen.'

'Waar is dat?' vroeg Janie.

'Achter het politiebureau.'

Terwijl het paard terugdraafde liet ze zich in dromenland wiegen, en de droom had een geur van kamperfoelie en klaver en de reuk van nat zeewier. In haar droom werd het gezicht keer op keer omgedraaid, en het haar spreidde zich op het water uit als een jakobsschelp. Toen ze haar ogen opsloeg zag ze hoe de rivier zich achter de heg als een warm zilveren lint aaneenreeg. Het geluid van de zoemende bijen gonsde van de heggen op haar toe en weer van haar weg, in de richting van de duinen, en paste zowel in haar droom als in haar wakkere bewustzijn. Het was niet iets wat uit haarzelf voortkwam, voelde ze, maar op een bepaald manier had ze het al gezien voordat het gebeurde, en in zekere zin had ze dus op z'n minst kunnen voorkomen dat het zou gebeuren. Weten wat er ging gebeuren zou een last zijn, een vreselijke last, meer zelfs nog dan weten wat er niet ging gebeuren. Ze ging terug naar het huis, wist ze, naar vader en moeder en Mary Dagge, naar haar pop Hester en naar een leven zonder juffrouw Isobel Shawcross.

Ze probeerde zich voor te stellen hoe Dan bij het politiebureau zou aankomen, de zon zou op de groenstroken voor de barakken van rode baksteen schijnen, twee agenten zouden de deur uit komen rennen, op hen af, terwijl ze hun uniformjassen dichtknoopten, ernstig, heel ernstig, een en al zakelijkheid. Duistere blikken in haar richting, dat meisje achterin, jij, uitgerekend jij wist het. Maar tot haar immense opluchting ging het zo helemaal niet. Een politieman in hemdsmouwen stond op zijn gemak het gras te maaien. Dan liet de merrie halt houden, gaf de leidsels aan Nina. 'Eén ogenblikje,' zei hij, en hij liet hen op de naar zeewier ruikende kar achter en liep naar de man toe, schudde hem de hand en begon tegen hem te fluisteren.

'Ze is dood, hè?' zei Janie.

'Denk je?' vroeg Nina.

'Nou, volgens mij was ze niet aan het zwemmen.'

'Misschien kan ze het niet,' zei Nina.

'Wat niet?'

'Zwemmen.'

De merrie graasde van het gras langs de kant van de weg.

'Klaver,' zei Georgie.

'Hou eens op steeds "klaver" te zeggen,' zei Nina.

'Gras,' zei Georgie.

'Dat is beter – gras.'

Toen weerklonken hardere stemmen op het grasveld. Twee politiemannen kwamen snel op hen af lopen. Ze knoopten hun uniformjassen dicht, tot haar schrik en teleurstelling maar niet werkelijk tot haar verbazing precies zoals ze het van tevoren had gezien.

'Maak eens plaats daar,' zei Dan, en toen klommen ze met hun grote, dichtgeregen laarzen en glimmende knopen naar boven. Dan klapte met de leidsels en liet de merrie een halve cirkel beschrijven. Onwillig sjokte ze voort met de extra last.

'Waar is ze dan?' vroeg de eerste terwijl hij de laatste knoop van zijn overjas dichtknoopte.

Dan keek de politieman met een afkeurende blik aan.

'Bij de Lady's Finger. Ik zal eerst de kinders afzetten, dan breng ik jullie erheen.'

'Een nare zaak.'

'Tja.'

Hij liet hen bij het hek achter, zodat ze op eigen gelegenheid de oprijlaan op konden lopen.

'Jullie moeten er niet over inzitten, hoor jongens,' zei hij. 'Nina neemt jullie mee naar Mary Dagge voor een kopje thee.'

Met de dood als inmiddels stilzwijgend erkende metgezel liepen ze met z'n drieën over het lichte, knerpende grind. Voor haar twee nieuwe vrienden, als je ze vrienden mocht noemen, was de aanblik van de grimmige gevel in feite weer iets nieuws, een huis dat ze nog niet kenden. Ze hadden het allegaartje aan de achterkant gezien, de afbrokkelende muur om de boomgaard, de langwerpige driehoek van glas en roestend metaal, de galerij die naar de stallen voerde, maar dit dreigende gebouw, deze donkere rechthoek met de zon nu pal achter de bij elkaar gegroepeerde schoorstenen, dit was geen huis en geen thuis, geen kerk en geen kasteel, dit was iets onvoorstelbaars, een onvoorstelbaar feit waar ze nieuwe woorden voor moesten zien te vinden.

De grote voordeur stond op een kier. Nina duwde hem met haar schouder open. Vanuit de huiskamer klonken de zachte, afgemeten klanken van een piano. Ze hield de deur open voor Janie en George, en wierp een blik op de blote voeten van George, die er de knopen in het vloerkleed mee aftastte en daar met gespreide tenen op drukte alsof hij verwachtte dat de stof er als modder tussendoor omhooggeperst zou worden. Toen liep ze in de richting vanwaar het geluid van de piano klonk. George en Janie volgden in haar onzichtbare voetsporen, alsof ze bang waren dat het omringende gebied echt in modder zou veranderen, het soort modder waar je voor eeuwig in wegzakte, alsof ze bang waren dat ze zonder ook maar een rimpeling te veroorzaken onder de rode en paarse bladvormige motieven zouden verdwijnen.

Nina liep over het parket de deuropening door en een volgend vloerkleed op. George en Janie bleven bij de deurpost staan, alsof nog een vloerkleed voor vandaag te veel voor hen was. Haar moeder droeg een crèmekleurige blouse, het haar viel in een slordige maar niet oncharmante driehoek om haar gebeeldhouwde wangen. Een glas met een schijfje citroen erin hield de bladzijden van *Das wohltemperierte Klavier* in bedwang. De parelende noten dwarrelden om haar heen, en met een wazige, geconcentreerde blik keek ze naar haar enige dochter.

'Nina, je ziet eruit als een verschrikking,' mompelde ze met een blik op haar witte kiel en besmeurde schoenen, waarna haar blik naar de deur ging. 'En wie zijn die twee andere verschrikkingen?'

~

'Zou hij haar in de rivier hebben gegooid, mevrouw?' vroeg de politieman die het dichtst bij haar stond met gedempte stem aan Janie, zodat George hem niet zou kunnen verstaan.

'Heb jij Nina in de rivier gegooid?' vraagt Janie aan George terwijl ze haar tanden opeenklemt en met een gebalde hand over haar waterige oogleden wrijft.

'De rivier,' herhaalt George.

'Is ze in de rivier, George?' vraagt Janie nogmaals.

'Ze ligt in de rivier,' zegt George, 'en het zeewier is haar haar.'

'Niet zij, George,' zegt Janie. 'Nina. We hebben het over Nina.'

'Wat was dat over zeewier?' vraagt Buttsy Flanagan.

'We hebben als kinderen eens een lijk gevonden dat vastzat in het zeewier...'

'Haar haar,' zegt George.

'Isobel Shawcross,' zegt Janie. 'Er zal nog wel een proces-verbaal van te vinden zijn. Ze was verdronken.'

'De rivier had haar genomen,' zegt George.

'Wie genomen?' vraagt dokter Hannon.

'Boinn...'

'Wie is Boinn?'

'De rivier kan haar maar één kant op genomen hebben,' zegt een politieman. 'Naar zee.'

'U begrijpt het niet,' zegt Janie. 'Hij haalt dingen door elkaar...'

'Waarom had de rivier haar genomen?' vraagt de dokter.

'Om haar haar...'

'Jezus...'

'Laat hem uitspreken...'

'Ze ligt niet in de rivier, hè Georgie?' vraagt Janie. 'Dat zou te makkelijk zijn.'

'Veel te makkelijk,' zegt George.

'Waarom heb je haar vermoord, George?' vraagt Janie traag.

'Wie vermoord?' zegt George.

'Nina,' zegt Janie, en haar gebalde vuist wrijft weer over haar ooglid.

'Nina niet vermoord,' zegt George. 'Ik heb Hester vermoord.'

'O jezus,' zegt Janie, en ze loopt weg.

'Hester?' zegt de dokter. 'Wie is Hester?'

De oplossing komt naderbij, en misschien leidt George hen er met zijn defensieve, schoksgewijze intuïtie heen. Dokter Hannon informeert naar Hester, Buttsy Flanagan naar Isobel Shawcross, George rookt een sigaret helemaal tot het einde op en steekt zwijgend zijn hand uit voor een volgende. Terwijl ze in het zwakker wordende licht teruglopen naar de rivier groeit er in het gesprek langzaam overeenstemming, al moet Janie worstelen met de vergetelheid van haar verdriet en haar onwil om erin te duiken en zich precies te herinneren hoe het verhaal van hun kinderjaren was.

En als de conclusie getrokken wordt, is die zoals alle conclusies die welke het best uitkomt. Dat George met alle zorgvuldigheid die past bij zijn gestoorde genegenheid haar lichaam in het water heeft laten glijden, dat het getij – het moet hoogwater zijn geweest – het lichaam langs de ruïnes van de visfabriek heeft gevoerd, voorbij de kalkstenen toren bij de oude golfbreker de zee in. En niet alleen komt deze conclusie het best uit, hij heeft ook iets mysterieus, hij is mooi poëtisch, want het lichaam is niet gevonden, het water klotst voort boven een onbepaald, open graf, en je hebt het gevoel dat George, hoe afwijkend zijn gedrag ook was, Nina, Boinn, Hester in de armen van de rivier heeft gelegd, haar heeft laten opnemen in het lichaam van de zee waarvan ze met een evenzeer afwijkend gevoel zoveel hield.

Het kwam ook goed uit dat men zich niet hoefde te bekommeren om een lijk, dat de lijkschouwer niet langs hoefde te komen, dat er geen graf gedolven hoefde te worden; en wanneer de rechtbank van het district Drogheda tot een oordeel kwam, zou dat zijn dat de verdachte schuldig was, maar krankzinnig. Zelfs voor het probleem om voor George een nieuwe verblijfplaats te moeten vinden zou men gespaard blijven: de afdeling van Sint-Ita waar hij verbleef zou zijn gevangenis worden, en door zijn getraliede raam zou hij uitkijken op diezelfde krankzinnige zee.

Ze verzamelen zich op de met gras begroeide afdekking van de oude rioolput en drinken koffie uit de veldfles van een politieman. Hij giet er een kleine hartversterking in en houdt Janie met een vragende blik zijn metalen heupflacon met whisky voor. Ze knikt.

'Op één been kun je niet staan, dat weet iedereen,' zegt Buttsy Flanagan tegen haar.

'Hester was jouw...' zegt dokter Hannon.

'Ze was Nina's pop. Nina's geest. Wat Nina maar wilde dat ze zou zijn.'

'Een huisgeest.'

'Ja,' zegt Janie, 'een huisgeest, dat werd ze inderdaad.'

'En Boinn?' vraagt Buttsy.

'Kijk maar in een gids van de streek,' zegt Janie. 'Daar vind je haar wel.'

'Een legende,' zegt dokter Hannon.

'Ook al van Nina,' zegt Janie. 'En nu moet ik huilen, geloof ik.'

Op het roestige deksel van de rioolput staat TWYFORDS ADAMANT te lezen, en als Janie zich omdraait en begint te huilen, schraapt ze er met haar hak overheen.

zijn. Ze wenste dat de gordijnen uit zichzelf dicht zouden gaan en de maan zouden buitensluiten, maar natuurlijk bleven de gordijnen er slap en levenloos bij hangen. Ze dacht aan wat juffrouw Shawcross van haar pop had gezegd: een levenloos ding, gemaakt van aardewerk en paardenhaar. Een ogenblik lang wenste ze Hester weg, en daar had ze meteen spijt van, maar Hester, met haar puriteinse slabbetje en kieltje, sliep rustig door in de holte van haar arm.

Toen werd het licht dat op Hesters wangen van aardewerk scheen onmerkbaar zwakker, en toen Nina weer uit het raam keek was de maan weg, verdwenen achter een dunne wolk in de vorm van een sinaasappelschil. Een eindeloos moment lang was ze vervuld van een bodemloze angst. Ze wenste de maan weer terug. En de maan keerde inderdaad terug, omdat de wolk van een sinaasappelschil veranderde in een haarlok, waardoor de onvolledige bol weer zichtbaar werd. En hoewel ze wel wist dat de maan zich onafhankelijk van haar wensen vertoonde en verborg, was ze er nog niet van overtuigd dat haar wensen geen effect hadden. Als ze hetzelfde wenste als wat onvermijdelijk gebeurde, spande haar wens dan niet in zekere zin samen met wat er gebeurde? Als ze iets niet had gewenst, zou dan wat gebeurd was niet weggevallen zijn in het domein van alle dingen die niet gebeurd waren? En als ze, nadat ze het visioen had gehad hoe het haar van juffrouw Shawcross onder water verstrengeld was met het zeewier, juffrouw Shawcross zou hebben gewaarschuwd voor het gevaar dat water voor haar kon betekenen, zou juffrouw Shawcross dan toch zo aan haar einde zijn gekomen, tussen het slappe zeewier in het water van de Boyne? Of zou ze Nina's gedachten op net zo'n bijdehante manier als onzin van de hand hebben gewezen als ze had gedaan met die van haar pop, de pop die nu Hester heette?

Als ze toen had gewenst dat George een andere weg zou hebben gekozen dan hij in werkelijkheid had gedaan, zou zij dan niet nu in mijn plaats hier achter het bovenraam hebben staan observeren – observatie is immers het enige dat ik ben – hoe de adem van die ene politieman zich aftekent in de lucht, hoe hij in het met rijp overdekte gras bij het hek met zijn voeten staat te stampen? Zou zij bij het linkerraam van de eetkamer op de eerste verdieping hebben gestaan, zou zij haar blik hebben gericht op het door het rechterraam naar binnen vallende licht afkomstig van een maan die erg lijkt op de maan die zij ooit weg had gewenst en die zijn licht over de berijpte landerijen werpt? En nu we toch aan het veronderstellen zijn, zoals zij zo graag deed, zou zij de zachtpaarse Franse lelies gezien kunnen hebben in het bedrukte behang, vijfenveertig jaar geleden, zou zij dat patroon tot aan de deur hebben kunnen volgen? Zou zij begeleid door vaag van beneden doordringende pianomuziek naar die deur hebben gelopen?

In haar wereld van veronderstellingen zou de tijd plooibaar voor haar zijn, dus zou de indrukwekkende eiken trap nog intact zijn, zouden de traptreden zelfs gekraakt hebben terwijl zij erop naar boven liep. De deur naar haar slaapkamer zou nog open hebben gestaan, zodat ze er zwijgend als het graf naar binnen zou kunnen om er te kijken hoe de jeugdige versie van haarzelf daar lag te slapen, eindelijk, onder de beige-grijze deken, met de pop met het puriteinse slabbetje en het kieltje op het hoofdkussen naast haar. Dan zou ze kijken hoe haar eigen borst op- en neerging, hoe haar ronde mond half openstond, en dan zou ze zich vooroverbuigen en de warmte van haar eigen adem voelen. Ze zou zich verbazen over haar eenzaamheid, haar totale afzondering, het soort afzondering dat leven geeft aan die levenloze Hester en dat die anderen, en misschien ook mij, in het leven roept. Dan zou ze kunnen ophouden met het doen van veronderstellingen, en als ze dan weer uit het raam zou kijken, zou ze beneden geen stampvoetende en op zijn koude vingers blazende politieman zien die zich verwondert over het feit dat er iemand vermoord is, maar hazen die over de met maanlicht overgoten landerijen dansen tussen de hooibergen.

12

In het derde jaar van de nieuwe eeuw begon Nina's moeder te begrijpen waar Nina's fantasiewereld in feite voor stond: voor eenzaamheid. Wellicht omdat ze met die gesteldheid zelf vertrouwd raakte. De dagen strekten zich voor haar uit als oneindige voortzettingen van de kruiswoordraadsels die ze oploste, saai, eindeloos en op de een of andere manier reëler dan ze ooit had verwacht dat ze zouden zijn. Haar man kwam om zes uur thuis en ging dan vaak om zeven uur weer de deur uit om toezicht te houden op de verschepingen van die avond. Het leek wel alsof alles in dit enorme huis waar ze was opgegroeid voor hem nieuw was en voor haar oud, terwijl dit kind in haar fantasie alle lege plekken vulde. Ze sliep vaak uit, constateerde dan nadat ze was opgestaan dat Mary Dagge Nina al te eten had gegeven, en realiseerde zich dan dat haar meer hartstochtelijke ik ook een sluimerend leven leidde. 'Negen horizontaal,' zei ze een keer bij het avondeten tegen haar man. 'Spaanse hofschilder.'

'Velásquez,' zei hij, maar zonder de herkenning waarop ze had gehoopt. Toen had ze besloten om dat hartstochtelijke ik door te laten sluimeren.

Nu Isobel Shawcross er niet meer was, besloot ze het onderwijs aan Nina over te laten aan de natuur, aan Dan Turnbull en de 'twee verschrikkingen' uit het huisje aan de overkant van de rivier. Na verloop van tijd zou ze samen met diezelfde George en Janie leren spellen in het rijksschooltje aan de andere kant van de rivier, en zou ze één woord consequent verkeerd spellen: eensaam, met een s in plaats van een z. En als ze op de fout gewezen werd, zou ze hem opzettelijk weer maken en zeggen dat het zo mooier was.

Maar voor het ogenblik werd ze vrijgelaten, mocht ze haar imaginaire kameraadjes vervangen door echte, hun wereld delen en het dialect van de streek overnemen, zodat een vijfpennystuk een fippence ging heten. Ze praatte over het inkuilen van gras en over ritjes bij Dan achter op de oogstmachine, over collies die geilen op blaffen, en haar ouders keken elkaar verbijsterd aan dat ze zo'n ketellappertje in hun midden hadden. Als haar vader met haar door die uitgestrekte kathedraal van dampend ijs liep, hoorde hij haar met de vispakkers praten in een tongval die voor hem praktisch onverstaanbaar was.

De hele zomer werd voor haar één lange periode van sensualiteit, met een zwempak onder een flodderig jurkje bracht ze hele weken door in de duinen die van de golfbaan van Baltray doorliepen tot aan het oneindig lijkende lege strand ten noorden van de riviermonding. Ze ging zich steeds meer thuis voelen in huisjes aan de andere kant van de Boyne, tegenover haar vaders visfabriek, met in het ene George en Janie Ward, en verdeeld over de andere twee vijftien andere kinderen. De blauwwitte horizon van de schuimende zee leek altijd boven de drie rokende schoorstenen uit te steken en dreigde ze geheel en al te verzwelgen. Tussen de huisjes en het grote, onbeheersbare huis van haar ouders lag het moeras van de riviermonding, een terrein van opgedroogde modder met langzaam opkomende getijden en stroompjes in staat van wording, dat door Dan Turnbull Mozambique genoemd werd.

Mozambique, ze wisten eigenlijk niet waarom. Maar je had vliegen op Mozambique, zei Dan, vliegen, muggen en de onwelriekende dampen die horen bij vlak land onder zeeniveau, dus daarom was het Mozambique geworden. En in Mozambique had je alles wat een riviermonding zo fantastisch maakt: krabben en ijsvogels, kanaaltjes en stroompjes, poelen met stilstaand water, schorren en slikken en trage, onvoorspelbare getijstromen die de gebarsten zwarte aarde konden omtoveren in modder die borrelend tussen de immer blote tenen van George omhooglekte en -blub-berde. 's Ochtends vroeg, als de mist als een witte haardos aan de laagliggende grond leek te kleven en de duinen erachter aan het oog onttrok, zodat Mozambique oneindig uitgestrekt leek, staken mannen spaden in de grond om wormen te vangen en sneden nu eens een zeepier, dan weer een regenworm doormidden. En als de mannen en de mistflarden weggetrokken waren, kon je op Mozambique monsters vinden: een enorme platvis, door het afgaand tij in een stroompje achtergelaten, die daar lag te flapperen en met een bleek mondje tevergeefs naar lucht hapte, een aal die wegdook in een stilstaande poel, allerlei soorten krabbetjes, en op een dag zelfs een beest met hoorntjes, tot aan zijn middenrif in de zachte modder weggezakt, met modder vastgekoekt aan zijn ha-ren en staart, modder die van zijn onophoudelijk heen en weer zwaaiende, vastzittende poten droop, modder die om hem heen opdroogde toen de zon omhoogkwam.

Ze hadden het beest urenlang geobserveerd, dit harige wezen zonder voeten maar met twee gekromde hoorns die uit het haar omhoogstaken, en zich afgevraagd of het een rendier, een een-hoorn dan wel een zeepaard was, totdat Dan arriveerde en hun vertelde dat het geen van die drie was, maar de geit van Mabel Hatch. Hij maakte het bemodderde touw om zijn nek los, haalde het onder zijn buik door en begon, terwijl hij de puntige hoorns ontweek, te trekken. Ze hoorden groteske zuigende geluiden toen eerst de voor- en vervolgens de achterpoten uit de opsluiting in het slijk omhoogkwamen. En toen was de hele geit eruit, hij stond nog wat wankel op de poten, maar hij was los en bereidde zich meteen voor op een aanval op Dan. Hij deed een eerste poging, maar Dan zei: 'Zo is het wel genoeg', pakte het beest bij de hoorns en de achterpoten, hees het op zijn schouders en liep het zonlicht in, naar het land van Mabel Hatch.

En wat ze zich voor altijd zou herinneren, was niet de in de modder vastzittende geit, maar de hoorns die uit het vooroverge-bogen hoofd van Dan Turnbull leken te steken terwijl zijn silhouet in het tegenlicht langzaam uit het zicht verdween.

George stapte in de voetsporen van de geit, en met zijn blote voeten vaagde hij de gekliefde indrukken in de modder weg. 'Het was dus een geit,' zei hij.

'Nee,' zei Nina, 'het was een eenhoorn.'

Dan Turnbull zei dat het de geit van Mabel Hatch was.'

'Nou, Hester zei dat het een eenhoorn was. Wat denk jij, Janie?'

'Een eenhoorn,' zei Janie. 'Vast en zeker.'

'O, en waar komt een eenhoorn dan vandaan?' vroeg George. Hij leefde in een steeds veranderende, onzekere wereld, en elke vraag kon betrekking hebben op een wezen dat er niet was.

'Uit de zee,' antwoordde Nina. 'Hester denkt dat een eenhoorn uit de zee komt. En in zee heeft hij net zo'n staart als een zeemeermin, of een zeepaard eigenlijk, en als hij aan land komt, nou, dan verandert de staart in een stel benen.'

'Benen,' herhaalde George.

'Benen, vier benen. Een staart voor in het water, benen voor op het land.'

En jawel hoor, het spoor van gekliefde afdrukken leidde rechtstreeks naar de waterkant, waar ze verdwenen in de inktzwarte stroom.

'Een eenhoorn leeft van zeesterren,' zei Nina. 'Die spiest hij op zijn hoorn, daar dient de hoorn voor. En als de zeesterren op zijn, moet een eenhoorn het land op.'

'En wat eet hij aan land?' vroeg George.

'Aal,' zei Nina zonder aarzelen.

'Aal,' herhaalde Janie.

'Aal en zeesterren, dat is het basisvoedsel van een eenhoorn. Als hij dat niet eet, verliest hij zijn hoorn, dan gaat zijn vacht in de rui en ziet hij er ten slotte uit als een doodgewone geit.'

'Geit,' zei Georgie, 'je zei geit.'

'Ik zei: "als een doodgewone geit", nietwaar, Janie?'

'Jazeker, Nina. En hou nou eens op met die vragen over eenhoorns, Georgie, we worden er moe van.'

Ze renden van Mozambique naar de Sahara – de Sahara, dat waren de grote hellingen met olifantsgras waar ze zich vanaf lieten rollen, zodat hun jurken om hun schouders hingen en je hun on-derbroeken kon zien.

'Ogen dicht, George, en tot twintig tellen,' zei Janie.

'En als ik dat niet doe?' zei hij.

'Dan neemt de eenhoorn je te pakken...'

En natuurlijk deed hij ze toen meteen dicht, legde zijn zanderi-ge vingers op zijn gerimpelde oogleden en begon te tellen. Ze ren-den hard en bleven hard rennen totdat hij hen allang niet meer kon horen, totdat ze bij de zigzaggende rotsen kwamen waar de ri-vier in zee uitkwam. Janie trok haar jurk uit en dook erin. Nina deed als zij, en samen zwommen ze naar het vlot bij de Lady's Fin-ger en bleven daar urenlang liggen, totdat hun badpakken in de zon droog waren geworden en een zijdeachtige glans hadden ge-kregen, totdat ze George vanaf de oever hoorden brullen, een oer-oud gebrul van pijn en verlies. Toen ze hun hoofd draaiden, zagen ze dat een zalmvisser hem troostte, maar dat zijn verdriet peilloos was. Ze doken weer het water in en zwommen in zijn richting, en toen ze dichtbij genoeg waren, hoorden ze de visser zeggen: 'Een-hoorns bestaan niet, mijn jongen, en als ze zouden bestaan, zou-den ze je zus niet meenemen.'

'Wat zei u, meneer?' zei Janie, terwijl ze zelf als een zeemeer-min uit het water stapte en de zon glinsterde in elke druppel die aan haar magere lijfje hing. 'Wat weet u van eenhoorns?'

'Waar is de moeder van dat arme joch?' vroeg de visser.

'Die is verdronken,' zei Janie. 'Ze was aan het zwemmen, en toen hebben de eenhoorns haar te pakken genomen.'

Janie spreidde haar armen voor George. Maar zij was niet dege-ne naar wie hij toe rende en aan wie hij zich vastklampte. Dat was Nina.

En dat lijf, kleiner dan het mijne, ook toen al een spierbundel, klampte zich aan mijn natte lichaam vast uit angst dat de een-hoorns me te pakken zouden nemen. Ik kuste zijn tranen weg, pakte zijn hand en zei: 'Georgie, *Georgie, porgy, puddn'pie, kissed the girls and made them cry*. Nu ophouden hoor.' Maar dat kon hij niet, met lange uithalen zoog hij lucht in zijn longen, zijn armen, zijn handen, zijn lippen trilden uit angst voor een verlies dat hij niet kon begrijpen, en toen de angst uitgebannen was, bleven de tranen komen in een uitzinnigheid die alleen tot bedaren kon komen door zich uit te putten. Dit was de eerste keer dat de wereld hem met zijn razernij, zijn pijn en zijn lijden fysiek wist te overweldigen. En naarmate hij ouder werd, werden die plotselinge aanvallen heftiger, totdat hij met zijn grote lijf uiteindelijk de slag verloor en erin ten onder ging. Maar toen was hij klein, klein en bang, en ik, de kleine Nina, droeg hem, de grote George, door het gras van de Sahara, terug over de slikken van Mozambique naar de bocht in de rivier bij de schommel, en daar dompelde ik hem onder. Alleen dat water leek hem te kalmeren.

Vanuit het raam van de kamer van de dode gouvernante op de bovenste verdieping is de fosforescerende zee te zien, de golven die met een krankzinnige regelmaat breken, het schuim dat in het winterse maanlicht glinstert en de kleine rij huisjes in de duinpan daarvoor. Twee van die huisjes hadden een rieten dak en één, dat van George en Janie Ward, een dak van rode geoxideerde metalen golfplaten. Het contrast tussen het grote kalkstenen huis en het minuscule, met een roze toets witgekalkte huisje ontging ons drieën volkomen, en we raakten steeds meer bij elkaar thuis.

Jeremiah Tuite, die als loods in dienst was van de havenmeester, die ons meenam op zijn sleepboot als hij uitvoer om schepen over de zandbank te helpen, die knopen met een anker op zijn blauwe gekeperde vest had, beschouwde mij, zijn 'kleine Nina', omdat hij me zo vaak onder zijn dak van golfplaten aantrof, langzamerhand als een nichtje, een soort aangenomen kind. Hij rookte pijp en dronk donker bier in de Silver Dollar Bar. En elke keer als hij thuiskwam, maakte hij met zijn vrouw Eva Ward een plechtig rondedansje, alsof hij zojuist de Vliegende Hollander veilig binnen had weten te loodsen. Hij zat altijd gehuld in tabaksrook met zijn stoel achterover tegen de roze muur van zijn huisje de horizon af te zoeken naar binnenkomende schepen, om dan de wedstrijd aan te gaan wie er als eerste bij was. Zijn kleine Nina ging langzamerhand houden van die rook, van de turfachtige geur, van het geluid van de op het metalen dak neerkletterende regen, van de smaak van zoute haring en aardappeltaart als de regen aanhield en ze daar moest blijven voor de thee.

En toen de zomer ten einde liep en de school begon, leek het voor de hand te liggen dat in de lacune die door de dood van de gouvernante in haar opleiding was ontstaan zou worden voorzien door het van overheidswege georganiseerde onderwijs. En zo liep ze dan met Janie en George de vijf kilometer van haar huis naar het schooltje aan de weg naar Drogheda, waar haar vanaf het schoolplein de geur van zure melk tegemoet kwam, onharmonisch vermengd met de scherpe lucht van urine van de toiletten. Ze moest zich daar een weg banen tussen de korsten brood van de vorige dag, tussen de meeuwen op strooptocht, waar haar witte schoentjes scherp contrasteerden met het vuil. Ze vond dat ze het goed had daar in het saaie groene klaslokaal met de hoge ramen waar het zonlicht doorheen kroop en alleen de bovenkant van de muren bereikte, omdat juffrouw Cannon, die met haar groene geruite rok goed bij de muren paste, haar de vrijheid liet om weg te dromen, in de veronderstelling dat ze, omdat ze in zo'n groot huis woonde, toch al enige beschaving zou bezitten.

Ze kreeg niet met knoet en liniaal, zoals de arme George, bij wie de liniaal vaak op zijn handpalmen, knokkels, hoofd en schouders neerdaalde. George leerde de houten lat met aan de randen de inkepingen voor inches en voeten zeer goed kennen, leerde zijn stemming, zijn weersgesteldheid, zijn humeur kennen, en alles leek altijd kwaadaardig te zijn. 'George Ward,' zei juffrouw Cannon bij een mondelinge overhoring hardop tegen hem als hij weer eens zat te stotteren, 'jij hoort niet in deze klas thuis, jij hoort buiten in het weiland thuis, met in je ene hand een graspol, terwijl je andere hand je broek ophoudt.' Maar in dat weiland maakten Nina, Janie en George na schooltijd tussen de dotterbloemen met hun keurige meisjeshandschrift zijn huiswerk. Ze konden alleen niet verhinderen dat hij doodsangsten uitstond dat hij het zou moeten oplezen, zodanig zelfs dat zijn adem in zijn keel stokte en zijn gestotter langzaam van een staccatogeluid aangroeide tot het gejammer van een gekeelde zwaan. De losse lettergrepen regen zich aaneen tot één enkele klinker, die op de toonhoogte van zijn jongenssopraan aanzwol en dan begeleiding kreeg van het zoevende, klappende en krakende instrument dat de voorkeur had van juffrouw Cannon. Het manuscript van zijn handen wekte na schooltijd verwondering: hoe was het mogelijk dat twee kleine hompen vlees zoveel wonden konden dragen – littekens, striemen, purperen bobbels, openliggende, bloederige wonden.

Nina pakte dan zijn ene eeltige hand, Janie de andere, en samen liepen ze met hem tussen de hooibergen door over het weiland. Terwijl Janie dotterbloemen verzamelde, bond Nina gekneusde zuringbladeren om zijn gehavende handen en zei tegen hem dat Jezus' lijden erger was geweest.

'Wil je met me trouwen, George?' vroeg ze hem dan, terwijl ze het groene sap van de zuring als lippenstift op zijn trillende mond smeerde.

'Ja,' zei hij zonder aarzelen, terwijl zich een kleur als van echte lippenstift over zijn wangen verspreidde.

'Je hebt gehoord wat hij zei, hè Janie? Hij zei "ja".'

'En dat is een belofte,' zei Janie dan, terwijl ze op al haar vingers dotterbloemen legde. 'En als je die breekt, zal Hester je een pak slaag geven.'

'Slaat Hester dan wel eens?' vroeg George.

'Ja,' zei Nina, 'met haar wandelstok van sleedoornhout. Nee, Hester heeft de liniaal van juffrouw Cannon niet nodig. Daar komt Hester trouwens aan, ze wil getuige zijn.'

'Wat is getuige?'

'Een getuige is iemand die zegt: "Ik heb je horen zeggen dat je met haar wilt trouwen" en die een pak slaag uitdeelt als je dat niet doet. Degene die zegt: "Nu mag je de bruid kussen."'

'Wie is de bruid?'

'Ik natuurlijk, domoor. En nu is nu.'

Nina kuste hem. Op zijn met groen besmeurde, eeltige handen. 'Is het zo beter, George?'

En dan knikte George. De kus was bijna het pak slaag waard, wilde hij eigenlijk zeggen.

Hij raakte gehecht aan deze naschoolse balseming, aan de kussen, aan de handen die de zuringbladeren kneusden, aan de vingers die ze op zijn striemen legden, aan de lippen die de bloederige strepen een voor een wegveegden, aan de aanblik haar elke ochtend vanuit het huis op hem toe te zien lopen terwijl hij met Janie buiten het ijzeren hek stond te wachten. Dan zag hij hoe de grote deur van haar huis openging, hoe de moeder zich vooroverboog om haar een kus op haar wang te geven, dan zag hij hoe Nina vreemd kordaat naar buiten kwam, met haar voeten zachtjes knerpend op het grind, in de omlijsting van het grote, grijze huis.

'Dikke pret, Pip,' zei ze dan, net als haar vader.

'Dikke pret, Joe,' was dan het antwoord van hem en Janie, ofschoon ze niet wisten waarom.

De eerste twee maanden, september en oktober, liep hij op blote voeten, en toen de novemberkou inviel, kreeg hij een paar afdankertjes van laarzen die een paar maten te groot waren en schrale plekken veroorzaakten op zijn sokloze enkels. Nina duikelde voor hem een paar van haar eigen afgedragen laarsjes op en trok hem die op een ochtend in december aan, toen hij op zijn enkels bijna net zulke striemen had als op zijn handen en hij door de ijzel op de grond onmogelijk op blote voeten kon lopen. Zo uitgedost legde hij in ongekend comfort de vijf kilometer naar school af, om vervolgens op het schoolplein omstuwd en meedogenloos aan de schandpaal genageld te worden. Georgie Porgy, heremetijd, je ben nou echt een meid. George haalde uit met zijn fijne laarsjes en met zijn vuisten, die verbazend onfijn bleken. Hij wist drie van zijn kwelgeesten tegen de grond te slaan voordat hij door juffrouw Cannon bij zijn benen gepakt en weggesleept werd om op zijn beurt, en dan uitvoeriger, slaag te ontvangen.

Daarna werd er een andere George zichtbaar, alsof een pop zijn

zachte huid had afgeworpen en nu een hardere, moeilijker door-
dringbare huid toonde. Bij mondelinge overhoringen stremde zijn
gestotter tot gemompelde eenlettergrepige woorden, hij kreeg
een leerachtige huid op zijn handen, zodat zelfs de onvermoeiba-
re handen van juffrouw Cannon er moe van werden, en hij ontwikkelde zich tot een kind dat langer was dan de meeste anderen,
immuun voor de plagerijen en de minachting van zijn leeftijdge-
noten en nog steeds verrassend gehecht aan Nina's afgedragen
laarsjes.

Hij droeg ze op het volksfeest van *Wran Day*, toen ze hem een
van Janies kieltjes aantrokken en hem met beroete gezichten en
een fantasievogel in een bosje stekelbrem in een handkar van huis
tot huis reden. Hij droeg ze toen de winter overging in het voorjaar, toen de bevroren aarde op de weg naar school weer in modder veranderde, toen het mei werd en de modder veranderde in
harde aarde met een laagje fijn stof erop. Toen zijn langer wordende tenen door de zolen en het bovenleer heen begonnen te steken,
bleef hij ze dragen, en toen Janie haar schoenen uittrok en weer
lekker op blote voeten ging lopen, bleef hij ze dragen, hij bleef ze
dragen totdat alle naden loslieten, totdat de zolen er los bij hingen, tot de veters vergingen en er letterlijk vanaf vielen. Pas toen
ging hij weer op blote voeten lopen.

'Dikke pret, Pip,' zei Nina toen ze de niet meer gedragen laarsjes langs de kant van de weg zag staan.

'Dikke pret, Nina,' antwoordde hij.

'Je moet niet "Dikke pret, Nina" zeggen,' zei Janie. 'Je moet zeggen: "Dikke pret, Joe."'

'Waarom mag ik niet "Dikke pret, Nina" zeggen?'

'Dat moet je niet aan mij vragen, maar aan Nina.'

'Omdat het zo niet in het verhaal staat.'

En toen vertelde Nina het verhaal, zoals haar vader het had verteld, van Pip en Joe Gargery en van de pret die ze hadden als mevrouw Joe niet oplette, van de smid Orlick, de gevangene Mag-
witch en de mooie Estella.

'De mooie Estella,' herhaalde George.

'Ja,' zei Nina, 'in dat grote huis achter de traliehekken, met juffrouw Havisham en haar beschimmelde trouwjurk.'

~

De boeken staan op de planken alsof ze erop vastgevroren zijn: *A Child's Garden of Verses*, *Cautionary Tales*, *The Water Babies*, *What Katy Did*, *Lorna Doone*, *Little Women*, *Jo's Boys*, *Little Men*, *Hard Times*, *Great Expectations*, *Wuthering Heights*, *Jane Eyre*. De schimmel op de ruggen wordt nat als de winterzon door het raam kruipt en bevriest 's nachts weer. Elk met rijp bedekt boekdeel werkt als een verloren gewaand parfum, dat door associaties hele werelden oproept. Matilde vertelde leugens die zo afschuwelijk waren dat je adem in je keel stokte en je je ogen opensperde. Mijn herinneringen, bevroren zoals die van hen, zijn vooralsnog ongetiteld. Dikke pret, Pip. Alle klokken van juffrouw Havisham staan stil. Nu de tijd stilstaat, herinner ik het me dan – nee, ik lees, alsof ik me binnen die bevroren banden bevind, het boek waarvan ik het einde niet heb geschreven, maar dat voor me werd geschreven door iemand die nauwelijks had leren schrijven. Ik geeft de hoofdstukken titels, sla de niet-bestaande bladzijden om, betrek het verhaal, geniet ervan, huil erin, sterf erin, maar kan ik aan de afloop iets veranderen? Geen zier. Met het einde begon het, en het begin zorgde voor het einde.

Dan komt er een einde aan de vorst met alle mist en witte rijp, en langs de bubbelende ruggen van de boeken in mijn bibliotheek stroomt water. Het is nu een echte Ierse winter. Altijd regen nu, op sommige dagen in sluiers, op andere dagen giet het, en de grond onder het bosje essen bij het huisje wordt een moeras waar het water van de takken in plopt en gutst. De deur van het huisje van George blijft openstaan en de radio houdt er ten slotte door de toenemende vochtigheid mee op. De kastanjeboom aan de bocht van de rivier heeft een permanente glans gekregen, die niet te onderscheiden is van het bruine, kolkende water eronder. Het water druipt van het dak en van de plafonds, mossen en korstmossen tieren welig op de tuinmuren. Aan het einde van de middag rennen schoolkinderen snel langs de kille gevel, ze zijn bang voor spoken en mompelen schietgebedjes, maar in de grijze ochtenden komen ze er bij elkaar om stenen te gooien. De ramen kraken, vertonen barsten, splijten en breken, de doorweekte vloerkleden liggen bezaaid met glassplinters en de wind waait door het huis, rukt de deuren en de kasten los, tilt beschimmelde vloerkleden van de grond en laat die op en neer golven, sleurt lakens uit de gebarsten laden door de tochtige gangen alsof het zelf spoken zijn. De kapotte ruiten versterken de spookachtige aanblik van de grijze kalkstenen gevel, de kinderen haasten zich er nog sneller langs en mompelen in het voorbijgaan spreuken die ze van hun moeder hebben geleerd, vertellen elkaar verhalen over het wezen dat daar huist, van het vrouwelijk geslacht natuurlijk, dat soms met haar hoofd in haar handen loopt, en andere keren met haar ingewanden, dat gekleed gaat in een wit, met bloed besmeurd gewaad, maar nooit, naar het schijnt, in een oude bontjas, met kaplaarzen aan en een zwarte baret op.

13

Hester stierf op een zaterdagochtend in september, ze werd op de akker die grenst aan het kerkhof van de protestantse kerk van Termonfeckin vermalen door de bladen van een dorsmachine bestuurd door Bull Brennan. Nina, George en Janie waren getuige van haar dood, gezeten op de trillende zitplaats naast de rammelende hendels waar de Bull met zijn reusachtige handen in een onregelmatig ritme en met onduidelijke bedoelingen tegen duwde en aan trok, maar wel zo dat de aren op de leren band naar boven bleven komen, om daar in het mechaniek vermalen te worden en vervolgens uit de linkerkoker te voorschijn te komen in de vorm van geel hooi en rechts als kaf en gerstkorrels. Dan Turnbull schepte de gerst in zakken, vijf broers Brennan stapelden de schelven op, en Nina zat naar de transportband te kijken, één lange band van trillend geel op weg naar bestraffing door die houten armen, alsof het een uit reusachtige versies van de liniaal van juffrouw Cannon geconstrueerde mechanische hel was. Ze had Hester niet zien vallen, had haar niet op de band terecht horen komen, en toen ze haar roze wangetjes en groen-met-witte slabbetje en kieltje tussen de aren aan zag komen, begon ze niet te roepen. Ze keek met een vreemde fascinatie hoe ze trillend naar boven werd vervoerd in de richting van de dorsende armen en was bijna verbaasd toen ze George naast haar een schreeuw van paniek hoorde slaken.

'Hester!'

Dan, met een halo van kaf om zijn heiligenhoofd, keek op van het scheppen. De Bull bewoog met zijn gespierde armen twee hendels in tegengestelde richting, waarop de dorsmachine langzaam, pijnlijk langzaam tot stilstand kwam. Echter niet voordat Hester haar beverige slakkengang op weg naar de mechanische armen had voltooid en de moeder van alle dorsingen onderging, waarbij haar hoofdje de ene kant en haar romp de andere kant op werd gedraaid. Dan luisterde naar het piepen en knarsen van de in doodsnood verkerende dorsmachine, en toen die ten slotte stilviel, zag hij hoe de vermalen stukjes van haar hoofdje uit de trechter in de openstaande zak vielen en hoe de gebroken oren van de pop in het hooi vielen.

Hij haalde de geknoopte zakdoek van zijn hoofd die hem beschermde tegen de middagzon en legde die in het gras naast de zak met gerst. Een voor een haalde hij de stukjes eruit en legde ze daarop neer. Hij liep om de machine heen, passeerde de rij zwetende broers Brennan en bracht wat hij van Hesters romp had kunnen redden in veiligheid. Hij legde de stukjes vermalen paardenhaar en die van het slabbetje en het kieltje naast de gebroken stukjes aardewerk van het hoofdje. Toen tilde hij Nina uit de enorme handen van de Bull en constateerde met lichte verbazing dat ze niet huilde. Daarna tilde hij Janie naar beneden, en als laatste George, die wel huilde.

'Daar kon niemand wat aan doen,' zei Dan, en hij herhaalde nog een keer: 'Daar kon niemand wat aan doen.'

'Humpty Dumpty viel van het hek,' zei Nina.

'Er er is geen ene timmerman,' zei Dan.

'Die Humpty Dumpty maken kan.'

'Het is Humpty niet,' zei George. 'Het is Hester.'

'Maar ze is niet weg,' zei Nina. 'Nee hè, Dan?'

Dan keek naar alle losse stukjes pop en krabde over de paar hem nog resterende haren.

'Repareren zou wel een heel gedoe zijn,' mompelde hij.

'Nee, ze wordt niet gerepareerd,' zei Nina.

'Maar we kunnen wel een wake voor haar houden,' zei Janie.

'Daar zeg je wat,' zei Dan. 'Met doedelzakmuziek, whisky en donker bier.'

Dus vouwde Nina Dans zakdoek dicht, bond de vier uiteinden netjes dicht, raapte een afgebroken tak van de es op, stak die door het bundeltje heen, legde de tak over haar schouder en begon als een soort Tijl Uilenspiegel het stoppelveld waar de gerst had gestaan over te lopen. Doedelzakken en donker bier waren niet voorhanden, maar wel een porseleinen theeservies, en George en Janie kregen sinaasappellimonade en kaakjes, terwijl Nina onderaan de kastanjeboom heen en weer zwaaide over de rivier en de inhoud van Dan Turnbulls zakdoek in het water onder haar uitschudde.

'Dat ze mag rusten in vrede,' zei Nina.

'Amen,' zei Janie.

'Amen,' herhaalde George.

'Dat ze de slaap der rechtvaardigen mag genieten, dat de rivier haar bed mag zijn.'

'Amen,' herhaalden George en Janie.

'En als ze droomt, dat ze dan alleen van ons mag dromen.'

'Poppen dromen niet,' zei George.

'Hester wel.'

'Hoe kan ze nou dromen als ze dood is?' vroeg Janie, die voor de verandering eens kritiek leverde op Nina's logica.

'Als de doden dromen, dromen ze over de levenden,' zei Nina. 'En als ze goed zijn, zoals Hester, dan worden ze onze beschermengelen.'

'En als ze slecht zijn?'

Nina dacht even na en sloot toen haar ogen, alsof die mogelijkheid te afschuwelijk was om in overweging te nemen. En toen ze ze weer opsloeg, verscheen er langzaam, als een golf die aan komt rollen, een uitdrukking van gelukzaligheid op haar gezicht.

'Wat is er?' vroeg Janie, die schrok bij de aanblik van deze extase.

'Daar,' zei Nina, 'boven het water...'

'Waar?' vroeg Georgie.

'Doe je ogen open,' zei Nina. 'Ze staat met haar voeten in de stroom...'

'Wie?' riep Janie, die op haar beurt haar ogen toekneep.

'Hester,' zei Nina, en haar stem hield ongeveer het midden tussen een zucht en een gebed.

En dan kijkt ze weer naar mij, de enige die haar vertrouwd is, en besef ik weer wat een troost het is om gezien te worden. *Esse est percipere*, zoals de bisschop zei. En ik vraag me af of ik degene was die ze opwekten met sinaasappelsap en kaakjes en die ze Hester noemden, terwijl de in stukken gebroken pop nog even bleef drijven, de wangetjes van aardewerk langzaam in het zilt wegzakten en het in stukken gesneden slabbetje en kieltje, die niets puriteins meer hadden, wegdreven in de richting van Mozambique, vast kwamen te zitten in de biezen, en het haar alleen voortdreef in de richting van de Lady's Finger, waar het uiteindelijk zonk en onder water verstrengeld raakte in het zeewier. De ogen hebben in zekere zin afscheid genomen van de kinderjaren, van gefluisterde gesprekken met het niets, van het levend maken van het levenloze, van het oneindig heden. Ze hebben nu een verleden, er zijn herinneringen, en de voornaamste is die aan de in stukken gebroken pop die uit de dichtgeknoopte zakdoek in het water valt. Ze betreden een koudere tijd, waar de minuten niet meer eeuwig duren maar zich als rijen gerststengels voortbewegen op een soort transportband, op weg naar een bepaald doel. De ogen hebben geen idee wat dat doel zou kunnen zijn, ze weten alleen dat er sprake is van een reis, en dat er tijdens die reis een hulpje is dat Hester heet, omdat er geen betere naam is.

Drie gestalten hurken neer onder de kastanjeboom, vóór hen ligt een piepklein tafellaken uitgespreid met piepkleine kopjes sinaasappelsap en zorgvuldig gebroken kaakjes. Twee hoofden buigen zich, een kijkt met een heldere oogopslag op, onbevreesd. Dan maakt George zijn gebalde vuist los van zijn roodomrande ogen en kijkt ook op. En ook hij fluistert: Hester.

En hoewel mijn naam Nina is, twee duidelijke, zonovergoten lettergrepen, en Hester een sisklank is, een en al adem en nachtschade, mag ik niet klagen, want elke naam is beter dan geen naam.

14

Geen mens komt nu nog in de buurt van het huis. Kinderen mijden bij donker de weg, en 's ochtends haasten ze zich erlangs, gooien geen stenen meer sinds alle zichtbare vensters kapot zijn. Op een nacht komt er een vos via de doorhangende keukendeur naar binnen, stroopt de bijkeuken af naar iets eetbaars, urineert tegen een poot van de piano. Hij ontgaat me niet. Met zijn gele ogen, in het donker op zoek naar andere ogen, met die dierlijke blik, meer instinct dan willen zien, komt hij elke nacht naar binnen geslopen, want altijd zijn er nog wel hapjes te vinden en nieuwe hoekjes om voedsel in te zoeken.

Een zwerver komt door het kapotte raam binnen, snijdt zijn arm aan het gebroken glas, drinkt het laatste beetje sherry uit de eetkamerkast, slaapt op de vochtige, beschimmelde dekens op mijn bed boven. Een vrouw komt naar hem toe, hij verkracht haar op de keukenvloer, huilend en bloedend vlucht ze. De politie komt, voert hem weg, hangt roestige sloten aan het hek, timmert de kapotte deuren en ramen op de begane grond dicht. De vos komt niet meer, alleen het koeren van duiven weerklinkt nog, en 's nachts het fladderen van vleermuizen. Vanaf de weg gezien, door de spijlen van het hek met het hangslot, is het nu echt een spookhuis.

Dan, op een dag in maart, als de regens zijn opgehouden en krokussen hun oranje neuzen door het opgeschoten gras omhoogsteken, als een bleek zonnetje door de sluierbewolking heen prikt, stopt er een auto voor de hekken, de chauffeur steekt een sleutel in het roestige hangslot, trekt ze open en rijdt verder over het met onkruid overwoekerde grind, draait de verlaten binnenplaats op en komt tot stilstand. Het achterportier gaat open en Gregory stapt uit.

Hij heeft de eeuwige jeugd, hij wordt grijs, zijn wangen zijn holler geworden, maar hij loopt nog op net zo'n naïeve manier als ik me van hem herinner, de schouders gebogen onder de druk van niets anders dan de lucht. Een bleke huid, om zijn ringvinger een rouwring waar hij aan draait terwijl hij naar de keukendeur loopt. Tevergeefs rukt hij aan de vastgespijkerde schragen, loopt dan naar het bijgebouw en gaat naar binnen. Hij komt weer naar buiten met een hamer en begint de spijkers uit het hout te trekken, wat gepaard gaat met een misselijkmakend gepiep van de spijkers in het oude hout. Doffe klappen van de planken die om hem heen op de grond vallen, en dan komt de deur vrij. Hij duwt hem open met een smetteloze, in Jermyn Street gekochte schoen.

Hij is te laat, als altijd. Zeker drie maanden deze keer, en nu het zonlicht de sombere keuken binnendringt bedenk ik weer dat er geen begrafenis is geweest. Natuurlijk geen begrafenis, want voor een begrafenis heb je een lijk nodig en familie, en de enige familie die ik heb is nu hier. Hij staat in de vervallen deuropening, vult die met gemak, heeft één hand op de kapotte klink gelegd.

Ik zie hem diezelfde deur binnenkomen toen hij tien was.

~

Toen was hij ook te laat, jaren te laat, toen de kleine Nina hem met grote, verwachtingsvolle ogen vanuit de kleinere deuropening aan de andere kant van de keukentafel aankeek. Je broer komt, hadden ze haar verteld, of misschien moeten we zeggen je half-broer, en ze had zich afgevraagd waarom ze het haar niet eerder hadden verteld. Ergens op de wereld is er iemand net als jij, je hebt hem alleen nog niet ontmoet. De magere, bleke jongen in de deur-opening, in de ene hand een koffer, de andere hand in die van de koetsier, die achter hem staat. Hij was erg gespitst op onvriendelijkheid, dat had ze toen al gezien, onvriendelijkheid rook hij al op honderd meter afstand, en om eraan te ontkomen kroop hij in elke willekeurige kast, de jongen met het dikke haar en de schaduwen op zijn wangen net als zij, net als ik. Het enige dat anders aan hem was, was dat hij van het mannelijk geslacht was en dat zijn ogen groen waren, het licht leken op te slokken – hoe weinig licht er ook was in de keuken, zijn ogen leken het in te drinken. En het gevoel dat ze had, waaraan ik nog steeds niet kan ontkomen, het gevoel dat door de keuken stroomde, had een directheid als het zonlicht: het gevoel een verlies te hebben geleden. Ze miste alle uren die ze niet samen hadden doorgebracht, het verleden dat ze niet deelden, ze treurde om een verleden, om herinneringen die nooit hadden bestaan. Hoe kan ik me je herinneren als ik je niet gekend heb? Ik zou het kunnen verzinnen, wij zouden het kunnen verzinnen, probeerde ze te denken; een verleden verzinnen, een getijdenboek voor die negen jaar dat we elkaar niet hebben gekend. Want Nina was toen negen, en Gregory tien. En nu was Nina er niet meer, en Gregory was tweeënvijftig. We hebben een heel leven in te halen, dacht ze. Maar op de een of andere manier wist ze zelfs toen al dat het er niet van zou komen. Ze deelden een ontbrekende jeugd, er waren geen spelletjes die ze konden inhalen, en wat ze ook voor een leven samen zouden hebben, er zou iets vreemd en gevaarlijk scheef zitten, als bij geen ander.

'Hoe heet hij ook alweer?' vroeg ze aan haar moeder, haar moeder die niet de zijne was en die achter haar in de deuropening van de bijkeuken stond, zo te zien ontspannen. Ze had de vraag zachtjes gesteld, aangezien ze het gevoel had dat ze hem nog niet kon aanspreken. Maar hij had haar wel gehoord.

'Gregory,' zei hij, en hij kwam naar binnen.

~

Nu loopt hij tussen het gebroken aardewerk en de vossenkeutels naar binnen, begeleid door gefladder van duivenvleugels. Hij heeft ofwel al gerouwd om zijn halfzuster, ofwel hij zal niet meer om haar rouwen. Alsof hij gadegeslagen wordt – wat ook het geval is: ernstig, waakzaam – loopt hij om de natte grenenhouten tafel heen, door de lage stenen doorgang naar de hal. Hij loopt de trap op en staat even stil om te luisteren naar al het gekraak. Hij loopt mijn kamer binnen, maar herinnert zich natuurlijk niet dat het de mijne is. Het is de slaapkamer van zijn vader en zijn nieuwe stiefmoeder, die hem sinds zijn komst nog maar zelden voor het middaguur verliet. Hij kijkt met een uitdrukkingsloos gezicht naar het natte, verfrommelde beddengoed waar de vos en de verkrachter hebben geslapen. Hij loopt de gang weer op, doet de kast open waar, zoals ik hem ooit in een aanval van kwaadaardigheid vertelde, de dode Hester huisde. Hij laat de openstaande deur kraken en gaat de kamer binnen die ze voor hem hadden bestemd. Uit grilligheid, verlangen of een soort diepliggend onvermogen had ik het stevige houten bed waar hij op sliep bewaard, en ook het behang met het jongensachtige patroon van zeilbootjes erop hing er nog, en de oude foto van hem in zijn witte crickettenue. Hij gaat op het vochtige bed zitten, kijkt naar zijn jongere ik en grimlacht. Hij lijkt even ver af te staan van zijn jongere ik als van zijn jongere zusje nu.

'Nina,' zegt hij zachtjes, en ik herhaal de naam, zodat zijn stem weerklinkt en hij de echo hoort. Hij noemt de naam weer: 'Nina, Nina', maar nu luider, zodat ook mijn echo luider klinkt, en hij kijkt zichzelf aan in de verweerde spiegel aan de kast. 'Nina,' zegt hij, en weer ben ik Echo en hij Narcissus. Dan gaat hij op het bed liggen en bergt zijn gezicht in het vochtige kussen.

Even lijkt het alsof er een snikken weerklinkt, dat afkomstig moet zijn van Echo, niet van Narcissus. Ja, ik hoor snikken, maar dat moeten beslist mijn snikken zijn. Als hij overeind komt, zijn zijn wangen nat, dus misschien was hij het die snikte, maar het kussen is nat van drie maanden schimmelen, dus misschien ook niet. Hij loopt terug naar de gang, de krakende trap af, en zijn Echo luistert, vangt elk geluid op dat hij maakt, zijn voetstappen, en weerkaatst ze. Dan weerklinken de aarzelende tonen van de piano. De A en de D en de F en dan weer de D, dan de A een octaaf hoger. Echo dupliceert elke trage, plompe, gebroken toon en herkent het stuk, de sonate in D van Mozart. Drie snelle trillers. De B en de E en de G en de E en de B daarboven. Het spel begint zekerder te klinken, krachtiger, en bloeit dan helemaal op, er is geen ruimte meer voor een echo, alsof het geheugen volloopt. De piano moet gestemd worden, de pedalen kraken. Maar dat was altijd al.

~

Ze hoorde het de eerste nacht dat hij er was, en dat hij het speelde leek iets uit te drukken, een plengoffer, alsof hij alle geluiden die hij kende opdroeg aan het huis, aan zijn plaats daarin. Naarmate de melodie vleugels kreeg, werd ze zachtjes uit haar kamer getrokken. Ze bleef staan als de melodie stopte, als hij zocht naar een frasering en de melodie weer moeite deed om vleugels te krijgen. Dan voelde ze zich weer getrokken in de richting van de krullerige balustrade, vanwaar ze hem door de deuropening kon zien zitten bij de zwarte, zwaanachtige omtrekken van de piano en ze zijn handen over de vergeelde toetsen zag gaan.

Ze hadden het haar niet verteld omdat ze het niet konden, omdat ze de woorden ervoor niet kenden. Dat begreep ze nu, terwijl ze naar de naamloze muziek onder aan de trap luisterde. En ze begreep de spanning van de maand die eraan voorafgegaan was, de gedempte stemmen 's nachts in hun slaapkamer, het gevoel van een onuitgesproken ruzie, de spanning die om te snijden was tijdens de maaltijden in de keuken.

'Je hebt een broer,' had haar moeder gezegd terwijl ze voor schooltijd met haar naar het hek liep waar Janie en George haar afhaalden. 'Of misschien moet ik zeggen een halfbroer. Hij woont in Engeland, en hij heet Gregory.'

'Wie is zijn moeder?' had ze gevraagd, met een naar gevoel van gekwetstheid in haar stem.

'Ik heb zijn moeder nooit ontmoet, en je vader heeft zijn moeder lang niet gezien, heel lang niet. Maar ze is nu ziek en in de war, en de jongen komt hiernaartoe.'

'Waren ze getrouwd?' vroeg ze. 'Zoals jullie?' En ze voelde hoe de hand de hare losliet.

'Nee,' zei ze. 'Voordat je vader hierheen kwam, was hij schilder. En die leiden een raar leven.'

'Raar,' herhaalde ze, en dacht toen even na. 'Wat is een half-broer?' vroeg ze.

'Een halfbroer,' zei haar moeder omzichtig, 'heb je als één van je ouders dezelfde is, en de ander niet.'

'Mag ik alsjeblieft een volle broer?' vroeg ze, terwijl ze haar wang ophield voor een afscheidszoen.

'Misschien,' zei haar moeder afwezig. 'Misschien.'

Ze had geprobeerd zich hem voor te stellen, deze Pip, deze Tijl Uilenspiegel van onedele afkomst. Ze probeerde zich voor te stellen hoe zijn kleding eruitzag en zijn schoenen, hoe zijn huid was, zijn handen, zijn haar, zijn geur. Het lukte haar niet. Ik heb een broeder maar hij heeft een andere moeder, schreef ze op school op haar lei. Ze vond het rijm wel mooi poëtisch, en nu het haar niet was gelukt om zich een voorstelling van hem te maken, probeerde ze zich zijn moeder voor te stellen. Ze kon zich zijn moeder echter niet voorstellen zonder haar vader bij haar te zien, en dat gaf haar een vreemd gevoel van ontrouw. Ze zag een vrouw voor zich bij een bochtige rivier, met daarachter een stad waarvan ze veronderstelde dat het Londen was. De vrouw keek naar niets in het bijzonder, en de rivier achter haar zag eruit alsof hij op een ansichtkaart stond, en die kaart herinnerde ze zich toen weer, met plaatjes van de parlementsgebouwen, van London Bridge en van Hyde Park. Ze had geen idee waar ze die kaart gezien had, maar het gezicht van de vrouw op de voorgrond leek volstrekt niet op het gezicht dat ze het best van alle kende, dat van haar moeder. Het was een magerder gezicht, met een ander soort droefheid, het sluike blonde haar van opzij opgebonden. Ze stelde zich voor hoe haar vader met deze vrouw door de vreemd getekende straten op de kaart van Londen liep, langs de sprookjesachtige torens van de parlementsgebouwen, langs de kantelen de Tower Bridge op. Ze stelde zich voor dat zij net zoals haar vader liep, allebei in gedachten verzonken, met de bochtige rivier achter hen. Toen voelde ze zich om onverklaarbare redenen ineens triest, en probeerde ze zich haar voor te stellen hoe ze er nu bij lag, ziek, in een grote ziekenzaal, met een jongen aan haar zijde, een jongen met een tas en een schoolblazer.

'Ik heb een broer,' zei ze tegen haar vader toen ze voor de fabriek aan de waterkant zaten en keken hoe een andere rivier voorbijstroomde. Het was als vraag bedoeld, niet als verklaring, maar om de een of andere reden kwam het er zo uit, vlak.

'Ja,' zei hij, in het water kijkend. 'Ik heb een zoon.'

'Waarom heb ik hem nooit ontmoet?' vroeg ze, en dit keer klonk het wel als een echte vraag.

'Omdat,' zei hij, 'sommige dingen niet mogelijk zijn.'

'Waarom heeft hij een andere moeder?' Weer een vraag, harder deze keer.

'Omdat ik jong was...' zei hij, zijn woorden met ongebruikelijke zorgvuldigheid kiezend, 'en jong... anders, denk ik... en omdat ik zijn moeder ontmoette voordat ik jouw moeder leerde kennen.'

'Je was schilder,' zei ze, herhalend wat ze gehoord had, 'en die leiden een raar leven.'

'Dat doen ze zeker,' zei hij, en hij glimlachte bedroefd, stond op en gooide een steen in het water. 'Ze leven alsof alles mogelijk is, en dan komen ze tot de conclusie dat dat voor de meeste dingen niet geldt.'

'Die zijn niet mogelijk,' herhaalde ze. Ze was in de war.

'Ik was jong en ik wilde trouwen, maar haar ouders wilden geen toestemming geven, zelfs niet toen het kind geboren was. Ze waren ertegen.'

'Ertegen,' herhaalde ze. Ze kon zich niet voorstellen dat iemand tegen haar vader was.

'Ja,' zei hij. 'Ik was schilder. En schilders leiden een raar leven. Ze hebben haar op reis gestuurd. Ze is naar Frankrijk gegaan, naar Malta, naar India. Hij zou niet hierheen zijn gekomen, en jij zou nooit van zijn bestaan hebben hoeven weten als zijn moeder niet... ziek was geworden...' Hij gooide nog een steen in het water, keerde haar zijn rug toe. 'En ik kan niet zeggen dat ik het erg vind, hoezeer ook...'

Hij wendde zich naar haar en tilde haar op in zijn armen. 'Je zult hem heel aardig vinden.'

'Hoe weet je dat?' vroeg ze, met haar gezicht vlak bij het zijne.

'Omdat,' zei hij zachtjes, en hij liep met haar weg van de rivier in de richting van de weg aan de andere kant van de fabriek, 'hij meer op jou lijkt dan wie ook.'

Ze had zich afgevraagd wat hij tegen haar moeder had gezegd. Ik heb een zoon. Ik was schilder. Voordat ik jou leerde kennen. Die leiden een raar leven. Ze stelde zich haar moeder voor bij het ronde raam op de trap, de armen over elkaar geslagen, afgewend. Ze stelde zich voor hoe het koude, grijze licht door het raam scheen. Ze stelde zich voor hoe de koude grijze vingers zich om haar hart sloten. En ze vroeg zich af of alles ooit nog kon worden zoals vroeger.

Ze deed moeite om haar nieuwsgierigheid naar haar nieuwe broer luchtig, grillig en abstract te laten lijken, omdat haar hart anders uit elkaar zou barsten, hoewel ze er niet zeker van was of dit het gevolg zou zijn van de druk van die koude, grijze vingers of van de ondraaglijke spanning die zijn komst veroorzaakte. Ze probeerde te voorkomen dat ze door al te grote gretigheid verteerd zou worden als door een aanwakkerend vuur. Ze probeerde zich hem voor te stellen als een nieuwe levensvorm, een dier als de gnoe of de ocelot, die ze nooit had gezien maar waarvan ze had horen zeggen dat die in verre streken leefden. Als ze zijn naam al had horen noemen, dan was ze die al snel vergeten, en ze begon hem Halfbroer te noemen, en vervolgens gewoon Half. De naam Half getuigde van passende schroom, maar wel een schroom die verontrustend charmant was. Want als hij, Half, de ene helft was, dan moest zij, Nina, de andere zijn. Half komt eraan, dacht ze, Half is nu nog in Londen, maar op een goede dag zal hij de trein nemen.

Ze vond onder haar bed een legpuzzel van toen ze klein was, van de stad Londen, compleet met bochtige rivier, sprookjesachtige parlementsgebouwen en een Tower Bridge met kantelen, en besefte toen waar het beeld van de stad achter het gefantaseerde gezicht van de vrouw vandaan kwam. Het stuk van Chelsea tot aan het Isle of Dogs legde ze op een middag grotendeels in elkaar, en toen ze de volgende ochtend opstond, maakte ze hem af. Ze was al bij Greenwich toen ze het hek aan de ingang hoorde kraken, gevolgd door het knerpen van hoeven en wielen op het grind. Ze liep vanuit haar kamer boven de gang op en zag achter in de sjees die de oprijlaan op kwam de naamloze gestalte zitten. Half, dacht ze.

Door het hoge raam van het trappenhuis volgde ze de tocht van het rijtuig om het huis heen, met een onderbreking toen het achter het huis om reed. Half zal nu snel heel worden, dacht ze. Toen verloor ze hem uit het oog, maar hoorde nog wel het knerpen en het kraken van de veren van de sjees toen die tot stilstand kwam en het gehinnik van het tot staan gebrachte paard. Ze rende de laatste paar traptreden af, schoot door de voorhal en de gangen van de bijkeukens, vertraagde haar pas en liep met gepaste nonchalance door en bleef staan bij de deur die toegang gaf tot de keuken. Ze zag hem staan bij de grenenhouten tafel, bij de drempel van de tegenoverliggende deur.

'Hoe heet hij ook alweer?' vroeg ze aan haar moeder.

'Gregory,' zei hij, en toen kwam hij binnen.

Ze nam hem mee naar zijn kamer boven met het nieuwe behang met de zeilbootjes, de geur van verse verf en het houten bed. Hij ging netjes om met zijn nieuwe spullen, ongeveer zoals ze zich voorstelde dat een weeskind zou doen. Zijn versleten leren koffer was dichtgebonden met een stuk touw, dat hij losmaakte, waarna hij de koffer op het bed legde, openmaakte en zijn kleren zorgvuldig op de dekens uitspreidde. Ze zag dat er, tussen een wirwar van bretels, nog een pennenmesje, een pianoleerboek en een klok in lagen.

'Heb je er lang over gedaan om hier te komen?' vroeg ze met wat zij meende dat de juiste formaliteit was. Ze verlangde ernaar dat in de kamer een ander geluid zou opklinken dan alleen zijn ademhaling.

'Ik heb de trein genomen van St. Pancras naar Holyhead, de boot naar Dublin en toen weer de trein naar Drogheda.' Hij sprak het uit als 'dròsjieda' in plaats van als 'dròheda', viel haar op. 'En toen ben ik hiernaartoe gebracht.'

'En is dat lang?'

'Dat zou ik wel zeggen, ja. Een dag en een nacht, en dan nog een ochtend vanaf Dublin.'

Ze genoot van zijn korte Engelse klinkers en wilde er meer horen. 'Is dit de langste reis die je ooit gemaakt hebt?'

'Naar India duurde langer.'

'Wat was er in India?'

'Dat was alleen een heel lange bootreis. Twee weken duurde die, geloof ik. We logeerden er bij de familie Peel. Zij zijn zoroastrianen.'

'Zoroastrianen?'

'Dat is Farsi. Het betekent vuuraanbidders.' Ze hoorde een lichte trots in zijn stem. 'Het zijn Engelsen,' vervolgde hij, 'maar ze zijn zoroastrianen geworden toen ze naar India gingen.'

'Ben jij een zoroastriaan?' Er ging een onevenredig groot gevoel van genoegen door haar heen toen ze het woord goed uitsprak.

'Nee,' zei hij. 'Ik ben van de Church of England. Anglicaan. Als ik volwassen ben word ik misschien zoroastriaan. Ik weet het nog niet. Moeder wilde de vuurdansers schilderen, daarom zijn we erheen gegaan.'

'Is je moeder schilderes?'

'Nou,' zei hij, 'ze heeft nu al een tijdje niet geschilderd. Maar toen in India was ze schilderes.'

Ze keek hoe hij de laden van de kasten opende en zijn kleren erin legde. Ze wilde ze tegen haar neus drukken en de geur opsnuiven. Ze vroeg zich af wat ze zich allemaal moest gaan voorstellen: Londen, Holyhead, Dublin, en nu dus ook India.

'Bevalt je nieuwe huis je?'

'Het is groot,' zei hij. 'Ik ben niet gewend aan grote huizen.'

'Zijn de huizen in India niet groot?'

'Wij hadden een bungalow.'

En misschien kwam het door het woord 'zoroasteriaan' dat ze erover begon. 'Weet je wat er met dit huis is?' zei ze. 'Ik wil je niet bang maken, hoor, maar het...'

'Wat is er met het huis?' vroeg hij, en ze hoorde een lichte ongerustheid in zijn Engelse klinkers doorklinken.

'Het spookt hier.'

Hij hield op met uitpakken. 'Zo,' zei hij, 'je wilt me dus bang maken.'

'Nee,' zei ze, en pas toen had ze het gevoel dat ze de vrijheid had om de kamer in te komen. Ze ging naast zijn overhemden en andere spullen zitten. Ze snoof de geur ervan op. Een strenge, frisse geur was het. 'Het spook maakt niemand bang. Ze heet Hester, en ze is altijd een beetje triest.'

'Praat dit spook dan?' vroeg hij, en hij ging verder met uitpakken. Hij pakte een stapeltje kleren en liep naar de kast, om uit haar buurt te zijn, voelde ze.

'Dode mensen praten niet,' zei ze.

'Dus dit spook is dood.'

'Alle spoken zijn dood.'

'Ik weet het niet, hoor,' zei hij. 'Ik heb geen verstand van spoken.'

'Ze heeft eigenlijk geen naam.'

'Geen naam,' herhaalde hij.

'We hebben haar de naam Hester gegeven,' zei ze, 'toen mijn pop doodging.'

'Poppen gaan niet dood,' zei hij.

'Nou, Hester is wel doodgegaan,' zei ze.

'Je probeert me bang te maken,' zei hij, 'maar ik laat me niet bang maken.'

'Nee,' zei ze, 'ik vertel het je alleen. Misschien zodat je dan niet bang wordt. En als je haar ziet, moet je me dat vertellen. Zodat ik het weet.'

'Zodat je wat weet?'

'Dat we allemaal dezelfde ogen hebben. George, Janie, Gregory, Nina.'

'Wie zijn George en Janie?'

'Mijn vrienden. Wil je kennis met ze maken?'

'Misschien.'

'Wil je kennismaken met Hester?'

'Het lukt je toch niet,' zei hij. 'Ik laat me niet bang maken.'

'Nou, mocht je haar toch zien, dan moet je beloven dat je het eerst aan mij vertelt.'

Hij haalde de klok uit zijn koffer en zette die behoedzaam op het nachtkastje.

'Beloof je het?'

'Hij keek haar nu voor het eerst aan. Ze zag zijn groene ogen, die volstrekt niet op de hare leken, maar wonderbaarlijk aanwezig waren en elk woord indronken dat uit haar mond kwam. Even had ze er spijt van dat ze hem bang had gemaakt.

'Ik beloof het.'

15

Na verloop van tijd zag hij Hester, zijn Hester, die natuurlijk anders was dan mijn Hester en ook anders, heel anders, dan die van George. Ofwel hij wist zichzelf ervan te overtuigen dat hij haar had gezien, zoals ik mezelf ervan overtuig dat ik hem zie. We scheppen deze ongeziene figuren en geven ze een leven, zoals de God van de heilige Anselmus bestaat omdat wij in hem geloven, omdat dat geloof tenslotte een soort bestaan is dat doorgaat en overblijft als wij weg zijn, zoals ik misschien nu overblijf en mezelf overtuig dat ik hoor hoe hij de laatste klanken van – als ik het wel heb – Mozarts sonate KV 16 speelt in de vervallen, vochtige huiskamer, waarin alleen de gebroken ruiten in de afbladderende raamkozijnen hem kunnen horen. Ik ben niet langer ik, en zoals ik ver afsta van wat ik was, staat hij ver af van de jongen die, bang van elke schaduw, van elke gesloten kastdeur, door de lege kamers dwaalde.

Maar er is natuurlijk een verschil. Het verschil is dat hij de toetsen kan indrukken, dat galmende geluid kan produceren, de nattigheid op zijn wangen die wel of niet veroorzaakt is door tranen kan opdrogen. En hij kan ermee ophouden, een notitieboekje uit zijn zak halen, om het huis heen lopen, inventariseren welke kunstvoorwerpen nog intact zijn: de Chinese vazen die ik in Kensington heb gekocht, de oude eikenhouten boekenkast met de beschimmelde boekerij, de marmeren tafel, het doorweekte Perzische tapijt waar de tafel op staat. De jachttafel in de eetkamer, het kristal en de decanteerflessen die overal rondslingeren, de Gerald

Brockhurst, de Jack Yeats, het schilderij van Lavery van de pier van Dún Laoghaire met het lichtblauw van de avondhemel en het donkerder blauw van de zee bij avond dat bijna volmaakt bij elkaar past. De dood is natuurlijk een serie inventarisaties van nagelaten bezittingen, waarvan nota genomen moet worden en die herverdeeld moeten worden onder de levenden. Hij heeft kind noch kraai, dus de stamboom van mijn vader houdt met hem op. Hij zal de enige erfgenaam zijn van dit spul, het huis en de tuin, gazons en landerijen, helemaal tot aan de bocht in de rivier. Hij zal ook mij erven, die daar ligt te rotten in een beerput, en even ben ik George dankbaar dat hij mijn lijk op zo'n uitgekookte wijze heeft verstopt.

Urenlang loopt hij door het huis en maakt aantekeningen in een notitieboekje met een spiraal. Het Aga-fornuis in de keuken, de grenenhouten tafel, het servies en bestek, het grote hemelbed in de kamer boven, dat ik op een veiling in Kells heb gekocht en in Drogheda heb laten restaureren. Er is natuurlijk ook een brandkast, die hij nog niet zal ontdekken, waar de armbanden van Erté in liggen en de verschillende parelsnoeren en bewerkte diamanten. Dan is er nog mijn werkkamer met de schrijfmachine, de gesigneerde scripts, de gewonnen prijzen en de posters, sommige waardevol, andere niet. Ik kan me de aankondiging op de kunstpagina in de zaterdageditie van de *Irish Times* al voorstellen: openbare verkoping van de nalatenschap van actrice Nina Hardy, onder de tentoongestelde voorwerpen...

Ik kan het me voorstellen, maar ik hoop het niet te zien, ik hoop dat hij alles zal houden, alle snuisterijen, tot en met de liefdesbrieven in hanenpoten van Bernard Shaw en de bustier die ik in het vampierverhaal droeg. Maar zoals het meestal gaat met de dingen die ik me voorstel, stel ik me voor dat ook dit weer op een teleurstelling zal uitlopen.

Als de duisternis invalt, vertrekt Gregory. Alle zekeringen zijn doorgebrand, de peertjes zijn kapot, hij heeft geen zaklantaarn bij zich, en een dood huis bij donker is geen plek voor de levenden. Zijn koplampen priemen door het raam en zwaaien één keer over de muren, waarna de auto wegrijdt naar de Wheel Inn, waar Albert Taffe, die samen met hem – hij op contrabas, Gregory op piano – speelde op de dansfeesten van de tennisclub, achter het bureau zit met zijn sigaretten en zijn steeds omvangrijker wordende buik. Ze zullen grappen maken, met elkaar meevoelen en zich herinneren dat ik een lila jurk aanhad die keer dat Gregory en George al in uniform waren en Janie whisky nipte uit een verboden fles terwijl Bertie 'It's a long way to Tipperary' zong en George en Buttsy Flanagan elkaar in de haren vlogen, hoewel ze geen concurrenten waren.

Bertie zal misschien te veel drinken en herinneringen ophalen aan de tijd dat hij tussen de sets met mij danste, hij zal zeggen dat ik zo'n lange hals had en zulke rode lippen, maar hij zal zwijgen over de avond dat hij met mij over de pas aangelegde golfbaan liep, met me in het zand van de bunker bij de zeventiende hole ging liggen en zijn tong tussen mijn tanden stak, om vervolgens bij de aanblik van mijn paarse beha te verstrakken. 'Je mag er wel aanzitten als je wilt.' Maar nee, dat deed Bertie niet, of hij kon het niet, en toen hij het toneel verliet deed hij dat niet meer met die zwierige gang van een cowboy, maar wist hij niets anders te doen dan zijn handen in het zand te steken en te kijken hoe de korrels tussen zijn vingers door vielen.

'Vreselijk,' zal Bertie zeggen, 'echt vreselijk, afschuwelijk, wie zou dat nou gedacht hebben?' En Gregory zal te veel drinken, maar niet zoveel als Bertie, hij zal de kennismaking met de plaatselijke bevolking hernieuwen, zijn Wimbledon-accent zal geleidelijk verloren gaan in het geruis, het gezoem en het gekabbel van het gesprek. Er zijn natuurlijk wel ergere dingen gebeurd in de tussenliggende jaren: zelfmoorden, vadermoorden, kindermoorden, pasgeboren baby's in hooibergen, Balbriggan afgebrand, om maar te zwijgen van de South Quay-kazerne. Mijn dood zal plezierig onbelangrijk zijn en zal gehoorzamen aan de dramatische eenheden van tijd, plaats en handeling.

Maar Gregory beheerst de sublimatie van het gevoel allang tot in de perfectie, weet hoe je die gladstrijkt tot een goed passende dekmantel. Hij lijdt alleen in zijn eentje, in zijn eigen tijd. Hij heeft een oorlog moeten verwerken en heeft daar zelden over gesproken, en nu moet hij een sterfgeval verwerken en kan hij daar nauwelijks over spreken. Hij strijkt over zijn glas whisky met ginger ale, wenst het gezelschap welterusten en gaat met bewonderenswaardig vaste tred op weg naar de trap, waarboven het wagenwiel aan het plafond bungelt. Hij loopt de traptreden op naar kamer 14, de laatste kamer van de Wheel Inn, laat zich geheel gekleed op het bed vallen en slaapt ogenblikkelijk in.

Twee uur later wordt hij ogenblikkelijk weer wakker met het bovennatuurlijk scherpe bewustzijn dat het gevolg kan zijn van te veel alcohol. Hij doet het raam open om frisse lucht te krijgen, kijkt over de landerijen naar het huis in de verte met de grillig gevormde bomen eromheen Hij stelt zich even voor dat ik op mijn beurt hem aanstaar, een paar ogen achter de gebroken ruiten, even rusteloos en onvervuld als de zijne. En hoe kan ik verklaren dat mijn oog bloedeloos en lichaamloos is, dat mijn blik niet aflaat, dat het donker neerdaalt en het omhult maar het niet toestaat te slapen? Hoe kan ik overal en nergens zijn? De ogenblikken dat ik geleefd heb mengen zich met de momenten dat ik niet geleefd heb, beide zijn gemeten met hetzelfde uurwerk. Ik ben de perfecte verteller, je vindt me terug in het toen en het nu, ik dans tussen beide heen en weer, ik ben niets anders dan mijn verhaal, en mijn verhaal lijkt nu al eindeloos. Er gelden regels voor mijn toestand, maar ik heb ze nog niet geleerd, ik heb nog niet geleerd om de rivier over te steken naar de bewolkte zee daarachter, ik kan dat open raam van het hotel voorbij de landerijen wel zien maar niet aanraken, evenals die grillig gevormde bomen, ik voel hoe die ogen in de slapeloze kamer naar de mijne staren. Een graf zou de oplossing zijn geweest in een vampierverhaal, in een van die griezelverhalen waarin ik heb gespeeld, het zou dit bewustzijn rust en een begrenzing hebben gegeven, de leegte van het nietzijn. Een zijn heb ik wel, maar substantie niet, en deze man was de zoon van je vader. Dan sluit hij de ramen en, anders dan ik, zijn halfzuster, valt hij eindelijk in slaap.

~

Zou half ooit heel worden, vroeg ze zich af terwijl Dan Turnbull
hen, vader, moeder, Gregory en Nina naar Drogheda bracht. Het
was zaterdag, de ochtend na zijn aankomst, en misschien was half
al heel geworden, bedacht ze, want ze kon zich bij god niet meer
heugen dat ze met z'n drieën op stap waren geweest. Hij zat naast
haar achterin, mama en papa voorin met Dan, die met de rijzweep
zachtjes over Garibaldi's oren streek.

'Half,' mompelde ze, 'zo noemde ik je, Half.'

'Half wat?' vroeg hij. Zijn kleren waren ettelijke keren versteld,
en de ellebogen van zijn jasje waren verstevigd met lapjes leer. Hij
had iets van een alledaags, landelijk soort armoedigheid, die hem
tegelijkertijd iets chics en iets eenzaams gaf.

'Gewoon Half,' zei ze. Met een tersluikse blik op zijn ongeknip-
te haren die aan de achterkant over het boordje van zijn jas bolden
vroeg ze zich af of zijn moeder hem zou missen. Ja, ze zou hem erg
missen, besloot ze.

'Je bent mijn halfbroer,' zei ze, 'niet mijn volle broer.'

'In dat geval ben jij ook geen volle zus van me.'

'Dus dan zijn we geen van beiden vol.'

'Nee, we zijn allebei half.' Toen hoorde ze hem voor het eerst
giechelen.

'Ik zou het echt afschuwelijk vinden om een kwart te zijn,' zei
hij, en toen was het haar beurt om te lachen. Ze keek naar haar vader voorin, bij wie de wind door zijn grijze haar streek, en ze wist
dat hij hen had horen lachen en dat dat hem genoegen deed. Haar
moeder zat stijfjes naast hem, alsof het haar niet aanging.

Ze stak haar hand naar hem op en zei: 'Laten we eens meten.'

'Wat meten?' vroeg hij.

'Onze handen, sufkop.'

Dus hield hij zijn hand tegen de hare, en zij keek hoe de ene
paste op de andere, die maar bijna half zo groot was.

'Half, mijn hand is half zo groot als de jouwe,' zei ze. Toen begon ze zachter te spreken om een intimiteit te scheppen die hen

scheidde van degenen die voorin zaten. 'Als je aardig blijft, kan ik je in Drogheda iets laten zien.'

'Wat kun je me in Drogheda laten zien?' vroeg hij. Hij sprak de gh-klank nog steeds verkeerd uit, waardoor ze hem nog aardiger ging vinden.

'Ik kan je,' fluisterde ze, 'het verschrompelde hoofd van een heilige laten zien, dat afgehakt is door de Engelsen.'

'Je probeert me weer bang te maken,' fluisterde hij terug. Ze kneep hem even in zijn hand om hem te verzekeren dat dit niet waar was.

Ze vervolgden hun weg langs de rivier, voorbij de opslagloodsen, en een geur van aangebrande boter uit de margarinefabriek aan de overkant vulde het rijtuig.

'Heeft alles hier in Ierland een luchtje?' vroeg hij.

'Waarschijnlijk wel,' zei ze, 'maar ik woon hier, dus mij valt het niet op. Waar ruikt het volgens jou naar?'

'Naar vis.'

'Dat is geen vis,' zei ze, 'dat is margarine van de margarinefabriek aan de overkant van de rivier.'

'Nou, volgens mij ruikt het op de vismarkt in Clerkenwell net zo.'

Dan bracht Garibaldi tot stilstand op de kade, en ja hoor, toen ze uitstapten, rook ze inderdaad een naderende regenbui en vis, en ze vroeg zich af waarom ze die geur niet eerder had geroken. Vader pakte zijn hand en mama de hare, en zo liepen ze Shop Street door, op weg naar de winkel van Gallagher, waar ze zijn al te vaak verstelde jas en zijn slordig genaaide broek vervingen door mooie nieuwe kleding. Nina keek hoe hij er met uitgestoken arm bij stond toen de kleermaker van Gallagher met een krijtstreep zijn mouw markeerde. Weer vielen haar de vingers op, die lang waren en spits toeliepen, en toen de jas weer op de paspop hing en de kleermaker de veranderingen begon aan te brengen, pakte ze zijn hand en liep via de zijdeur met hem naar buiten, de straat over en de gigantische, sombere kathedraal in.

'Bid jij?' vroeg hij haar.

'Nee,' zei ze, 'maar ik ben wel geïnteresseerd in martelaar-schappen.'

'De kathedraal leek te fluisteren toen ze door het middenpad liepen, maar het was alleen het gemurmel van de over de houten banken voorovergebogen biddende dames, constateerde ze.

'Jij bent zoroasteriaan,' zei ze, en weer was ze er trots op dat ze alle lettergrepen had onthouden.

'Dat heb ik niet gezegd. Ik word het misschien ooit, later.'

'Kennen zoroasterianen ook martelaarschappen?'

'Ik weet niet precies wat martelaarschappen zijn.'

'Villen,' zei ze, 'vierendelen, in kokend heet water stoppen en onthoofden. Zoals ze bij hem hier gedaan hebben.' Ze trok hem mee naar het midden van het schip, waar in de vitrine het ver-schrompelde hoofdje lag.

'Het is zwart,' zei hij. 'Het lijkt wel het hoofd van een pygmee.'

'Het is alleen zwart omdat het tweehonderd jaar oud is,' zei ze. 'Daarom is het ook verschrompeld. Maar je moet bij jezelf eens na-gaan wat je zou antwoorden als Oliver Cromwell je zou vragen of je in de tenhemelopneming van de Maagd Maria gelooft en je zou weten dat ze je hoofd afhakken als je nee zei.'

'Dat klinkt als een strikvraag,' zei hij, om de vitrine heen lo-pend om het hoofd beter te kunnen bekijken. 'Ik bedoel, wat maakt het uit wat je gelooft als je hoofd eraf is?'

'Het maakt wel uit als je een martelaar bent.'

'Ik dacht dat je hoofd er al af was als je een martelaar bent.'

'Heel slim,' zei ze. 'Als je een martelaar wilt worden, bedoel ik.'

'Ik weet niet of ik wel een martelaar wil worden,' zei hij.

Toen liep ze met hem door het middenpad terug en zei tegen hem dat dit beslist niet het juiste antwoord was als juffrouw Can-non hem dat zou vragen.

Ze arriveerden weer bij de kleermakerij op het moment dat de laatste eindjes garen uit zijn nieuwe jas werden getrokken.

'Waar waren jullie?' vroeg haar moeder, en Nina zag dat ze zijn blik ontweek.

'We zijn naar de kathedraal geweest om te bidden,' loog Nina. 'Nietwaar, Gregory?'

'Ja,' zei Gregory. 'We hebben God gedankt voor mijn nieuwe familie.'

Haar moeder glimlachte gespannen, hun blikken kruisten elkaar, toen keek ze weg. Nina keek hem strak aan in de hoop hem te kunnen betrappen op een glimlach of een lachje, of misschien zou hij het zelfs uitproesten omdat hij zijn lachen niet meer kon houden. Gregory keek haar zonder een spoor van een glimlach en met uitdrukkingsloze groene ogen aan, en kneep toen zijn linkeroog één keer even dicht. Nina keek hem op haar beurt aan met een uitdrukkingsloos gezicht en nam zich voor om hem te vragen haar zo snel mogelijk te leren hoe je dat deed, knipogen.

George en Janie stonden de daaropvolgende maandag bij het hek te wachten toen zij er met Gregory in zijn nieuwe jas en broek en met zijn glanzende schoenen naartoe liep.

'Dit is Gregory, mijn broer,' zei Nina plechtig.

'Je hebt net een broer gekregen?' zei George met ingehouden adem. 'Hoe kun je nou zomaar een broer krijgen?'

'Hij is uit Engeland hiernaartoe gestuurd, nietwaar Gregory?'

En Gregory beaamde het, hij was als broer van de afdeling Gevonden Voorwerpen per post opgestuurd, zei hij, en was een paar dagen daarna op de stoep neergelegd.

'Hoe is dat, om zo opgestuurd te worden?' vroeg George, terwijl Janie hem door tegen hem aan te schoppen tot zwijgen probeerde te brengen.

'Het ergste is de smaak van het pakpapier en de jeuk van het touw. Afgezien daarvan is het reizen met Zijne Majesteits postdienst zeer goed te doen.'

Toen begon Janie ongewild te lachen, en ook George lachte, zij het zo dat duidelijk was dat hij de grap niet werkelijk had begrepen. 'Je liegt,' riep George. 'Je bent niet per post opgestuurd.'

'Jawel hoor,' zei Gregory. 'En om het te bewijzen heb ik nog steeds de postzegel in mijn zak.' Hij stak zijn hand in zijn zak, en Nina vroeg zich al af hoe hij zich hieruit zou redden, maar toen zijn hand weer te voorschijn kwam, stak er tussen duim en wijsvinger een postzegel, die hij aan George gaf. Terwijl ze tussen de hooischelven door naar het schooltje van juffrouw Cannon liepen, inspecteerde George de postzegel met de concentratie van een rechercheur. En toen ze eenmaal binnen waren en de klas opstond voor het gebed, begreep Nina waarom Gregory nooit een martelaar zou hoeven worden: juffrouw Cannon zei dat hij niet mee hoefde te doen omdat hij protestant was.

'Anglicaans,' zei Gregory. 'Dat is heel wat anders.'

'Dat dacht ik niet,' zei juffrouw Cannon, en zo mocht hij blijven zitten terwijl de rest van de klas staand de Marialiederen zong.

'Waarom heb je niet gezegd dat je zoroasteriaan was?' fluisterde Nina tijdens het zingen. Hij keek op naar haar, glimlachte en zei zachtjes: 'Omdat ik mijn besluit nog niet genomen heb.'

Na schooltijd namen ze hem mee naar de slikken van Mozambique en verrasten een reiger in een van de poelen van stilstaand water. Toen hij er met zijn nieuwe schoenen iets wegzakte in de bruine modder, leek hij bijna net zo exotisch als de vogel met de lange nek en de poten die losjes aan zijn romp leken te hangen.

'Ze versturen geen mensen met de post,' zei George, terugkomend op het onderwerp. 'Ik geloof gewoon niet dat jij per post bent gestuurd.'

'Ik ben hier met de trein en de boot naartoe gekomen,' zei Gregory, 'en zo gaat het met de post ook, dus in zekere zin ben ik wel per post gestuurd. Wel per post, maar niet als pakket.'

'Wie heeft je dan gestuurd?' vroeg George.

'Mijn moeder heeft een postzegel over haar tong gehaald, heeft die op mijn voorhoofd geplakt en heeft een label aan mijn jas gehangen,' zei Gregory.

'Met welk adres?' vroeg Janie.

'Dat van mijn zus,' zei hij. 'Het adres van Nina.' En dat hij nu voor het eerst het woord 'zus' gebruikte, deed Nina buitensporig veel plezier, en dat was een soort plezier dat in haar op leek te wellen zoals de modder tussen de tenen van haar blote voeten.

Hij bleek geografische bezwaren te hebben tegen de naam Mozambique. Hij was op zich wel ingenomen met de benaming, maar vond deze veel te ruim. Als je Mozambique hebt, zei hij tegen hen, moet je ook een Zanzibar hebben, en een Congo, een Soedan, je moet een Nijl hebben, een Kilimanjaro, een Sahara en verderop nog een Indische Oceaan. Een Sahara hadden ze al, zeiden ze, dus werden de aanrollende golven achter de duinen van de Sahara de Indische Oceaan genoemd, de stroompjes aan weerszijden van de slikken kregen respectievelijk de namen Nijl en Limpopo, en het bosje met de tot middelhoogte groeiende struiken werd de Congo.

'Ontdekkingsreizigers hechten groot belang aan grenzen,' zei hij tegen George, 'en als grenzen eenmaal vastliggen, kunnen ze nooit meer veranderd worden.'

'Dus wij zijn ontdekkingsreizigers?' vroeg George met de voorzichtigheid en de aarzeling van iemand die werkelijk nieuw gebied betreedt.

'Je kunt kiezen of je ontdekkingsreiziger wilt zijn of inboorling,' opperde Gregory wellevend. 'Dat moet iedereen voor zichzelf uitmaken.'

George besloot dat hij een inboorling zou zijn, een keuze die hij betreurde toen hij ontdekte dat het het lot van de inboorling was om de bagage en overige bezittingen van de ontdekkingsreizigers te dragen en de rest van de middag de last van vier schooltassen te torsen, die van Janie, van Nina, van Gregory en natuurlijk ook die van hemzelf.

'Is Cleopatra een inboorling?' vroeg Nina, aangezien hij nu op alle gebieden een autoriteit leek te zijn.

'Tja,' zei hij met een zucht, hij bleef staan en overzag zijn uitgestrekte en bont geschakeerde koninkrijk. 'Cleopatra is de koningin van de inboorlingen,' zei hij, 'en valt dus in een aparte categorie.'

'Mooi,' zei Nina, 'dan ben ik Cleopatra.'

'Dat kan niet,' antwoordde hij, nauwkeurig als altijd, 'want we hebben nog geen Egypte.'

'Ja, dat hebben we wel,' zei ze. 'Want hoe kun je een Nijl hebben zonder een Egypte, want de Nijl loopt toch door Egypte? Ik ben dus Cleopatra en ik ga in het riet op de oevers van de Nijl op zoek naar Mozes.'

En zo werden grenzen die voor altijd onveranderlijk vastgelegd waren in een mum van tijd gewijzigd en werd George opgezadeld met nog een verplichting: Nina met een groot zuringblad koelte toewuiven terwijl ze met haar jurk tot boven haar knieën opgetrokken door de Nijl waadde, zelfverzekerd en in het vertrouwen dat haar fantasie soms net ze groot was als die van haar nieuwe halfbroer.

16

Ja, in een griezelfilm zou een graf de oplossing zijn geweest. De begrafenis zou al eerder hebben plaatsgevonden, op een mistig kerkhof met paarden met pluimen op. En dat Gregory hier is voor een begrafenis, een begrafenis zonder dat er sprake is van een graf, wordt de volgende dag duidelijk, wanneer hij weer naar het door de zon beschenen hek rijdt, nu met Brid, Emer en oma Moynihan. Ze hebben emmers en zwabbers bij zich, en bleekmiddel en boenwas en een stofzuiger die achterin ligt te bonken. Ze vallen fanatiek op het huis aan, en als Gregory zich heeft verwijderd van de stofwolken, mompelt oma Moynihan vanonder haar besnorde bovenlip: 'Ze verdient een net huis voor een nette begrafenis, God hebbe haar ziel.'

Brid Moynihan veegt het vuil van een cupido van Moreau, gekocht in Francis Street in Dublin en gerestaureerd in Aungier Street, wiens bewerkte glazen toorts echter allang kapot is en vervangen door een kaal peertje met een Chinees lampenkapje. Ze praat door terwijl ze schoonmaakt, het is een slechts af en toe onderbroken litanie van roddels, dat het lichaam niet gevonden is, dat de broer teruggekomen is, dat het zo'n schandaal had gegeven in de omgeving toen hij voor het eerst hier kwam, dat de moeder, God hebbe haar ziel, toen degene was met wie de mensen medelijden had.

'Nee, de vader,' verbetert Emer. 'Hij was de aardigste man die hier ooit in de streek heeft rondgelopen, zelfs nu nog wordt hij in ere gehouden vanwege de fabriek die hij heeft laten bouwen, vanwege de werkgelegenheid die hij schiep; allemaal nog in de goede oude tijd natuurlijk, voor de troebelen.'

'Als ze hem zo in ere houden,' zegt Brid, 'waarom hebben ze die fabriek dan in de fik gestoken?'

'Bandieten,' mompelt oma een paar keer.

'Het zat 'm in de tijd,' zegt Emer dan. 'Als het een varkensstal was geweest, hadden ze die net zo goed in de fik gestoken; alles wat uit Engeland kwam brandde, alleen de steenkool niet. Zijn enige misdaad was tenslotte dat hij daarvandaan kwam en hier woonde, maar ja, in dit huis heeft nooit iemand een schijntje geluk gehad.'

En daarover zijn ze het eens, vooral oma. Geluk hebben ze hier nooit zo gekend, en die gedachte is blijkbaar in staat een einde te maken aan het geroddel, want oma slaat zwijgend een kruis terwijl ze aan de piano begint, en Brid en Emer verplaatsen hun aandacht in alle rust van de cupido's naar de schilderijen aan de muren.

Maar het huis weet niet dat het vervloekt of behekst is, of dat het nooit geluk heeft gekend. Het huis weet van niets. Het huis verdraagt alleen alles, accepteert de woeste stofwolken die oma Moynihan met haar plichtsgetrouwe dochters opwerpt. Baksteen is levenloos en daarom ook niet verontrustend, het bobbelig geworden behang hangt er vergeeld en beschimmeld bij en accepteert met evenveel gemak dat het opgeborsteld wordt tot het weer een zweem heeft van zijn vroegere pracht als dat het eerder die pracht verloor. Het zilver van de met het verstrijken van de tijd verweerde spiegels weerkaatst plichtsgetrouw de vormen van de levenden die ze schoonborstelen en er zelfs af en toe even een blik in werpen en dan een lok muisbruin haar achter een rood aangelopen oor leggen, zoals Emer doet, die van het inmiddels stofvrije schilderij aan komt lopen.

Het zou me dierbaar kunnen worden, deze hoedanigheid, dit niet-zijn, dit gevoel dat de dingen volstrekt geen associaties oproepen, als voorwerpen op een willekeurig genomen foto. De kalmte en de leegheid van de dingen. De blauwsatijnen gordijnen verzetten zich niet wanneer oma Moynihan ze met de stoffer uitklopt, de grijs geworden verf op het houtwerk klaagt niet wanneer hij afgewassen wordt en weer zijn vroegere crèmekleur terugkrijgt.

En al zou ik de Moynihans hebben willen bevestigen in hun gevoel dat het huis vervloekt of behekst was, bijvoorbeeld door die Japanse vaas om te gooien, zodat hij in de marmeren open haard in stukken uiteenvalt, om vervolgens de stilte te horen vallen, gevolgd door haastige en op gedempte toon gestelde vragen – deed jij dat? Ik niet, ik zweer het je. Jij was toch bezig hem af te stoffen? Ik stond daar bij het raam, mammie. Heilige Maria, moeder van God, zei ik het niet! –, al zou ik het gewild hebben, ik kon het niet. Mijn wezen is even verstild, even impliciet als de oude eikenhouten jachttafel, die nu weer net zo glanst als het kristal dat erop staat. Ik kan alleen wel een soort genoegen ontlenen aan deze zweem van nieuwheid, aan het feit dat de dingen die ik hier heb neergezet hersteld worden in de reinheid die ze vroeger hadden.

En de gedachte komt bij me op, als gedachten op kunnen komen bij zoiets als ik, dat de oude eikenhouten tafel, na het overlijden van de oude heer Huntingdon gekocht op een veiling op het landgoed Grange, ovaal van vorm en met putjes onder het vernis, dat die tafel meer substantie heeft dan ik. Er kan een laagje stof op komen, en dat stof kan eraf worden geveegd, hij kan het gewicht van Emers achterste accepteren wanneer ze erop gaat zitten om even uit te rusten, haar voorhoofd afveegt en zegt: 'Even een sigaretje, mammie.'

'Wat denken jullie?' vraagt Emer terwijl ze met een lucifer een Sweet Afton aansteekt en diep inhaleert, waarna de woorden samen met de rook uit haar omvangrijke longen opwellen. 'Het zal wel naar Gregory gaan, met alles erop en eraan. Ze waren altijd goeie maatjes, die twee, daar kon nooit iemand tussen komen. Janie kan het wel vergeten, net als die arme oude George, die in het maanlicht tussen de hooimijten wel om haar zou hebben kunnen janken, en dat trouwens wel gedaan zal hebben ook. Zou er nog iemand anders zijn, behalve zij en hij? Dat zou wel eens kunnen, en nu ik erover nadenk: zo zal het wel zijn ook, er zal best wel ergens een kind zijn.'

'Hoe bedoel je?' zegt Emer. 'Een kind van hem?'

'Nee,' zegt Brid, 'van haar. Zo vader, zo dochter. Ik wil er niemand mee beledigen, mammie, maar zij leven niet zoals jij of ik.'

'Actrices?' zegt oma Moynihan.

'Nee,' zegt Emer, 'protestanten.'

'Ze heeft samen met jullie allemaal eerste communie gedaan,' zegt oma.

'Ze heeft misschien wel een witte jurk gedragen en zo, en de hostie ingeslikt, het lichaam van Christus, maar daarmee is ze nog niet katholiek. Dat bewijst alleen dat het haar niet kon schelen. Ik zeg alleen dat er wel eens een kind zou kunnen zijn, met als vader een of andere acteur of zo'n regisseur. In Engeland, in Frankrijk, of misschien wel in Amerika. En als er zo'n kind is, dan is Gregory nog niet zeker van zijn geld.'

'Hoezo niet?' blaft Brid, die rook uitblaast alsof ze vuur spuwt.

'Dan krijg je gedoe over de erfenis.'

'Tja, als er ergens een kind rondzwemt,' zegt oma, 'dan is er geen betere manier om het boven water te krijgen dan met een erfenis. Dat wil dan wel lucht komen happen. Maar als je het mij vraagt, kunnen ze dit huis beter kwijt zijn dan rijk, kind of geen kind.'

Maar mijn enige kind was hij.

~

'Nu niet kijken, hoor,' zei ze op een middag in de pianokamer toen hij toonladders aan het oefenen was. 'Maar ze is hier.'

'Wie?'

'Hester.'

Ik ben er, natuurlijk ben ik er, altijd, ik zie de beide jonge mensen in het grijze licht van het raam afgetekend tegen de massieve donkere vorm van het instrument. Gregory heeft een broek aan die hem nu al te kort is, Nina draagt een geel vest en een groene geruite jurk.

'De spiegel.'

'Niet jokken.'

'Ik jok niet. Ik jok nooit over haar. Gewoon doorgaan met wat je aan het doen bent.'

'Ik ben toonladders aan het doen.'

'Ga dan door met die toonladders. Nee. Kom hier beneden.' Ze ging op handen en knieën zitten en kroop onder de piano. Even had hij het gevoel dat hij alleen in de kamer was, en hij was doodsbang.

'Hou daar eens mee op.'

'Ik hou ermee op zodra je hier komt.'

En natuurlijk gehoorzaamde hij, zoals altijd. Hij hurkte neer en kroop zo dicht tegen haar aan dat zij zijn hart hoorde kloppen.

'Goed,' zei ze. 'Let op. Haar voeten.'

En de wind blies het stof op de vloer op tot een zijden scherm, van de spiegel tot aan de pianokruk. De paar armzalige blonde haartjes op zijn armen gingen overeind staan.

'Niet bang zijn,' zei ze. 'Ze is onze vriendin.'

'Ze is niemand.'

'Hoe kan iemand nou niemand zijn?'

'Je verzint het allemaal.'

'Waarom zou ik het verzinnen?'

'Om mij bang te maken. Maar ik laat me niet bang maken.'

Ze voelde de haartjes op zijn dunne armen. Net stekelbaarsjes. Ze klemde haar hand om de zijne.

'Zal ik dan maar verder over haar zwijgen?'

'Ja, alsjeblieft.'

'Zou je niet liever weten wat er gebeurt?'

'Er is daar niemand.'

'Goed dan. Er is niemand. Ga dan maar onder de piano vandaan.'

'Nee.'

'Waarom niet, als er niemand is?'

'Het bevalt me hier.' Zijn hand bleef in de hare rusten.

'Goed dan,' zegt hij. 'Ik geef het op. Ze is er.'

'Nou, én?'

'Nou, én? Vertel dan!'

'Ze heet Hester.'

'Dat had je al gezegd. Vertel eens wat anders.'

'Ze draagt een bontjas en een zwarte baret.'

'Nou, én? Waar zij is, daar is het koud.'

'Is het hier koud?'

'Niet bijzonder.'

'Dus ze is hier en ze is ook niet hier...'

'Waar zou ze zijn als ze niet hier is?'

'Weet ik niet. Thuis.'

'Maar dit is toch zeker haar huis?'

'Ja. Geesten blijven aanwezig als ze gestorven zijn.'

'Waar is ze gestorven?'

'Hier. Het moet hier zijn. En er moet een reden zijn.'

'Een reden waarvoor?'

'Dat ze een spook is geworden. Waarom blijft de een wel en anderen niet?'

'Welke anderen?'

'Alle anderen die dood zijn gegaan.'

'Dan zou het te druk worden.'

'Haha. Nee, ze is gebleven omdat ze ons iets te zeggen heeft.'

'Wat dan?'

'Dat weet ik nog niet.'

Zijn hand werd warm in de hare. 'Zullen we hier nu mee ophouden?'

'Nee,' zei ze. 'Nog niet. Hester heeft een geheime boodschap voor jou.'

'Wat voor boodschap?'

'Deze,' zei ze, en ze kuste hem.

Onder de piano drukte ze haar lippen op de zijne, en ik herinner me de strakke, jongensachtige mond en de geur van verrassing. De haartjes op zijn armen stonden allemaal recht overeind, in de houding. Als soldaten, als door de wind uiteengeblazen hooischelven, als pasgemaaid gras.

'Nu hebben we dezelfde geest,' zei ze.

Hij had Hester geaccepteerd, hij liet haar toe, erkende haar, en toen hij dat eenmaal had gedaan, moest hij, omdat hij een jeugdige, studieuze, Engelse boekenwurm was, voor haar een geschiedenis bedenken. Ze stamde uit de bloeitijd van het Engelse rijk, stelde hij zich voor, gelet op de beschrijving van haar versleten jas en het hoofddeksel in de vorm van een bonnet, hoewel niet precies. En samen voerden ze stukjes op waarmee ze de uiteraard droevige en tragische omstandigheden uitbeeldden waaronder deze geest zo ontijdig was heengegaan. Als de een het niet meer wist, vulde de ander geestdriftig aan.

De geest was natuurlijk jong, jong genoeg om mooi te zijn, had een smal middel en een tere huid en was voortdurend op de vlucht voor een onrechtvaardig noodlot. Op de vlucht waarvoor, vroeg hij. Voor de invloeden van de Kroon, zei ze, en ze genoot van de weerklank van het verleden in deze uitdrukking, die ze eigenlijk niet begreep. Als het om de vroege negentiende eeuw ging, was lord Edward Fitzgerald de minnaar van deze geest, besloot hij. Ze waren natuurlijk gestoord toen ze op het tweezitsbankje onder het ronde raam deden wat geliefden doen, zij was naar beneden gerend om hun aandacht af te leiden, terwijl hij moedig wist te ontsnappen, via het raam en de golvende daken. Vele maanden later, toen hij dood was, vermoedelijk doordat hij zelfmoord had gepleegd door met een roestig mes zijn buik open te rijten, had zij zich bij hem gevoegd door een sprong uit hetzelfde raam waar hij zo dapper uit had weten te ontsnappen.

Als het daarentegen ging om een latere periode uit de negentiende eeuw, besloot hij, hoorde daar een heel ander verhaal bij. De geest was die van een actrice, zei hij, die uit Smock Alley in Dublin hiernaartoe was gereisd voor het feest van de heilige Michael en door de gangen dwaalde terwijl ze zich voorbereidde op haar opkomst op het kleine toneel in de balzaal. Als wat, vroeg Nina. Dat was eenvoudig, vond Gregory. Als geest.

Hester. De naam alleen al riep beelden op van sterkere verhalen, zoals bladzijden met illustraties dat doen in een vertelselboek. Ze zou bij het oversteken van de dichtgevroren Boyne verdronken zijn toen er onder haar hooggehakte laarzen barsten in het ijs kwamen. Ze zou bij het baren van een buitenechtelijk kind gestorven zijn en toen van de armen begraven, ze zou zich in de kolenkelder hebben laten inmetselen... Hij verzon talloze verhalen van haar dood, maar geen van alle kwamen ze zelfs maar in de buurt van de groteske realiteit. Op school maakte hij op zijn lei spookachtige afbeeldingen van haar, tijdens het bidden, waar hij als anglicaan niet aan mee hoefde te doen. De gebeden – die hem niets zeiden – waren gericht tot de Heilige Maagd, tot het beeldje in de nis boven het schoolbord met haar stijve gipsen armen en haar stijve blauwe gewaad, bid voor ons die toevlucht bij U zoeken. Het was te begrijpen dat hij de twee door elkaar haalde in zijn fantasie, zijn dagdromen: twee geesten, allebei vrouwelijk en niet-eisend, en allebei blijkbaar alomtegenwoordig.

Maar dit was een nieuwe Hester, van hen alleen, niet van George, niet van Janie, van niemand in de hele godganse wereld. Een Hester die hoorde bij de mist die 's ochtends om de hooischelven hing, bij het koeren van de duif in de hooischuur, bij het nachtelijk krassen van de uil dat om het huis en bij de rivier weerklinkt. Allerlei onverklaarbare gebeurtenissen werden aan haar toegeschreven: een kippenei dat bleef drijven in de waterput, pootafdrukken van een das op de oprijlaan, melk op het keukentrapje die zuur was geworden, stortbuien die hen op het vlakke land overvielen en die, als ze drijfnat geworden waren, ineens weer verdwenen. Ze werd oorzaak en verblijfplaats van alles wat verloren raakte: sokken, kammetjes, muntjes, postzegels, veters, plaatjesboeken, allerlei soorten ballen – strandballen, cricketballen, golfballen, tennisballen (gras- en tafel-), hurleyballen en kastieballen. Ze werd het symbool, de belichaming van hun uniciteit, hun broederschap en zusterschap, hun geheimtaal.

En als tijdens het avondeten die stiltes vielen, als vader in zijn melkglas staarde en moeder afkeurend snoof bij de onaangename geur van gedroogde vis – er was sprake van een verwijdering tussen hen sinds hij er was –, dan was er een brede kloof die alleen door Hester gedicht kon worden. De tijdsintervallen tussen het rinkelen van het bestek en het smakken van de monden ging haar toebehoren, en als aan tafel hun blikken elkaar kruisten, glimlachten ze samenzweerderig om haar ongeziene aanwezigheid. De hare, de mijne, die van Hester. Ze zou het goedkeuren, dachten ze, de uren die ze in de schuur hadden doorgebracht met hun gezicht in het prikkelende hooi, terwijl zij tegen zijn benen op de hare schopte. Zij was hun spel. Doe dit, zegt Hester, doe dat. Hester zegt: tik je tenen aan, stamp met je voeten. Hester zegt: verstop je en kus me.

17

Vanachter het ronde raam in de gang op de bovenverdieping is de katholieke kerk op de top van de heuvel te zien, met daarnaast het kerkhof dat zich in de richting van de muur bij de riviermonding uitstrekt. De granieten toren steekt spits af tegen de grijze maartse hemel. Gregory loopt er over de weg met het gras tussen de stenen naartoe, de bruine regenjas los om zijn schouders, niet dichtgeknoopt. Als hij bij het gietijzeren hek komt, gaat de kerkdeur open en komt er een priester naar buiten, een kleine, door plaatsvervangend lijden kromgegroeide gestalte. Gregory schudt hem de hand; hij heeft een afspraak, hij werd verwacht.

'Meneer Hardy, mijn deelneming,' mompelt hij. 'Een afschuwelijke zaak, maar het zijn ook afschuwelijke tijden. Nee, ik heb haar niet gekend, voorzover ik me kan herinneren heeft ze St.-Agnes nooit met een bezoek vereerd, en we hebben hier maar een kleine parochie, het is een kleine gemeenschap, dus dan zou ik het geweten hebben. Misschien kerkte ze in de St.-Peter in Drogheda of bad ze in haar eentje tot de Heer, daar steekt geen kwaad in, helemaal geen kwaad, wie onder ons werpe de eerste steen. Wat betreft de kwestie van een dienst, een uitvaartmis, dat doen we natuurlijk graag, dat is zelfs een hele eer, gezien haar reputatie – nee, dat moet ik anders zeggen: gezien haar roem, haar naam, haar faam. We moeten dan natuurlijk haar doopbewijs hebben, en dan is er nog de kwestie van de stoffelijke resten... ja, hoe zal ik het zeggen: die rest ons nog, de kwestie van de stoffelijke resten. De aartsbisschop kan ons hierin natuurlijk adviseren, er zijn vast wel precedenten, *requiem sans corpus*, een lege kist hoeft geen aanstoot te geven, geen schandaal te veroorzaken. Nee, schandaal zou het pas geven als er geen heilige mis gevierd werd, geen uitvaartritueel, dus als aan de voorwaarden is voldaan, als het doopbewijs er is en de toestemming, zullen we u met genoegen van dienst zijn...'

Stenen in mijn doodskist voor het gewicht, hij wil een mis om mij te herdenken, hij wil me gedenken, mijn Gregory, anglicaan maar helemaal niet religieus, hoe zou hij ook kunnen, maar behept met een bijna rooms gevoel voor plicht, heeft een heidens beeld van de woestenij die volgt op deze wereld vol pijn. *Et in arcadia ego*, ik weet het nog wel natuurlijk, ik heb er een keer model voor gestaan, de schaapherderin bij de zware grafsteen, de schedel die me aanstaart vanuit het platgetrapte, dode gras rond mijn in sandalen gestoken voeten en de gespierde buitenman die naar me opkijkt terwijl hij zich te goed doet aan een tros druiven. Hij wil me naar dat paradijs sturen, maar hij weet van niets, hoe zou hij ook moeten weten waar of wat dat paradijs is – hij heeft zijn hele leven doorgebracht met de dingen van de dag.

Maar het kan ook zijn dat het subtieler ligt, gecompliceerder. Hij wil het ritueel in de oudste vorm laten opvoeren, als familie, om me te gedenken en misschien nog wel meer om me een einde te geven, me uiteindelijk rust te geven. Het kan zijn dat hij zich goed herinnert wat hij hier begraaft, wat hij ter ruste wil leggen op dat kleine kerkhof op de helling naar de riviermonding. Het kan zijn dat hij het zich in de zuiverste, de platonische vorm herinnert. En terwijl de priester de donkere ruimte binnengaat die in Gregory's ogen oud is, onaanzienlijk, niets bijzonders maar wel met een galm, komt er maar één woord bij me op. Rust. Leg me alsjeblieft ter ruste, mijn Gregory, begraaf mij die je al die jaren in je hebt meegedragen – dat tengere, jongensachtige tienerzusje met haar kleine borstjes.

Dan loopt hij met de oude priester naar binnen, de eikenhouten ruimte in met de tarwekleurige muren en het loslatende stucwerk. 'Een donatie,' mompelt de priester, 'ja, die zou zeker welkom zijn, er geldt natuurlijk een vast en door de parochie vastgesteld tarief, maar een donatie daarbovenop zou zeker in grote dank worden aanvaard. Het dak moet gerepareerd, het voeglood in de dakgoten moet vernieuwd worden, één regenbui met westenwind en ons kerkje huilt al uit zichzelf. En het kan hier behoorlijk regenen, dat kunt u zich wel voorstellen.'

Gregory vertrekt, slaat bij het wijwaterbakje buiten met de verkeerde hand een kruis. Sneller dan hij gekomen is, loopt hij bij de kerk vandaan. Er is iets bereikt, al weet hij niet precies wat, de eerste spade voor het graf is in de grond gestoken, de klimop is weggesnoeid, de kist staat in de was, en dat er iets gedaan is, verzacht de pijn, die brandende wond van de herinnering die hij wel wil maar niet kan afkoelen. De toren van de kerk staat achter zijn hoofd als een puntmuts, de fuchsiaheggen langs het laantje steken aan weerszijden uit zijn schouders als vleermuisvleugels of het witte gewaad van een pantomimespelende heks. Met een kosmisch gegrinnik komt de wind vanaf de rivier aanwaaien, rimpelt het water en kleurt het gras donker.

De doden lachen. Een lege kist, een wierookvat heen en weer zwaaien boven een lichaam dat er niet is, waarom niet? Maar het lachen heeft iets opgelegds, als een naar, hees gefluit bij een slecht vertelde grap, de komediant staat in de schijnwerpers van het zaaltje te zweten op zijn ingestudeerde zinnetjes en kakelt van het lachen om in godsnaam maar met gelijke munt te worden terugbetaald. De doden lachen omdat het altijd op dezelfde manier afloopt en die afloop komt, net als de catastrofe in een oude komedie, altijd wanneer je die het minst verwacht. En de lach is opgelegd omdat wij met onze door het zweet verkleurde pruiken en onze uitlopende make-up, gevangen in het licht van de schijnwerpers, de trieste frappe al kennen voordat die er is. De lach is zwartgallig omdat wij deze ranzige komedianten niet willen zijn, we willen net zo onschuldig, net zo onwetend zijn als het publiek aan de andere kant van de priemende schijnwerpers, dat met gehoorzame golven van gelach op ons reageert.

De dood is afgunstig op het leven. Hij verlangt, smacht, reikhalst naar de oude toestand, al was die nog zo grauw. En als Gregory het kerklaantje af loopt met die bijna zichtbare pijn die hij in zich heeft, wil ik hem toefluisteren, zijn pijn koesteren, die pijn waarvan je denkt dat er geen einde aan zal komen, want de grap die je niet ziet aankomen is dat dat wel gebeurt.

Elk gevoel is beter dan geen gevoel, mijn lief, mijn onvolle broer. Ik kan de schaduw van de pijn bijna aanraken als hij onder de grijze winterhemel naar zijn auto bij het hek van het kerkhof loopt. Maar pijn hebben is niet genoeg, hij moet het zich ook herinneren. Dus rijdt hij naar de haven van Drogheda, onder het viaduct door, de St.-Mary's brug over, langs de margarinefabriek, de lange weg met nu aan zijn linkerhand de met rottende aanplant begroeide rivier en boven zijn hoofd de over de weg gebogen platanen. Hier reden we in de weekends altijd op de fiets naartoe, wij vieren, en pas als we op dit stuk waren, waar de bomen als paraplu's over de weg heen groeien en de zon door de ritselende bladeren heen scheen, hadden we het gevoel dat we aan de andere kant waren.

Nu zijn er geen bladeren boven zijn hoofd, maar alleen kale, bruine staken tegen de loodgrijze wolken. Hij rijdt langs Mornington en blijft aan de kant van Bettystown de weg volgen naar de riviermonding. De golven slaan over de kop en blijven zinloos op de lage stenen brekers beuken. De fabriek van onze vader is een ruïne zonder dak. Even zet hij de auto stil en kijkt tussen de roestende steunbalken door naar het stroompje in het slijk van het doodtij. Dan rijdt hij door, passeert de golfbaan die onlangs van een nieuwe schutting is voorzien en gaat in de richting van de Maiden's Tower, aan de zuidkant van de monding van de Boyne. Baltray ligt aan de andere kant van het kolkende water, in de diepte onder een reusachtige hemel met donkergroene vegen daar waar de duinen omzoomd zijn met slaphangende bomen, als in Hollandse landschappen in de National Gallery. Het enige waar de Hollanders voor deugen, zei Michelangelo, is om gras te schilderen.

Hij parkeert de auto in het knerpende grind, stapt uit en trapt met zijn laarzen op de oude, gebarsten jakobsschelpen. Het zijn laarzen met rijgveters, niet die elegante, met de hand gemaakte schoenen uit Jermyn Street die hij gisteren aanhad. Schoenen waren voor ons allebei altijd belangrijk. Het zijn fetisjen, zei de jonge, te dikke regisseur in de Gainsborough-studio's tegen me, ze verwijzen naar verborgen behoeften, terwijl hij de camera op de vloer zette om mijn naaldhakken die hij zo erotisch vond van onderaf te nemen, in de hoop dat hij het hele been erop kreeg, en ook de uitwaaierende rok en het ondergoed daarboven. Gregory's laarzen, netjes dichtgeregen en gepoetst, banen zich een weg over de resten van de jakobsschelpen, elke stap klinkt als het kraken van een wortel. En ik denk, misschien is het waar, aan fetisjen – bij hem ging het altijd om schoenen en om zijn haar, dat tot in de puntjes verzorgd was, terwijl hij er verder wat hem betrof uit kon zien alsof hij net uit een beerput kwam. De dichtgeregen laarzen dragen hem naar de smerige, naar stront ruikende ingang van de Maiden's Tower, en natuurlijk zou hij er eigenlijk niet naar binnen moeten gaan, maar natuurlijk doet hij het wel.

~

De Maiden's Tower, de Lady's Finger, het meisje dat in het schuimende water is verdronken. Hester. De riviermonding werd bevolkt door dode vrouwen, dacht Gregory, allemaal verschillend maar in bepaalde, cruciale opzichten hetzelfde. Hester kwam zelden verder dan het huis en het omliggende terrein, de Lady was ergens onder haar opgestoken vinger begraven, het meisje lag in de modder tussen het verdronken zeewier. Van de Maiden's Tower wist hij niets, behalve dan dat die aan de verboden kant van de rivier stond, de kant van Mornington. Maar alle vier moesten ze een einde maken aan zijn onwetendheid, dat stond voor hem vast.

De boot lag op de zandbank waar hij al maanden lag, en met z'n vieren was het geen probleem om hem over de opgedroogde modder en door het zand naar het water te slepen. Met de riemen was dat anders; die moesten ze gappen van de vletten die de zalmvissers voor het weekend onbeheerd hadden achtergelaten. George liep dan met een lijntje langs de waterkant met daaraan in plaats van gestroopte zalmen de twee gestolen riemen. Hij stak ze op de riemklampen van de boot die ze hadden uitgekozen en droeg Janie op zijn rug door het ondiepe water en vervolgens Nina, terwijl Gregory zijn schoenen uitdeed en zijn broekspijpen oprolde tot boven zijn witgevlekte knieën. Sinds Nina George voor het eerst had ontmoet bij de kastanjeboom had George zich al bijna ontwikkeld tot een jongeman, zoals dat heet. Hij was groter dan zij, en de spieren op zijn borst waren al behoorlijk fors. Maar het was alsof zijn lichaam zich het kinderlijke stadium nog herinnerde, hij bleef iets voorovergebogen naar de grond kijken, alsof hij zichzelf kleiner wilde maken. Als hij echter eenmaal met de riemen in de hand op de rivier zat, voelde hij zich meteen in zijn element en dan roeide hij met een vloeiende, bijna dierlijke gratie. Hij kende elke stroming in de rivier, door wat de mensen erover zeiden en door wat zijn vader hem erover had verteld, dus roeide hij hen, om voordeel te hebben van het tij, eerst in de richting van de zee. Nina trok haar schoenen uit en propte haar jurk tussen haar knieën, zodat haar smalle, taps toelopende kuiten aan de wind en ieders blikken blootgesteld waren.

Nina vertelde hun de legende van de Maiden's Tower, het verhaal van de mooie, jonge, donkere maagd die elke dag wachtte op de terugkeer van haar minnaar uit de oorlogen waar hij in vocht.

'Welke oorlogen?' vroeg George, die altijd alles precies wilde weten.

'De Dertigjarige Oorlog, de Tienjarige Oorlog, de Oorlog van een Halve Dag, weet ik het, wat voor oorlogen dan ook. Er zijn altijd oorlogen, nietwaar George?'

En George beaamde het, terwijl hij doorroeide. Oorlogen had je altijd.

En Nina breidde haar verhaal uit. Vertelde hoe ze elke dag vanaf de toren naar de zee keek, dat een terugkerend schip een zwart zeil moest voeren als het zijn dode lichaam aan boord had en een wit zeil als hij er als levende op aanwezig was, dat een schip met een zwart zeil aan de horizon was verschenen en dat ze zich naar beneden had geworpen en op de rotsen te pletter was geslagen en dat je, als je de trappen in de toren op klimt, haar nu nog kunt horen wenen. En dat de Lady's Finger, die inmiddels in het midden van de snelstromende rivier voor hen opdoemt, ter nagedachtenis aan haar is gebouwd.

'Waarom haar vinger?' vroeg Gregory. 'Waarom niet haar hand, haar hals of haar hoofd?'

'Waarom niet haar knie?' vroeg George terwijl hij zijn blik van Nina's knieën verplaatste naar de obelisk van de Lady's Finger. Hij stuurde de boot eromheen en liet hem door de stroom naar de kant voeren, naar de Maiden's Tower.

'Omdat Lady's Knee nou niet bepaald goed klinkt,' zei Nina. 'En omdat ze zijn trouwring aan haar vinger droeg.'

Ze trokken de boot in de schaduw van de toren op de kant en liepen er over de krakende schelpen naartoe.

'Ik zou toch wel willen weten welke oorlogen,' zei Gregory.

'Welke zouden het kunnen zijn?' vroeg Nina.

'Tegen de noormannen, de oorlogen van Elizabeth I, de strijd tegen de jakobieten.'

'De noormannen,' zei Nina. Ze ging tegen de hoek van de vroegmiddeleeuwse toren staan, de zomerwind blies fijne zandkorrels langs haar armen, blies haar jurk tussen haar benen.

'Toen hij hier kwam had hij Strongbow bij zich,' zei Nina. 'Hij was boogschutter, en hij had een boog die zo stijf was dat alleen hij ermee kon schieten, en de pijlen die hij afschoot waren altijd krachtig en doeltreffend. Hij zag haar kokkels plukken aan de oever van de rivier, een Ierse maagd op blote voeten, van een schoonheid waar zijn hart bij stilstond. Hij spande zijn boog en vuurde een ander soort pijl af, een pijl die ook háár hart deed stilstaan. En hij bouwde deze toren voor haar, voor zijn eigen genot, om haar helemaal voor zichzelf te hebben, verborgen voor nieuwsgierige blikken.'

'Wat voor genot?' vroeg Gregory.

'Allerlei soorten genot,' zei Nina. 'En omdat hij een noorman was, moest genot voor hem altijd gewelddadig, impulsief en extreem zijn. De noormannen hebben immers ook de maliënkolder uitgevonden, en de ridder te paard, verkrachting en brandschatting en de hoofse liefde? Nietwaar, broer van me?' vroeg ze aan Gregory.

'En dit soort torens,' zei Gregory.

'Als jij nu eens met je rug tegen de toren gaat staan, George, dan kun je deze dame helpen om erin te komen.'

En George, gehoorzaam als altijd, ging met zijn rug tegen de toren staan, schoof zijn handen in elkaar en hield die op, zodat zij haar voet erin kon plaatsen en hij haar naar boven kon tillen. Ze legde haar handen op zijn schouders, zette haar voet in zijn handen, verhief zich naar de plek waar de traptreden begonnen en liep de sombere ruimte in, waar ze de wind langs de wenteltrap hoorde fluiten.

'Ik hoor haar,' riep ze uit.

'Het is de wind,' zei Gregory.

'Nee,' zei ze, 'het is de maagd.'

Toen klom Janie via George omhoog, en toen was de beurt aan Gregory. Boven stak hij zijn hand uit naar George, maar toen George die pakte en met zijn laarzen over de middeleeuwse stenen schraapte, kietelde Nina Gregory onder zijn armen. George viel naar beneden en mopperde: 'Verdomme, Nina Hardy.'

'De minnaar van de maagd is weg,' zei Nina, 'en ze voelt zich verscheurd. Moet ze dit Ierse groentje bij zich toelaten, of moet ze haar wake in eenzaamheid voortzetten? De maagd voelt zich in verleiding gebracht.'

Nina stak haar hand uit. George pakte hem beet, en Gregory hield haar van achteren vast om zijn gewicht te kunnen dragen.

'Laat me nu los,' fluisterde ze toen ze zijn stevige lijf omarmde, 'en respecteer mijn eer. Ik ben van Iersen bloede, net als gij.'

Hij had bloed op zijn wang, op de plek die langs de steen was geschuurd. 'Wacht, een kus van mij erop, en het is genezen,' mompelde ze alsof ze zich verontschuldigde, en ze voegde de daad bij het woord. Hij bloosde toen ze haar lippen op zijn wang drukte, en de spier in zijn broek spande zich verrast aan. Toen ze haar lippen terugtrok, zat er een rode veeg op, alsof het lippenstift was. Toen schoot ze als een pijl uit een boog bij hem vandaan, het licht bovenin tegemoet.

'Hoort! riep de maagd. Daar nadert een schip, dunkt mij...'

Een stenen wenteltrap leidde omhoog, de traptreden waren klein en uitgesleten door de voetstappen omhoog van eeuwen. Ongeveer bij elke halve omwenteling waren er openingen waar zonlicht door naar binnen stroomde, dat de scherpe randen aan de steen deed vervagen. Ze schoot de trap op, de geur van uitgedroogde uitwerpselen achter zich latend, en ze vroeg zich af hoe ze eruit zou zien van benedenaf, waar ze de voetstappen van de anderen hoorde, die haar langzaam inhaalden.

Bovenaan werd ze omhuld door de harde wind, die het dons van fijn zand van haar af blies. Ze ging op het koude steen liggen en hoorde een gezoem alsof ze zich in een stolp bevond, een sierglas waaronder ze in alle rust zichzelf kon zijn en niet aangeraakt kon worden. Ze hoorde Gregory's voetstappen, en toen zag ze de schoenen waar hij zo trots op was, en die waren niet smetteloos meer.

'Meestentijds ligt de maagd op het koude steen te smachten naar de kus van haar minnaar,' zei ze. Liggend op de platte steen draaide ze haar hoofd en keek omhoog naar Gregory, met achter zijn hoofd, omlijst door de torenmuren, de traag voortbewegende wolken. 'Ze droomt van verafgelegen kastelen en donkere maagden en vraagt zich af of hij nu met een van hen is.'

'Met wie zou hij zijn?' vroeg Gregory.

'Met een donkere, Abessijnse maagd met schuinstaande ogen.'

'Is hij in Afrika?'

'In het Heilige Land, domoor. Op kruistocht.'

Dan verschijnt het hoofd van George achter dat van Gregory. Boven hen het blauw en de traag voortschuivende witte wolken.

'Help me eens overeind.'

Ze staken allebei hun hand uit. Ze pakte ze allebei vast, de ene met de lange, delicate vingers, de andere plomp, als een spade. Ze liet zich als een plank overeind trekken, met naar achteren hangend haar. 'Ze staat boven op de toren. Ze ziet de witte paarden op zee aan voor zeilen.'

De stenen trap leidde naar een steunbeer. Nina klom erop. 'Ze heeft genoeg van het wachten, van steeds maar uitkijken.'

'Kom naar beneden, Nina,' fluisterde George.

'Haar minnaar smeekt haar om naar beneden te komen. Maar haar ogen blijven aan de horizon gekleefd.'

George stak zijn hand uit. Ze pakte hem vast, boog zich naar buiten, over de muur heen. De wind gierde langs de torenmuur omhoog, liet haar jurk hard wapperen.

'En dan ziet ze het. Een zeil. Geen vergissing mogelijk, het is zwart.'

George trok haar naar zich toe, en in zijn armen draaide ze zich om en hield haar armen als een kruisboog voor haar borst.

'Ze heeft zichzelf niet in bedwang.'

En zo was het ook. De opwaaiende wind blies haar haren in haar gezicht, deed haar jurk opbollen als een ballon die ze met één hand probeerde glad te strijken, terwijl ze met de andere hand zijn arm pakte om haar evenwicht te bewaren. Maar ze verloor het, zwaaide naar achteren, hij stak zijn hand naar haar uit, maar te laat, en beiden stortten ze naar beneden.

Ze zag zichzelf vallen, naar beneden dwarrelen als een pluisje van een paardebloem, en terwijl ze viel, vervaagden haar bezorgde fantasieën over toren en maagd. Haar jurk werd omhooggeblazen door de wind, en nam pas weer wat normalere vormen aan toen de zwaartekracht meer vat kreeg op haar bovenlichaam. Ze schreeuwde naar George, die zich onder het uitroepen van de twee lettergrepen die haar naam vormden aan haar vastklemde. Ze herkende haar naam alleen niet, ze was iemand anders geworden, iemand zonder naam, iemand die ze niet kende, die wachtte op het zeil, zwart of was het wit, als het witte zand dat op haar afstormde, terwijl de wind haar haar naar achteren trok alsof het een muts of een sjaal was.

Als een gebroken pop stuiterde ze van het prachtige witte zandduin af, maar het zand, dat er uitgespreid als een jakobsschelp bij lag, bezeerde haar nauwelijks. Het was George, die achter haar aan kwam, die haar beschadigde. Met zijn moeizame, zware lijf viel hij boven op haar, met zijn elleboog verbrijzelde hij vier ribben, zijn knie brak haar heup, en zijn hoofd botste in een bloedige omhelzing tegen het hare. Voort rolden ze, ze wierpen een gevederde pluim van zand omhoog in de wind en kwamen toen langzaam in elkaars armen tot stilstand.

18

Daar waar George zich door ons als opstapje liet gebruiken, staan nu blokken steen opgestapeld, en Gregory beklimt ze en gaat de sombere ruimte binnen. De geur is na al die decennia nog hetzelfde, maar het licht is anders, winters, en het is koud. Van bovenaf waait hem de wind tegemoet, en de openingen in de muur zijn nauwelijks te zien in het al minder wordende licht van buiten, dat al bijna niet te onderscheiden is van de duisternis binnen. Hij bestijgt de uitgeholde traptreden, en tegen de tijd dat hij boven is, is het al bijna helemaal donker. De horizon is afgezet met een eindeloze stroom witte kappen, en op de golfbaan in de verte haasten zich de laatste spelers naar de Captain's Bar. De zandduinen onder aan de toren zijn vervormd doordat de wind er decennialang vrij spel op had, en als ik nu gevallen zou zijn, zou ik op de harde schalie terecht zijn gekomen en evengoed zijn doodgegaan. Hij loopt de laatste treden op naar de top van de toren en gaat op de plek staan waar hij tijdens mijn val stond. Hij kijkt omlaag naar zijn rijglaarzen en dan in de diepte die zich onder aan de muur naast hem opent. Dan hoort hij andere voetstappen naderbij komen en houdt hij zich aan de steunbeer vast om zijn evenwicht beter te kunnen bewaren. Hij hoort hoe een lucifer wordt afgestreken, hoe het rode kopje langs het schuurvlak gaat, en als hij zich omdraait, ziet hij achter de rode gloed een gezicht met bruine ogen, een in de loop der jaren gerimpelde huid en dunne lippen met kloofjes erin. Hij kent het gezicht nog van de vroegere versie, en hij noemt haar bij haar naam. Janie.

'Ik zag je,' zegt ze. 'Ik zag je auto de weg langs de rivier op gaan, zo langzaam dat het erop leek dat hij op zoek was naar herinneringen. Ik kom hier één of twee keer in de maand om over de golfbaan uit te kijken en over de rivier, en dan doe ik hetzelfde, dan leef ik me daar ook in uit. Maar wat is dat eigenlijk, Gregory, je iets herinneren? Zoek je dan het verleden weer op, met alle bijzonderheden die je nog weet, of is het een poging om één stukje terug te vinden, dat ene stukje waar het allemaal om draait en dat we ons niet meer herinneren?'

'Het laatste, zou ik zeggen.'

'Nou, als dat het is, gebruiken we er het verkeerde woord voor, vind je niet? Proberen je iets te herinneren wat je niet meer weet, is iets anders dan je iets herinneren, het is meer een soort graven, proberen het vergetene op te delven, vragen waarom het vergeten is. En misschien is het wel vergeten omdat dat noodzakelijk was, omdat het zo beter is. Maar het bevalt me wel hier boven, ik mag hier graag staan kijken naar de golven, naar de golfbaan en naar de rivier, en dan denk ik aan het zwarte zeil en het witte zeil, dan denk ik terug aan hun val hier, jaren geleden, toen ze bijna dood waren, en dan bedenk ik dat dat ons nu al dit gedoe bespaard zou hebben. En jij zou mij gebeld kunnen hebben, Gregory, mij nota bene. Of je zou me een beleefd briefje hebben kunnen schrijven, meneer Hardy zal op de volgende tijden thuis zijn, want laten we wel wezen: het gebeurt niet elke dag dat mijn broer jouw zus vermoordt, hè?' Ze drukt haar sigaret uit, pakt een volgende, houdt hem het goudkleurige pakje Sweet Afton voor. 'Wil je er een?' En dan voegt ze er nog aan toe: 'Schat?'

Hij pakt er een, hoewel hij niet rookt.

'Nee,' zegt hij, 'het gebeurt niet elke dag dat jouw broer mijn zus vermoordt.'

'Ik heb met hem door de tuin gelopen,' zegt ze, 'met de politie en de dokter, en ik heb hem gevraagd om ons een aanwijzing te geven waar hij haar had gelaten. En weet je, Gregory, het was zo vreemd. Het was net alsof hij ook moeite deed om het zich te herinneren. Niet waar hij het lichaam van die arme Nina had gelaten,

nee – waar we speelden bij de rivier, waar we aan de schommel
heen en weer zwaaiden, waar we hem schoonspoten als hij vast
had gezeten in de prut, alsof hij zich alles probeerde te herinneren
behalve dat wat er de vorige dag – of was het de dag dáárvoor? –
voor bloederigs was gebeurd. Ik heb geprobeerd te bepalen wat
precies het moment is geweest dat je zou hebben kunnen zeggen
dat hij nooit meer beter kon worden, ik heb geprobeerd me dat te
herinneren, ik heb hier rondgelopen als een spook op herhaling,
maar het lukt me gewoon niet. Was het hier, toen ze met z'n
tweeën vielen? Of daarna, die weken in het ziekenhuis toen hij
eruit begon te zien als een bonenstaak? Of was het dáárna, toen hij
met ons brak en op het land van Keiling ging werken met die slo-
men uit Portrane? Ik kreeg die studiebeurs, weet je nog, en je vader heeft ook zijn best voor me gedaan, hij stuurde me met Nina
naar het Siena-klooster, en George werd... George...

Of was het nog later, toen jullie je allebei hadden gemeld voor
de dienst, was het door wat er in de Dardanellen gebeurde? Hij
heeft er nooit over gesproken, jij trouwens ook niet, hoe zou het
ook gekund hebben, je kwam niet terug. Maar hij wel, en hij miste
een vinger. Wat hij gedaan heeft, was misschien niet het slimste
wat je kon doen, zoals het toen allemaal liep. Ze hebben hem on-
genadig op zijn donder gegeven nadat ze de visfabriek platge-
brand hadden, en hij leek er vreemd genoeg trots op te zijn; met
zijn ene vinger eraf en met zijn gehavende gezicht liep hij in de
streek rond alsof het een eervolle vermelding van lord Kitchener
zelf was. Maar toen was hij nog de oude George, de George die we
gekend hadden, een gehavende, volwassen versie misschien,
maar nog wel de broer die ik gekend had. We zorgden voor hem
als hij hier was tussen zijn zwerftochten door, waar hij ook heen
ging, Lee-on-the-Solent, de Zuid-Chinese Zee, hij kwam altijd terug, en op een gegeven moment, ik kan me niet meer herinneren
wanneer, was Sint-Ita in Portrane nog de enige plek waar hij kon
zijn als hij niet thuis was. En toen het eenmaal zover was, kon ik
geen contact meer krijgen met mijn broer. Er moet dus iets gebeurd zijn. En het zou me een lief ding waard zijn, het maakt niet

uit wat, meer dan wat ook, om te weten wat dat geweest is. Met het verstrijken der jaren is het natuurlijk erger geworden en was hij eigenlijk voortdurend opgenomen in Sint-Ita. Totdat zij zich over hem ontfermde, wat zowel edelmoedig als dwaas was en uiteindelijk is neergekomen op zelfmoord. Weet je nog, Gregory, de keren dat het goed met hem was?'

'Ja, ik weet het nog,' zegt Gregory, en hij rilt even. 'Maar is dit wel de plek om zo'n gesprek te voeren?'

'Had je een andere plek in gedachten?'

'Nou,' zegt hij, en ongewild klinkt het clichématig, 'misschien ergens waar het ietsje warmer is.'

Ze zwijgt terwijl hij langs de golfbaan rijdt, waar de wind sluiers van zand overheen blaast, en ze kijkt naar zijn profiel, met daarachter de lichten van de huisjes tegen het donkere, met een hangslot afgesloten kermisterrein. Ze ziet het kind dat hij was en dat ze zich herinnert zoals de vage afdrukken van de inkepingen die ze in de kastanjeboom hadden uitgesneden. Alsof ze het kouder krijgt bij deze herinnering rilt ze terwijl hij zijn auto parkeert naast de roerloze andere voertuigen.

'Weet je nog,' zegt Janie terwijl ze op de amberkleurige lichtjes achter het raam van de oude pub met het rieten dak af lopen, 'die avond dat Boxer Kavanagh het na sluitingstijd opnam tegen vijf politieagenten?'

'Nee, weet ik niet meer,' zegt Gregory.

'Ze waren bij hem thuis met zeventien kinderen, van zeven verschillende boerinnen, hij had van die dikke onderarmen en handen als kolenschoppen.'

'Janie, het leven dat ik hier heb geleid lijkt wel dat van een ander.'

De dubbele deuren van de pub zwaaien open en ze lopen naar binnen, wrijven in hun handen om ze warm te krijgen.

'Het was als een pauze,' zegt hij.

'Een pauze tussen wat en wat?' vraagt ze.

'Een pauze zoals in het theater,' zegt hij. 'Nina zou het beter hebben uitgelegd. Een verzetje, tussen het leven zoals het daarvoor was en zoals het daarna zou worden. Wat zal het zijn, Janie?'

'Warme whisky,' zegt ze, en hij bestelt er twee, een voor haar en een voor zichzelf.

'Ik ben zeven jaar Ier geweest,' zegt hij, 'en ik herinner me die tijd als een verzetje van een leven dat van een geheel andere orde zou zijn geweest.'

'Hoezo, van een andere orde?' vraagt ze.

'Of een leven dat anders heel geordend zou zijn geweest.'

'Jij leek me anders heel ordelijk,' zegt ze, terwijl ze het schijfje citroen uit haar glas haalt en tussen haar tanden steekt. 'Ja, dat was je: ordelijk tot in het absurde.'

'Hoe kan het dan dat ik erop terugkijk alsof het een droom was, een droom van het leven van iemand anders, waarin alles duidelijker is dan het zou moeten zijn?'

'Als het zo duidelijk is, hoe kan het dan dat je je Boxer Kavanagh en die vijf politieagenten niet herinnert?'

'Alles altijd letterlijk nemen, hè Janie?' zegt hij, en zij lacht.

'Je lach is nog net als vroeger,' zegt hij, 'en het is goed om die weer te horen. Ik herinner me hem net zo scherp als dat spleetje tussen je voortanden.'

Enigszins verlegen sluit ze haar mond, en de lach gaat over in gegrinnik. 'Zij maakte me altijd aan het lachen,' zegt ze, 'altijd. Dubbel lag ik, maar ik móést ook altijd lachen, niet omdat ze zulke leuke grappen maakte, maar omdat ze verwachtte dat je lachte. Dan zette ze zo'n hoog stemmetje op, en als de pointe kwam of datgene waar het om ging, dan werd van me verwacht dat ik lachte; het was nou eenmaal mijn taak om erom te lachen.'

'Nou eenmaal?' zegt Gregory. 'Hoezo was het nou eenmaal zo?'

'Ik was kleiner dan zij, trager, verlegener, veel armer dan zij, niet zo mooi als zij. Mag het een onsje minder, in alle opzichten. Zo was het nou eenmaal, en daarom lachte ik als dat van me verwacht werd. Maar genoeg over mij. Vertel eens over jezelf, over die pauze van je.'

'Totdat ik hier kwam, heb ik nooit geweten dat ik een zuster had, of een halfzuster.'

'Halfzuster.'

'Ja. Twee keer half wil één heel worden, zei ze altijd.'

'En is het je ooit gelukt om één heel te worden?'

'Ja, zeven jaar lang. En achteraf besef je dat de pauze in feite het toneelstuk zelf was. Die stukjes eromheen, eraan vooraf en erna, je leven misschien zelfs wel... maar de pauze was het werkelijke drama, en al het andere was in vergelijking daarmee maar... flets. Ik kwam naar een land dat ik nooit had gedacht te zullen zien, naar dat huis dat ik nooit had gedacht te zullen zien, en toen stond er aan de andere kant van de keukentafel ineens een zus van wie ik nooit had geweten dat ik die had. En vanaf dat moment was elk moment, zeven jaar lang elk moment, geladen met de kans op verlies – verlies van iets waarvan je niet had geweten dat je het had, waarvan je het gevoel had dat het niet echt van jou was, dat je het niet verdiende. Ik was hier iemands broer, zeven jaar lang had ik familie, en toen ik wegging, was die familie ook weg, en elke keer als ik terugkwam, keerde dat leven terug. Het kon alleen hier bestaan, hier in deze streek, bij de zee, bij de rivier. En toen ben ik gaan denken dat ik het had gedroomd, dit leven, de zee, de rivier, dat ik háár had gedroomd, en zij mij.'

'Jij was de broer die zij zich altijd gedroomd had, bedoel je,' zegt Janie met een glimlach, alsof ze het weet.

'Met complimentjes bereik je niks,' zegt hij, en hij probeert te glimlachen.

'Nee,' zegt Janie, die dat allang heeft bedacht, 'dat is nooit het geval.'

'Je lacht me uit,' zegt hij, en ze beaamt het. 'Ja, een beetje', en ze buigt zich voorover om de as van zijn sigaret te tikken en legt haar hand zachtjes op de zijne, strijkt plagerig over zijn vingers en zegt: 'Zo, nu hebben we wel genoeg over jou gepraat, laten we het nu over mijn broer hebben, aan hem is niks half... Op welk moment is hij de mist in gegaan, wanneer heeft hij zich teruggetrokken in die waanzin waarin hij zich kon...' Ze huivert en neemt een trek van haar sigaret.

'Ik heb naast hem geslapen totdat hij te groot werd voor het bed, hij was de peuter, het kleintje met het blonde haar, en altijd moest zijn neus gesnoten worden. Dat je mij op die toren aantrof, kwam doordat ik me afvroeg of het op díé dag is geweest dat het verder bergafwaarts is gegaan met hem. De dag dat hij viel, samen met Nina. Ik herinner me dat ik naar beneden keek, dat het net was alsof ze zweefden, als pluizige zaadjes van paardebloemen die we altijd wegbliezen, alsof ze zweefden totdat ze het zand raakten, en zelfs toen ze het zand raakten, leek het nog niet echt, en stoven er wolken om hen heen op alsof er iemand een kleed uitklopt. Vaak vraag ik me af of dat de dag is geweest dat hij veranderd is van het een in het ander. Zes weken later kwam hij uit het ziekenhuis, weet je nog, en toen was hij enorm opgeschoten, toen konden we hem geen kleintje meer noemen...'

~

Toen ze in het ziekenhuis wakker werd, lag ze aan slangen en had ze nog slechts een vage herinnering aan een zand tegen haar wang. Een gezicht omgeven door de grootste, de witste kap die ze ooit had gezien boog zich over haar heen. 'Meisje,' zei de stem, 'meisje, nou niet gaan tobben, hoor, en niet proberen te praten. Je hebt een ongeluk gehad, je ligt in het Sint-Michael in Drogheda en alles komt weer goed, heel goed.'

En natuurlijk was proberen te praten het eerste wat ze deed, en kennismaken met de ijzeren klemmen om haar kaak, haar lijf draaien om het gips om haar heup beter te voelen, en de kwellende pijn, waardoor het witte lamplicht nog lichter leek te worden. De vrouw met de kap glimlachte, alsof het haar genoegen deed dat ze bevestigd werd in haar adviezen, en vervolgens gleed ze op onzichtbare voeten langzaam verder de zaal door. Nina sloot haar ogen, liet zich ontspannen achteroverzakken in al wat haar steunde en probeerde door te dromen aan de pijn te ontsnappen.

Ze kwam weer bij bewustzijn toen een ander hoofd met een hoofddeksel, zwart deze keer, het hoofd van haar moeder, zich naar haar vooroverboog. Ze rook de geur van formaline en schaaldieren en zag achter de muts van haar moeder haar vader staan; zijn grijze haar in de war, zijn pet in de hand, en aan zijn vochtige ogen te zien stond hij te popelen om haar in zijn armen te sluiten. Maar zijn vrouw, haar moeder, gebaarde dat hij een stap naar achteren moest doen.

'Nee, lieve, je moet haar niet opwinden, de verpleegsters zeiden dat ze zich niet mag bewegen.'

'Dikke pret, Nina, liefje,' zei hij. 'Wat een val, zeg!' Hij klakte met zijn tong en probeerde te glimlachen, maar ze zag zijn tranen strijden met de blik van geruststelling in zijn ogen. 'Georgie ligt op de jongenszaal,' zei hij. 'Hij is er net zo aan toe als jij.'

Achter hem zag ze grijsgroene muren met de daarvoor heen en weer bewegende kappen, als grote, zorgende vlinders, en door de langwerpige ramen de donkere omtrekken van bomen. En achter hem stond nog een gedaante, bewegingloos, met een nietsziende, starende blik, gekleed in een oude bontjas, kaplaarzen en een zwarte baret. Hallo, daar ben je weer, Hester, dacht ze.

's Nachts zie ik haar slapen, onbeweeglijk in het gips en de klemmen, ze beweegt haar hoofd heen en weer in de millimeters tussenruimte. Ik zie de kleine gebreken die zich met het volwassen worden in het gezicht zullen ontwikkelen, de licht ingevallen wangen, het littekentje boven het linkeroog, het oog zelf, dat niets ziet maar traag, een beetje lui heen en weer gaat en dat het publiek zou vertederen, kleine gebreken die voorbestemd zijn om de perfectie teniet te doen en om te zetten in schoonheid. Ik had een echt gezicht, werd er gezegd, mooi maar echt, en ik dacht altijd dat ze 'niet mooi genoeg' bedoelden. De mond was wel heel karakteristiek, vol en rond, met hoeken waar elk moment een lach op leek te kunnen verschijnen, een uitgestelde lach. Kom Nina, wilde ik zeggen, pas op, als je hier weggaat moet je de loop van wat jouw leven zal zijn veranderen, maak een keuze, zorg dat je niet terechtkomt in dat megalithische graf vol uitwerpselen, blijf maagd, blijf uit de buurt van die fosforlampen, zoek je vader op voordat hij sterft, probeer van de mensen te houden, maar niet te veel, pas op voor Rosalinde. Stap niet op die boot naar Liverpool, op die trein naar Brighton, pas op voor die ongelukjes waardoor je zult worden wat je onvermijdelijk wordt: mij.

Maar nu slaapt ze, en er glijdt een zachte glimlach over haar lippen, een glimlach bestemd voor Gregory, voor George, voor Gregory-George. En al had ik haar kunnen storen in haar slaap, ik zou het niet doen.

~

George daarentegen lag op de jongenszaal, hij droeg een blauwgestreepte pyjama, de lakens waren om zijn voortdurend draaiende lijf gewonden, en zijn lichaam ademde de stank van oud zweet. Hij heeft daar zes weken aan één stuk geslapen, waarna hij zonder gips en bijna zonder klemmen weer kon rondlopen. Ik heb elke dag aan zijn bed zitten wachten tot hij wakker zou worden. En toen hij ontwaakte, was het eerste wat hij zag haar gehavende gezicht. Hij glimlachte alsof hij een engel zag, een engel met ijzerdraad van de tanden tot aan de oorlelletjes.

'We zijn gevallen, hè?' zei hij.

'Ja, George,' zegt ze, 'we zijn gevallen.'

'Tot hoe ver zijn we gevallen?'

'Totdat we in de zandduinen vielen, George, en totdat jij op mij viel.'

'Het spijt me,' fluisterde hij, en hij stak zijn hand uit om haar ijzeren masker aan te raken. 'Is dat mijn schuld?'

'Het was allemaal mijn schuld, Georgie, allemaal mijn schuld. We vielen zoals Icarus, zoals Lucifer.'

'Nee,' zei hij, 'we vielen zoals Adam en Eva.'

'Dat was geen echte val, George. Dat was meer een zondeval.'

Ze zei het wel, maar ze begreep dat het een thema zou blijven. Adam en Eva. Zij waren de gevallenen onder de mensen. Ze waren bovendien samen gevallen en hadden bij die val elkaar verwond. George, die zijn korte bestaan tot dusver in de schaduw van anderen had doorgebracht, had nu zijn legende, zijn val: hij was met Nina Hardy van de Maiden's Tower gevallen, had haar maagdelijke lichaam doorboord met het zijne.

19

Het vuur gaat langzaam uit in het café, en Janie is bezig aan haar vierde warme whisky met kruidnagelen, suiker en een schijfje citroen.

'Zijn stem was een stuk lager toen hij uit het ziekenhuis kwam, al bijna een soort omfloerste bariton. Hij was groter geworden, uit de kluiten gewassen, langer en ook breder, hij was te groot voor het bed, je kon niet meer lekker naast hem liggen, en door zijn lengte kreeg hij een soort vreemde, mismaakte waardigheid over zich, als er zoiets kan bestaan. Op school was hij erg achteropgeraakt, en bovendien was hij zo groot geworden dat hij niet meer in de bank paste en juffrouw Cannon hem geen pak slaag meer kon geven, wat ze trouwens ook maar beter niet meer kon proberen, want hij zou met zijn knuisten de liniaal zo doormidden hebben kunnen breken.

Ik weet niet wie er besloten heeft dat hij er niet meer terug zou komen, papa, mama of George zelf, maar in elk geval kreeg hij een baantje op de boerderij van Keiling, waar we hem dan zagen als we van school naar huis liepen, weet je nog, dan werkte hij samen met de arbeiders uit Schotland en de patiënten uit Portrane op het aardappelveld de rijen zaailingen af. Het grootste deel van zijn loon gaf hij aan mama voor mijn opleiding, en wat hij dan nog overhield besteedde hij aan net zulke kleren als jij droeg en aan vaseline om zijn haar vet te maken en naar achteren te kammen, zodat hij indruk kon maken op Nina. Ja, kleren zoals jij droeg, je gaat me niet vertellen dat je dat niet meer weet, hij kon ze nooit aan, maar hij deed zijn best, wat deed hij zijn best! Zelfs zijn haar probeerde hij in een model te krijgen zoals jij het droeg, maar bij hem stond het rechtop als een borstel, en hij probeerde het plat te krijgen door er nog meer vaseline op te smeren. Het lukte dus allemaal niet, dat kunnen we toch niet ontkennen, Gregory. Ik was het meisje met de studiebeurs, hij was dagloner, en jij en Nina waren het ideaal dat nooit bereikt kon worden. Op zijn vrije dagen hing hij bij jullie voor het hek rond, of anders bij de visfabriek, waar hij in zijn mooie kleren steentjes in de rivier keilde, in de hoop een glimp van Nina op te vangen. Dan zei ik tegen hem: George, je moet niet laten merken dat je zo graag wilt, maar dat begreep hij nooit, hij dacht dat hij met aandrang en bezieling datgene kon krijgen waar hij op uit was – en ik heb me vaak afgevraagd wat dat dan wel was. Romantische liefde kan het niet geweest zijn, dat zou hij zelf belachelijk hebben gevonden. Nee, het ging hem voor mijn gevoel meer om een terugkeer, hij had de behoefte om terug te keren naar zijn kindertijd, naar die paar wonderbaarlijke jaren waarin de verschillen tussen ons niet bestonden – of althans niet leken te bestaan.

Hij dacht, als ik het zo psychoanalytisch mag bekijken, dat hoe meer hij op jou leek, des te dichter hij bij haar zou komen. En ik dacht, als ik zo vrij mag zijn en zo direct, dat hoe meer ik op haar zou lijken, des te dichter ik bij jou zou komen. We spiegelden onszelf iets voor wat eigenlijk niet zo gek was, want wij waren beiden een beetje verliefd op jullie beiden, al was het in zijn geval wel heel extreem. Ik weet alleen niet of hij zo dicht bij haar heeft kunnen komen als ik bij jou, die middag dat mijn vader een heel stel meenam naar de paardenrennen in Layton en ik met jou in hun slaapkamer ging liggen om te luisteren hoe de regen op het ijzeren dak kletterde, en om te voelen hoe intiem het was om in mijn ondergoed bij je te liggen. Weet je nog, die regen, Gregory, kun je je het geluid van de regen nog herinneren?'

En als ze het café verlaten regent het, een zacht winters buitje is het, dat spikkels geeft op zijn jas, die hij met zijn linkerarm over haar heen houdt terwijl hij met zijn rechterhand naar zijn autosleuteltjes tast. De natte botsautootjes met hun glimlachende gezichten glinsteren in het amberkleurige licht van de straatlantaarns en doen hem beseffen hoeveel alcohol hij op heeft.

'Laat me het huis zien, Gregory,' zegt ze.

'Ik geloof niet dat dat verstandig is,' zegt hij, nog zoekend naar zijn sleuteltjes, alsof hij erop wacht dat de regen hem ontnuchtert.

'Helemaal fatsoenlijk geworden, jongen? Nee, Gregory, maak je geen zorgen om Eros, die is allang onder zeil. Maar ik zou het wel heel graag vanbinnen willen zien, ik zou graag willen nagaan of het me erg aan haar doet denken. We dwalen hier immers rond als oude geesten, nietwaar? We gaan slapende honden wakker maken.'

'Wat voor slapende honden?' vraagt hij.

'Jokkende honden.'

'Je bedoelt,' zegt hij, terwijl hij de auto start en de koplampen de beregende golfbaan verlichten, 'dat we lijken uit de kast gaan halen.'

'Ja,' zegt ze, 'alle oude clichés. Op de plekken waar we vroeger uithingen, met die slapende honden en die lijken in de kast, en dan geen steen op de andere laten.'

Ze doet er het zwijgen toe terwijl de golfbaan voorbijglijdt en de rivier in zicht komt. In de buurt van Mornington doet ze haar ogen even dicht, en als ze door Drogheda rijden snurkt ze, melancholiek vindt hij, en ze wordt weer wakker als de gele koplampen over de hekken strijken, als de wielen over het vochtige grind knerpen. Het is inmiddels hard gaan regenen, waardoor ze, als ze voorovergebogen van de auto naar de keukendeur lopen, iets hebben van vage schimmen.

'Ik hield van dit huis,' zegt Janie als ze eenmaal over de drempel is, 'en van alles wat hier was, maar zou jij dat niet ook gehad hebben als je in een huisje met een roestend dak van een rivierloods woonde en je met z'n vieren in één bed moest slapen totdat de deugdzaamheid van alle betrokkenen in het geding kwam?' Als de deur dichtgaat, pakt ze Gregory bij zijn arm. 'Dat dak leek wel een drumstel als het regende. Ik heb de regen leren kennen in al zijn verschillende stemmingen, jongen, terwijl ik Latijn zat te leren aan de keukentafel. *Amo amas, ik wou dat jij hier bij me was,*' zegt ze, terwijl ze zich een beetje aangeschoten naar hem opricht, waarbij de hielen van haar gerafelde kousen boven de randen van haar zwarte schoenen uitkomen. Ze kust hem vlak naast zijn mond. Ze houdt haar lippen dicht tegen zijn wang en fluistert: 'Maar kun jij dan zeggen waar het precies verkeerd is gegaan, Gregory? Wanneer mijn lieve broer een tik van de molen kreeg en jouw zus een obsessie voor hem werd, wanneer de speelse zomer een barre winter werd?'

'We werden ouder,' zegt Gregory, terwijl hij zich van haar verwijdert. 'Misschien was dat het enige.'

'Maar is dat niet juist het probleem? Dat we niet ouder werden? Ik denk dat we alleen maar deden alsof.' Ze pakt hem bij de arm en loopt met hem de keukendeur door, de donkere gang in, en nijgt haar hoofd tegen zijn schouder. 'Waar werk je nu, Gregory?'

'In Soho,' zegt hij.

'Ah,' fluistert ze, 'wat klinkt dat volwassen, zo'n plek.' Ze loopt met hem de hal door en door de openstaande deur de huiskamer in. 'En ik neem aan dat je die staat van volwassenheid betreurenswaardig vindt, Gregory, echt betreurenswaardig?'

'Ik snap niet wat je bedoelt,' zegt hij.

'Wacht, ik zal het je laten zien,' zegt ze. 'Trek mijn jas eens uit.' Hij gehoorzaamt zonder vragen te stellen, maakt de knopen los van de natte donkerbruine mantel die ze aanheeft.

'Draag me.' Ze slaat haar armen om zijn schouders, en hij tilt haar op. 'Mijn broer heeft jou gedragen,' zegt ze. 'Hij heeft je in gloeiende hitte de woestijn door gedragen en je in veiligheid gebracht.'

'Ik kan het me niet herinneren,' zegt hij. 'Ik was gewond, bewusteloos.'

'Maar hij wel,' zegt ze. 'Vroeger tenminste, want hij heeft het me verteld. Hij heeft jou opgetild zoals een volwassene een kind optilt. Jij was je niet bewust van zijn reusachtige inspanning, maar hij heeft jou het leven teruggegeven. Dus til jij mij nu op, Gregory, ik loop tegen de vijftig en ik wil weer een kind zijn. En dit is geen optillen, je moet je andere arm buigen en onder mijn knieën houden, zodat ik...'

'Zodat je wat?' vraagt hij. Hij laat zijn arm zakken, en zij drapeert er één been overheen.

'Zodat ik gewichtloos word,' zegt ze. 'Zodat ik een kind word en gewichtloos.' Ze ligt in zijn armen, en in het minimale licht dat door de openslaande deuren naar binnen schijnt loopt hij zwalkend onder haar gewicht verder.

'Hij zei dat hij dacht dat het afgelopen was toen je om je moeder riep. Toen heeft hij antwoord gegeven en je verder gedragen, zoals elke moeder gedaan zou hebben.'

'En ook deze bank herinner ik me,' mompelt ze, wanneer hij haar daarop legt. 'Ik ben nu dronken, ik herinner me dat hij aanvoelde alsof hij van fluweel was en een grassige geur had, en ik herinner me wat ik hier allemaal heb liggen fantaseren. Er was toch een geest, hè, die al onze gangen in de gaten hield? Hoe noemden we haar ook alweer?'

Hij laat zich op de vloer zakken en leunt met zijn hoofd tegen haar knie. 'Hester,' zegt hij, terwijl zij met haar geopende hand over zijn wang strijkt.

'Ja, Hester. Ik wist het nooit zo precies, wat Hester betreft. Wat was er gebeurd? Was ze jong gestorven? Door een gebroken hart? Of allebei – waarom niet allebei, wat een manier om dood te gaan.'

'Het verhaal was steeds weer anders,' zegt Gregory, 'net als wij.'

'Natuurlijk. Het was die pop, hè, de vrouw in het wit. Ben jij al een kind geworden?' vraagt ze, en ze strijkt met haar vinger over zijn lip.

'Het begint erop te lijken,' zegt Gregory.

'Herinner je je dan de dag dat George haar zag bij het oude mangat in het veld bij de rivier? Ik deed natuurlijk maar alsof, ik fantaseerde alleen maar dat ik haar had gezien, en weet je waarom ik deed alsof?'

'Waarom dan?' vraagt Gregory, omdat hij dat moet vragen.

'Omdat ik alles zou hebben willen voorwenden om in jouw wereld te komen. En niet alleen in jouw wereld, maar ook in die tovercirkel waar jij en je zus Nina in stonden. Zo graag wilde ik dat: erbij horen, dat voorrecht genieten. Dus als ik dan door een geest te zien erin toegelaten kon worden, nou, dan zag ik een geest. Bij Georgie ging het helaas anders. We troffen hem aan met een snoeischaar in zijn handen waarmee hij als een dolleman op een stuk hout inhakte. Hij zag bleek en hij beefde. "Georgie, wat is er aan de hand?" zei ik. "Je ziet eruit alsof je Hester hebt gezien." Ik gebruikte die naam expres, weet je. Als cliché.'

"Ik heb haar gezien," zei hij.

"Was ze in het wit?" vroeg ik.

"Nee," zei hij, "in het zwart."

"George, je hebt je gesneden," zei ik.

"Nee," zei hij, "ik heb háár gesneden."

Ik veegde zijn handen af, en ja hoor: zijn huid was intact. "En wiens bloed is dat dan?" vroeg ik. "Het hare," zei hij.'

Ze trekt zijn hoofd tussen haar geopende knieën in de plooien van haar rok. 'Zijn we nu weer kinderen, Gregory? Hebben we de dreigende volwassenheid kunnen afwenden?'

'Dat kunnen we niet,' antwoordt hij.

'Maar je weet het vast nog wel, je was erbij. We hebben hem aan de hand mee naar de rivier genomen, Nina, jij en ik, en we hebben heen en weer gezwaaid aan de schommel die je vader aan de overhangende tak van de kastanjeboom had gemaakt. Toen jij me een zet gaf, draaide ik me om en zag ik hem in het water staren terwijl hij nog steeds in het hout stond te hakken, en toen al wist ik dat er iets mis was. Alsof hij iets anders zag dan waar hij naar keek. Misschien wist ik toen al dat dat verschil niet meer overbrugd zou worden. Het spijt me, maar ik heb te veel gedronken en ik word een beetje – hoe zeg je het ook weer? Melodramatisch? Heet het zo, Gregory?'

'Bespiegelend klinkt aardiger,' mompelt hij.

'Mag ik hier blijven slapen, Gregory? Dan ga ik wel op de bank liggen, en ben ik morgenochtend weg.'

Ze sluit haar ogen en legt haar hoofd op de bekleding van bruin velours. Als hij opstaat, lijkt het net alsof hij teleurgesteld is. Hij trekt haar schoenen uit, tilt haar benen op en legt ze op de bank.

'Een deken zou ik wel lekker vinden,' fluistert ze.

~

Toen ze met George aan haar arm het ziekenhuis verliet, liepen ze het lichtgekleurde betonnen pad op dat om het ronde stukje groen heen liep, zij met een beetje een nieuw gezicht en George met een starende blik die hij daarvoor niet had gehad. Want hij staarde nu echt, hij staarde naar iets vlak voor datgene wat hij eigenlijk zou hebben moeten zien. Er stond iets op het pad waar hij eigenlijk naar had moeten kijken, maar het was alsof hij het helemaal niet zag. Het was een automobiel, en haar vader stond trots bij het geopende portier met om zijn hoofd een automobilistenkap met oorflappen als van een vliegenier.

'Henry Ford moest ons maar thuisbrengen in plaats van Garibaldi, dacht ik zo,' zei hij, terwijl hij de motor met één beweging van de slinger tot trillend leven bracht.

George hield het openzwaaiende portier in de gaten, en toen hij er eenmaal in zat en ze op weg gingen, het hek van het ziekenhuis, dat in de voorruit vervormd voorbijgleed. De zon scheen die dag fel en wierp harde, donkere slagschaduwen, de etalages van de winkels aan Shop Street waren hel verlicht, de vloedstroom op de slikken van Mozambique een verzameling meanderende zilveren strepen.

'Het is voortaan gedaan met die sprongen van jou, George, tenminste als je hoger staat dan je zelf lang bent,' riep haar vader boven het kabaal uit met zijn aardige stem – hij kon niet anders dan aardig zijn.

'We hebben niet gesprongen,' zei George eigenwijs. 'We vielen.'

'Nou, dan is het gedaan met vallen, want dat is minstens zo erg, vind je niet?'

Achter het silhouet van haar vaders hoofd vóór in de auto verscheen het huisje met het rode dak in beeld, met daarachter de vlakke, gloeiende zee. Een groepje kinderen kwam aanrennen om de nieuwe automobiel te begroeten, terwijl Janie met de armen over elkaar achter hen in de deuropening kwam staan. Terwijl de kinderen om de stomende motorkap heen krioelden, pakte Nina de hand van George, liep naar Janie toe en legde hem in de hare.

'Georgie,' zei Janie, 'je bent mooi op tijd voor de thee.' Ze klonk opgewekt, als iemand die graag alles normaal wil laten lijken, terwijl normaliteit toch alleen opvalt als de dingen niet normaal zijn. Toen de auto vertrok, keek hij hem wel na, keek hij naar haar gezicht in het achterraam, dat maar nauwelijks zichtbaar was tussen de hoofden van de kinderen die erachteraan renden. Hij liet zich door Janie achteruittrekken, het huis in, maar al die tijd hield hij zijn blik in de richting van de auto, die inmiddels te midden van zwavelige wolken uit het zicht verdween.

De rest van de zomer was hij Nina's schaduw. Als ze 's morgens wakker werd, stond hij in het natte gras voor haar raam, hij liep achter haar en Gregory aan naar de tennisbaan, haalde de ballen op die ze missloegen en stuiterde die plichtsgetrouw naar hen terug. Als ze naar het vlot midden in de riviermonding zwommen, waakte hij bij hun kleren tegen wind, regen en passanten die misschien hun handen niet thuis zouden kunnen houden. Na een tijdje verdween de starende blik uit zijn ogen en werd die blik een geheime schuilplaats, van waaruit hij incidenteel om zich heen kon kijken, maar als hij het deed, zag zij het altijd en dan wist ze dat die voor haar bestemd was, en voor haar alleen. Hij nam weer zijn rol aan van bereidwillige pias, maar daar was hij nu te groot voor – als ze zijn lippen met een laag lippenstift bedekte, was hij lelijk en grotesk, hoe ze ook hun best deden om erom te lachen. En als ze alleen langs de waterlijn liep, zag ze zijn gestalte in de duinen gelijk met haar op lopen, als een eenzame Quasimodo.

'Waak jij over mijn eer, George?' vroeg ze hem een keer toen ze hem buiten trof en hij haar weer achtervolgde.

'Nee,' zei hij met een vreemd soort waardigheid, 'ik ben je vriend.'

'Soms willen we ook wel eens alleen zijn,' zei ze tegen hem.

'Ik begrijp dat wel,' zei hij, terwijl de hooischelven achter hem in de zonsondergang van eind augustus glansden, 'maar zij niet.'

'En wie is zij?'

'Je weet wel,' zei hij. 'Hester.'

Er ging een koude rilling door haar heen, en ze besefte dat de dingen vreemder waren dan ze dacht.

'Praat ze tegen je?'

'Ze vertelt wel dingen,' zei hij. 'Af en toe.'

'Wat voor dingen?'

'Wat je wilt, wat je denkt.'

'Hoe kan Hester dat weten, als ik het zelf meestal niet weet?'

'Misschien omdat ze nog niet dood is.'

Ze keek in zijn open blauwe ogen en zag achter hem, vaag in het kwijnende licht, Gregory aankomen.

'Hester was een pop, George, ze hoorde bij het spel dat we speelden toen we klein waren. Ze is nu weg.'

'Ik wou dat dat waar was,' zei hij.

De dag daarop was het de laatste zondag van het laatste zomerweekend en gedroegen ze zich expres als kleine kinderen, misschien omdat ze dat niet meer waren. De maandag daarop zouden ze naar verschillende scholen gaan; de oude rijksschool aan de weg naar Termonfeckin met de meeuwen en de zure melk en de liniaal van juffrouw Cannon was voor hen verleden tijd – en George zou helemaal niet meer naar school gaan.

Toen ze 's ochtends wakker werd, stond hij er niet, in het bedauwde gras voor haar raam. De mist die als tabaksrook om de nog resterende hooischelven kringelde leek zijn afwezigheid nog te benadrukken. Ze dwaalde Gregory's kamer in en ging op zijn rommelige bed zitten totdat hij wakker werd. Ze hield van het geluid van zijn ademhaling en de wijze waarop de mouwen van zijn pyjama zich om zijn dunne, lange armen plooiden. Maar vooral hield ze ervan om naar hem te kijken nu hij niet wist dat er iemand keek, nu hij sliep en zich totaal niet van haar bewust was, alsof ze helemaal niet bestond. Ze besefte ineens waarom ze 'een-saam' zo consequent verkeerd had gespeld: dat was de toestand die ze in zijn afwezigheid had moeten verdragen. Ze had medelij-den met het meisje dat ze geweest was, het eenzame meisje dat niet wist dat ze eenzaam was, en bedacht hoe vreemd het was om een gevoel pas echt te kennen als je het al niet meer had. Nu, ach-teraf, realiseerde ze het zich pas echt, en ze vroeg zich af of de tijd altijd zo werkt en ons de werkelijkheid van onze toestand pas be-wust doet worden als die toestand al voorbij is. Toen werd ze over-vallen door een gevoel van paniek, als een plotselinge golf water of een stortvloed van tranen, bij de gedachte dat het weer zo zou kunnen worden. Als het weer zo werd, zou het een harder soort eenzaamheid zijn, een eenzaamheid die zichzelf kende, die het woord ervoor kende, de toestand kende, wist hoe die tot stand was gekomen. Die gedachte joeg haar angst aan, maakte haar stil en zwijgzaam. Ze vroeg zich af hoe het zou zijn als hij niet meer wak-ker zou worden, als hij de rest van haar leven zo zou blijven slapen, vredig ademend, het beddengoed over zich heen. Zou de angst voor eenzaamheid dan verdwijnen of zou die juist erger worden, vroeg ze zich af, en toen werd hij wakker.

Het werd voor het eerst weer langzaam hoogwater op Mozambi-que, het water kroop in kleine stroompjes over de gebarsten grond alsof het gaandeweg de hele wereld zou overstromen. Vóór hen stond een paard, een loslopend renpaard, de hoeven vast in de modder, paarse en gele stalkleuren, het zadel scheef, schuim op de open mond. George stond erbij, stak zijn hand uit om het dier over zijn snuit te aaien. Als het hinnikte, trok George zijn hand te-rug en stak hem dan weer uit, elke keer een beetje dichter naar hem toe. Janie zat met opgetrokken knieën op een rotsblok.

'Ze moet losgebroken zijn op de renbaan van Laytown,' zei ze met een kennersblik. 'Ze is het hele strand af gerend, tot hier toe.'

'Hij,' zei George.

'En de rivier dan?' vroeg Gregory.

'Hij is erin gesprongen en naar de overkant gezwommen.'

'En de jockey?'

'Die heeft hij in Laytown afgeworpen. Of hij heeft hem er in de rivier afgegooid. Hoe dan ook, hij is nu even voor ons.'

George veegde schuim van de snuit van het paard en fluisterde iets in zijn oor.

'Wat zeg je allemaal tegen hem, Georgie?' vroeg Janie ontspannen en kwam langzaam wat dichterbij.

'Geheimen. En pas op voor zijn achterbenen.'

'Mogen wij ze ook weten?' vroeg Nina.

'Nee,' zei hij, en hij klonk ineens zelfverzekerd. De spieren op zijn lichaam leken qua stevigheid en zwaarte op die van het paard. Weer fluisterde hij iets.

'Ik heb wel eens landlopers met pony's horen praten,' zei hij.

'Hoe klinkt dat?'

'Achteruitpraten is het. Geef me eens een voetje.'

Ze schoof haar handen voor hem in elkaar zoals ze hem had zien doen bij de Maiden's Tower en moest moeite doen om ze bij elkaar te houden terwijl hij zichzelf omhoogtrok. Het paard rilde toen hij erop ging zitten, stapte in steeds grotere cirkels rond in de modder. George fluisterde nog iets, en toen kwam het paard tot rust.

'Wat denken jullie: zal ik haar laten galopperen?'

'Ik weet het niet,' zei Nina.

'Ach, waarom niet?' zei Janie, en ze gaf het paard een klap in de flank.

Het steigerde een paar keer, maakte luide zuigende geluiden in de modder, en ging ervandoor, en toen het op harde grond terechtkwam, begon het harder te galopperen, het sprong over het prikkeldraadhek en verdween in wolk van opgeworpen zand achter de duinen. Met z'n drieën bleven ze ademloos achter, Janie schreeuwde het uit, van angst of van plezier of van beide, en rende erachteraan. Toen ze bij de duinen kwamen, was van George en het renpaard niet veel meer te zien dan een wit vlekje, als van één schuimkop in een voor de rest kalme zee. Na een tijdje leek het witte vlekje uitgeput te raken. Het draaide om en keerde langs dezelfde weg terug, met plotselinge uitbarstingen van wit schuim aan de waterlijn.

Ze liepen door de zandduinen in de richting van het paard en de zee. Ze hadden nu geen haast meer, George was niet weer gevallen en had geen botten gebroken, het paard was niet op hol geslagen en zij waren uitgeput zoals ook het paard uitgeput moest zijn van zijn waanzinnige inspanning. George, het glinsterende water zachtjes kabbelend om zijn dijen, zat als een minuscule sater vastgekleefd op de rug van het paard, dat zich langzaam omdraaide en zijn snuit in de kalme golven stak. Eindelijk leek hij op de echte George, alsof een onaanzienlijke pop ten slotte zijn cocon en zijn starende blik had afgeworpen en zich had ontplooid tot een prachtig groeisel op de manen van het paard. Ze waadden door het water naar hem toe, en Nina voelde het natte, stroperige zeewater om haar benen en haar jurk klemmen.

'Wil er nog iemand een ritje maken?' vroeg hij, terwijl hij het dier voorzichtig omdraaide zodat het hen aankeek.

'Ik,' zei Nina, die het schuim op de flanken van het paard met zeewater wegspoelde.

'Dat kun je niet,' zei George, en ze was verbaasd om het gezag dat in zijn stem klonk.

'Nee,' zei ze, 'maar Gregory kan het wel. Hij is tenslotte een Engelsman.'

'Wat heeft dat er nou mee te maken, dat hij een Engelsman is?' vroeg George.

'Het huis van een Engelsman is zijn kasteel, en zijn paard is zijn zegekar. Nietwaar, Gregory?'

'Zegekar?' vroeg Gregory, en Nina hoorde de trilling in zijn stem.

'Dat is een gezegde.'

'Of is het dat het huis van een Engelsman zijn paard is? In beide gevallen, hup Gregory. Erop.' En nu verbaasde ze zich over het gezag in haar eigen stem. Zou het dan toch waar zijn dat paarden het beste in de mens naar boven halen? 'En jij eraf, George.'

George gleed tussen de schuimslierten van het zadel op het zand onder water. Hij leunde met zijn rug tegen het rillende paard en schoof zijn vingers in elkaar.

'Kom, Gregory.'

En Gregory kwam. Hij zette een voet in de ineengestrengelde handen, en met één snelle, behendige beweging hees George hem omhoog. Nina keek hoe hij zich in het zadel installeerde, stijf en met de sierlijkheid van een potlood, en concludeerde dat paarden bij de mens inderdaad het beste naar boven haalden.

'Zou hij er geen twee kunnen hebben?' vroeg Gregory terwijl hij de teugels om zijn handen wikkelde.

'Waarom niet?' zei Nina, die nu het gevoel had dat ze niet echt gezag bezat. George leunde achterover tegen de trillende flank, klemde zijn handen weer ineen, en liet zich door Nina gebruiken als opstapje. Ze zette haar natte schoen in zijn handen, legde haar natte handen op zijn schouders en hees zichzelf uit de zee omhoog. Ze ging op de natte verhoging van het zadel zitten, voelde hoe het paard onder haar rilde alsof het meer wilde weten van de nieuwe last, waarna het zachtjes zijn gewicht van hoef tot hoef verplaatste, zodat haar benen in het water wel karntonnen leken, een gevoel dat helemaal niet onplezierig was.

'Hou hem vast aan zijn riem,' zei George, en dat deed ze, en ze dacht bij zichzelf dat ze net zo gedwee gehoorzaamd zou hebben als hij had gezegd dat ze zichzelf en haar familie maar moest opknopen.

'Hoe is het als hij galoppeert?' vroeg ze.

'Net als vallen,' zei hij, 'maar dan zonder ooit de grond te raken.'

Ze sloot haar vingers om Gregory's riem en voelde het flanel van zijn onderbroek ertegenaan en de kleine harde uitschulpingen van de wervels onder aan zijn rug tegen haar knokkels.

'Ben je klaar?' fluisterde ze.

'Ja,' zei hij, 'maar hoe krijgen we hem aan de gang?'

'Je moet hem schoppen,' zei George.

Gregory trok de teugels aan en drukte zijn hakken in de buik van het paard. Het paard liet een zacht gejank horen, maar kwam niet in beweging.

'Harder,' zei George, en Gregory drukte nogmaals zijn hakken aan. Het paard bewoog, plonsde wat heen en weer, maar bleef staan waar het stond. Toen hief George zijn rechterhand op en sloeg het hard op zijn achterste, waarop het even op zijn achterbenen ging staan en toen in galop wegschoot.

Ze voelde helemaal niet het gebonk dat ze had verwacht, het was meer een gevoel te vliegen. Het paard ging ritmisch op en neer onder haar, en of ze nu naar omhoog ging of naar omlaag, door de snelle beweging naar voren bleef ze dicht tegen Gregory aan gedrukt zitten. Het moest dus een vallen zijn, dacht ze, zoals George had gezegd, terwijl ze haar kleine borsten tegen zijn schouderbladen drukte, haar vingers om zijn broekriem klemde en haar kin in de zijkant van zijn hals boorde. Het water spatte om hen heen op als opvliegende parels, en de zeiler van het jacht dat hen rechts passeerde en waarvan het rode zeil doelloos de andere kant op zwabberde, groette hen met een traag armgebaar. Kom op jongen, kom op jongen, kom op, mompelde ze, als een zigeunerin die een mantra opzei. Toen hield het strand op en renden ze voort over het zeegras en de wilde zeekraal, tussen de duinen en het boerenland daarachter. Er stond een hek van prikkeldraad, maar het paard sprong eroverheen, een akker vol met augustusgerst in, waar hij een zigzaggend spoor van geknakte halmen in trok totdat hij stokstijf bleef staan toen hij iets hoorde. Weer viel ze, met haar broer deze keer, ze vloog door de lucht, over het gebogen hoofd van het paard heen.

Dit was een andere val, een futlozer soort val, en ze zou zich naderhand herinneren dat ze, terwijl ze met haar handen nog om zijn riem door de lucht schoot, bij zichzelf dacht: als ik dan toch moet vallen, dan wil ik met hem vallen. De dikke gerststengels vingen hen op met zachte, gecapitonneerde armen, weken voor hen uiteen en boden hun ruim baan, zodat ze door konden rollen totdat ze tot stilstand kwamen. Zij lag boven op hem, moest niezen door het kaf in de lucht, en met haar vingers nog om zijn riem lachte ze uitbundig, hoestend van het stof, totdat het geluid haar deed zwijgen.

Het was het geluid van schrapen van een zeis aan een steen, een slag omhoog, een slag omlaag, en dat ging zo door in hetzelfde vaste ritme, alsof het de maat aangaf voor een dans. Ze keek op en zag vonken oplichten tegen het gele gerst, vonken van de slijpsteen die langs het blad van de zeis gehaald werd. Het blad stak donker af tegen het zonlicht, en daarachter zag ze de omtrekken van een groot, bebaard gezicht met eromheen een monnikskap.

'Heb je nou spijt?'

Nina onderdrukte een lach en keek omhoog. Ze wist niet wie het was, maar hij stond daar omgeven door de dansende gersthalmen, de zeis boven de bruine kap op zijn hoofd geheven. Ze liet haar blik omlaaggaan langs het gewaad met de bruine plooien. Er stak een stevig lichaam in, dat om het middel omgord was met een smerig koord, terwijl de rand van de pij daaronder zachtjes boven in sandalen gestoken voeten heen en weer zwaaide.

'Waarvan, meneer?' kon ze maar net uitbrengen.

'Omdat je onze gerst kapotmaakt.'

'Bent u de duivel?' vroeg ze om een reden die ze niet begreep.

Hij lachte. 'Nee,' zei hij, 'maar ik heb wel een verduiveld slecht humeur. Hoe moet ik dit aan de abt uitleggen?'

'U kunt tegen hem zeggen dat het ons spijt, meneer,' zei ze. 'Het paard rende maar door en we konden niet...'

'Het lag dus aan het paard?'

Ze keek opzij en zag het paard achter zich staan. Het stond naast Gregory, die op de grond lag, rustig aan de gerst te knagen, en even ging er een rilling over zijn huid, als een laatste zuchtje wind over het water. Tussen de benen van het paard was een lange, zwarte vuist te zien, die almaar groter werd.

'Is hij dood?' vroeg ze. De gedachte was voor haar gevoel gigantisch in vergelijking met die van het woord.

'Ik hoop van niet.' Hij liet de zeis in de gerst vallen, en het paard hinnikte even bij het geluid. Hij liep naar het paard toe, dat steigerde en boven Gregory's hoofd met zijn hoeven door de lucht maaide. Ze gilde, hij pakte de rondslingerende teugels, trok de agressieve mond naar zich toe en gaf het dier met zijn vrije hand een stomp in zijn buik en liet de teugels in zijn andere hand los. Het paard schopte en rende toen tussen de gerst door, een nieuw pad van platgetreden stengels trekkend. Zand opschoppend sprong het over het hek en verdween zoals het gekomen was.

Hij boog zich over Gregory, hielp hem voorzichtig rechtop te zitten, draaide zijn gezicht naar de zon en opende een van zijn oogleden.

'Hoe heet hij?'

'Gregory.'

'Ben je al dood, Gregory?'

'Wie is hij, Nina?' vroeg Gregory langzaam terwijl hij zijn blik van de een naar de ander liet gaan.

'Geen duivel in elk geval,' zei ze.

'Nee,' zei hij met een glimlach, 'ik ben broeder Barnabas.'

Toen droeg hij hem door de tot aan zijn middel reikende gerst, en Nina liep achter hem aan. Ineens werd ze door doodsangst overvallen, pas nádat het gebeurd was. Het idee dat hij in dit zon-overgoten veld dood zou zijn gegaan kwam haar absurd, irreëel voor, maar het feit dat het überhaupt mogelijk was, bezorgde haar rillingen. Ze hoorde snikken, en realiseerde zich dat ze het zelf was.

'Huil je, Nina?'

'Nee,' zei ze, 'ik ben alleen...'

'Alleen wat?' vroeg hij, terwijl hij ervoor zorgde dat Gregory niet geraakt werd door de heen en weer zwaaiende gerststengels vlak voor hem.

'Je bent bang voor wat ik tegen de abt zal zeggen.'

'Ja,' loog ze.

'Nou,' zei hij, 'daar hebben we nog tijd genoeg voor.'

Op een lichte verhoging in het veld stond een knoestige boom, en eromheen groeide de gerst minder dicht opeen. Onder aan de boom lag een kleine ronde poel met een rand van brokkelig steen. Hij knielde neer bij de poel, hield Gregory's hoofd omlaag en dompelde het in het water.

'Is het water koud?' vroeg hij aan Gregory, die knikte. 'Kun je mijn gezicht zien?' Weer knikte Gregory. 'Kun je staan?'

Gregory haalde diep adem, en hij draaide hem opzij en zette hem met zijn voeten op de grond. 'Wat herinner je je?' vroeg hij.

'Dat ik viel,' zei Gregory langzaam.

'Nee,' zei hij. 'Je was dood. Het water heeft je het leven teruggegeven. Is het niet, kleine Nina?'

'Was dat zo?' vroeg ze, en deze gedachte joeg haar meer angst aan dan alle andere gedachten tot dusver.

'Heb je engelen gezien?' vroeg hij. Gregory schudde zijn hoofd.

'Jammer,' zei hij bedroefd. 'Zij hadden je kunnen vertellen wat we tegen de abt moeten zeggen.'

Hij stak zijn handen uit, pakte allebei hun handen en trok hen naar zich toe. Hij hurkte neer, zodat de bruine pij tot halverwege zijn knieën werd opgetrokken.

'We zouden hem de waarheid kunnen zeggen: dat Nina en Gregory met een paard door het gerstveld zijn gereden.'

'Moet dat?' vroeg Nina.

'We moeten hem de waarheid vertellen. Maar ik denk dat de waarheid is dat het paard uit eigen beweging door de gerst rende.'

'Ja, dat is zo,' zei Gregory.

'En wat moet ik tegen hem zeggen over Nina en Gregory?'

'Niets,' zei Gregory.

'We gaan van uw land af,' zei Nina. 'We lopen precies zo terug als we gekomen zijn, alsof we helemaal nooit hebben bestaan.'

'Misschien is dat ook wel zo,' zei broeder Barnabas.

'Wat?'

'Dat jullie niet bestaan.'

'Dat kan toch niet, dat we niet bestaan?'

'Misschien bestaan jullie alleen in een droom die de abt nu op dit moment heeft in de kloostertuin. Hij houdt ervan om na het eten een dutje te doen. Dus ik stel voor dat jullie gauw maken dat je wegkomt, voordat hij wakker wordt.'

Ze renden langs de rand van het gerstveld en zagen hem verder het veld in lopen naar de plek waar zijn zeis tussen het vertrapte graan lag, en het laatste wat ze van hem zagen, was dat zijn zeis het zonlicht weerkaatste terwijl zijn monnikskap vooroverboog en op en neer ging.

'Dus we bestaan wel, Gregory?' vroeg ze toen ze weer bij de kust waren.

'Nee,' zei hij, terwijl hij met zijn blote benen in het water rondspetterde. 'Iemand anders droomt van ons.'

'Is het dan een goede droom?'

Onder het lopen pakte hij haar hand. 'Het is een fantastische droom van pret,' zei hij.

'Pret,' zei ze. 'Dikke pret.'

Ik heb zelf af en toe van die abt gedroomd, die lag te slapen in de ommuurde tuin van dat klooster dat ik nooit heb gezien, voorbij het gerstveld, dat ik wel heb gezien, een dikke man op een ligstoel onder een laatbloeiende kersenboom, waarvan af en toe een bloemblaadje naar beneden dwarrelt en op zijn slapende kale hoofd valt, aangezien zijn kap afgegleden is en op zijn rug hangt in de warme, door het gezoem van bijen nog dikker lijkende zomerlucht. Hij was de drager van de dromen in de laatste kring van dromen, maar hij sliep zelf, zodat hij het niet kon weten, en als de verstoring bezit van mij nam, de onrust die ik maar al te goed zou leren kennen, de leegte, zou ik mezelf troosten met de mogelijkheid dat ik ten slotte de droom was van die onzichtbare abt, en dat mijn leegte de zijne was.

20

Janie slaapt zoals iemand slaapt die negen whisky's op heeft – of waren het er tien? – en droomt van die septembermorgen dat ze in het parelgrijze uniform de oprijlaan van het Siena-klooster op liep. George keek toe hoe ze haar kousen netjes om de randen van haar laarsjes sloeg, en op zijn vraag had ze geantwoord dat de meisjes van het Siena het nou eenmaal zo deden, en wat of hij daar nou eigenlijk van wist? George beaamde dat hij daar maar heel weinig van wist, en toen gingen ze bij het hek uit elkaar. Hij ging naar de aardappelaanplant van tuinderij Keiling. Nina, ontdekte Janie toen de voordeur eindelijk openging, had haar kousen tot boven de knie opgetrokken. Er volgde een discussie over de stijl die bij de meisjes van het Siena de voorkeur had, een discussie waaraan Gregory, gekleed in de grijze cricketkleding van de Sint-Lawrence Grammar School, hoegenaamd niets bijdroeg. De kwestie werd opgelost door meneer Hardy, die een mooi compromis voorstelde: de kousen zouden worden opgetrokken tot onder aan de knieschijf, aangezien de knie, zoals Ruskin ooit had opgemerkt, zo kenmerkend was voor de schoonheid van een jongedame.

En zo zag George, terwijl hij met de dagloners aardappels aan het poten was langs de weg naar Baltray, hoe de sjees op weg ging naar Drogheda, met voorin Gregory en meneer Hardy en achterin Nina en zijn zus Janie, de knieën bloot in de septemberlucht. Het viel hem op dat de kousen tot net onder de knieschijf waren opgetrokken en hij bedacht dat dit dan zeker de manier was waarop de meisjes van het Siena ze droegen.

En nu ligt Janie te dromen, en ze droomt dat Gregory, met de omzichtige gang van een reiger die zijn weg zoekt over de slikken, op het groepje kinderen af loopt dat voor de gevel met de kantelen van zijn middelbare school staat; ze droomt van de neogotische boog aan de ingang van het Siena-klooster, van de glans van gepolitoerd esdoornhout in de halfdonkere gangen, van de geur van bleekmiddel en lavendel, van zuster Annunciata met haar witte kap, van zuster Camille, de jonge novice uit Mayo, die met hen beiden aan de hand door de tuin liep en die de indruk wekte dat ze in deze gedempt levende gemeenschap net zo nieuw was als zijzelf. Op sommige dagen gaf ze Janie een kneepje in haar hand, op andere dagen Nina, en vijf jaar lang hadden ze zich afgevraagd wie van de twee haar het liefst was. Net als Janie had ze herinneringen aan de weg van Leelane naar Louisburg, de baai met de schuimende Atlantische Oceaan, de kronkelende landweg erboven die naar het huisje met het rieten dak en de altijd rokende schoorsteen van haar familie leidde, aan het bed waarin haar vijf zussen sliepen en dat ze zo miste. Nu sliep ze in een ijzeren ledikant met een blauwwit geblokt gordijn, met alleen de troost van de beproevingen van de heilige Catharina. En net als Nina had ze een devotie voor die Sint-Catharina en haar stille extases, en terwijl ze haar vingers over de zachte huid van de muis van haar duim liet gaan, waarschuwde ze haar voor snelle dansen, theaterbezoek en romantische verhalen. Ze had echte tranen geschreid toen ze weggingen, was in de donkere gang op weg naar de mis achter hen aan gekomen toen ze langs de warme keuken liepen en had daar eerst het ene meisje en toen het andere gekust – o wat een genot, o wat een verrukking! En in haar slaap vraagt Janie zich af of ze, sinds ze volwassen is, nog passies heeft gekend die daaraan konden tippen.

Terwijl George in de slordige rij ongewassen dagloners langs de verhoogde koolraapakkers liep, gaf hij zich over aan dagdromen, over Gregory, over Janie, maar vooral over Nina. De dagdromen maakten het gezelschap waarin hij verkeerde bijna draaglijk. Het waren merendeels ambulante patiënten van de inrichting waarin hij op een dag zelf zou worden opgenomen, en ze bewogen zich als stom vee langs de rijen koolrapen. Hun vingers zagen zwart van de natte aarde, hun laarzen werden gaandeweg zwaarder van de modder. Het regende hard, maar niet hard genoeg om met werken te stoppen. Daar was onweer voor nodig. Er ging een luid geweeklaag op in de rij gekken, maar Keiling wist ze in bedwang te houden totdat het begon te weerlichten; toen kon hij noch zijn zoon de meute nog tegenhouden. Ze togen naar de enige schuilplaats die er was: de ronde heuvel aan het einde van de akker met daaromheen een rij sleedoorns, waar de groep onder de kale takken beschutting zocht en alleen George naar de met gras begroeide stenen deur liep en naar binnen ging.

Het was donker binnen, voorbij de latei van oud kalksteen, in de met korstmossen afgezette ronde groeven, slechts af en toe even verlicht door de bliksem, waarna de donder steeds sneller volgde, totdat ze elkaar overlapten in een drie of vier minuten durende opeenvolging van luidruchtige bliksemflitsen. George zag dat er een gestalte was uitgehouwen in de rotswand, een gestalte met het hoofd van een vrouw die met een onaardse grijnslach omhoogkeek, de knieën van steen uit elkaar, de handen van steen ertussenin.

Toen donder en bliksem voorbij waren, gingen de anderen hem uit de weg alsof hij besmet was door een wereld waar zij geen deel van wilden uitmaken. Wat George allang best vond: dan kon hij van de heuvel zijn schuilplaats maken, in het halfduister daar binnen zijn boterhammen opeten en kijken hoe de silhouetten van de anderen onder de sleedoorns thee zetten.

In het voorjaar werd zijn werk makkelijker. Hij kreeg een geweer in handen gestopt om er op de pasgezaaide akkers mee heen en weer te lopen en ze vrij van kraaien te houden. Het begin en het einde van zijn werkdag gingen gepaard met het klepperen van de hoeven van Garibaldi, die Nina naar en van het Siena-klooster in Drogheda bracht. Dan zwaaide hij vanaf de akker waar hij stond, vuurde bij wijze van groet een schot af in de richting van de rondvliegende kraaien. Aan het einde van de werkdag liep hij naar huis, en naarmate de zon de dagen deed lengen, bracht hij steeds meer tijd door in de schuur van Mabel Hatch, bij de akkers van haar vader, waar ze elkaar dan ontmoetten, alsof de schuur gemeenschappelijk terrein voor hen was, nu ze gescheiden van elkaar de dag doorbrachten, terwijl ze in hun kinderjaren altijd samen waren geweest. Zijn spieren waren inmiddels harder geworden, zijn lichaam was zwaar als dat van een landarbeider aan het worden, zijn blauwe ogen waren verzonken in zijn door de wind geteisterde, door de zon verbrande huid. Maar alle drie waren ze evenzeer vreemdelingen in de nieuwe werelden die ze hadden betreden, en die vreemdheid versterkte hun onderlinge band.

Ze kregen er een nieuwe metgezel: een bosuil die af en toe vanuit het gouden licht naar binnen vloog. Twee zomers kwamen en gingen, en de bosuil bleef hen gezelschap houden als een beschermengel, als de geest van hun kinderjaren, als hun huisgeest, en George ging haar – hoe anders? – Hester noemen. 'Je moet Hester uit je hoofd zetten,' zei Nina. 'Zij is allang weg, al heel lang.' Maar George hield voet bij stuk, Hester was de bosuil, en de bosuil was Hester.

De naam klonk Nina vreemd in de oren, als een opgedolven scherf van een wereld die voorgoed verdwenen was, en ze realiseerde zich dat ze nieuwe woorden nodig had, andere woorden, voor die andere wereld die om hen heen was ontstaan. Een geheel nieuwe taal zelfs. En eind september van dat jaar vond ze die ineens, met de hulp van zuster Annunciata.

21

Rosalinde, nichtjelief, wees vrolijk alsjeblieft.

De repetitie begon tussen de touwen en de bok in de tochtige gymnastiekzaal, die niet meer in gebruik was omdat toneelonderricht in deze fase van de vorming van katholieke jongedames geschikter werd geacht dan gymnastische oefeningen.

Lieve Celia, ik toon al meer vrolijkheid dan ik in me heb, en jij wilt dat ik nog vrolijker ben?

Celia had iets onbenulligs, dat was iets voor Janie, maar de rol van Rosalinde eigende Nina zich meteen toe, die beschouwde ze als werkelijker dan zichzelf, werkelijker dan de geest die haar met tussenpozen kwelde. Rosalinde zou voor altijd en zelfs daarna nog bij haar blijven, zij zou de meesteres zijn van haar stemmingen, de troost van haar vak, de wijze, de warmvoelende, de slimme, de liefhebbende en misschien zelfs de geliefde vrouw. Door zich anders voor te doen dan ze is, beseft ze meteen, wordt Rosalinde zichzelf, aangezien zijzelf te veel facetten heeft om het personage in één vorm te vatten. De meisjes van het Siena-klooster speelden ook de rollen van de jongens, en de jongens van Sint-Lawrence ook die van de meisjes, en ze repeteerden gescheiden van elkaar tot aan de generale repetitie vlak voor Kerstmis, waar ze naar uitkeken met een onrust als van het kolkende water van in elkaar vloeiende rivieren, want het resultaat zou zijn dat de geslachten zich zouden bevestigen, man werd man, vrouw werd vrouw, het was het een óf het ander.

'Jij bent Jacques, helemaal Jacques, zorg dat jij die rol krijgt,' zei Nina tegen Gregory. Maar vanwege zijn lengte en zijn afgemeten manier van spreken zadelden ze hem op met Orlando. Daarom studeerde hij thuis aan de keukentafel de rollen allebei in, en in de weekends in de druipende plantenkas.

'Ze zeggen dat je een melancholieke kerel bent.'

'Ja, dat is zo; dat beval me beter dan lachen.'

'Als de wereld volmaakt was, zou Rosalinde van hen allebei houden, denk je niet, George?' vroeg ze. Ze hadden George ge-vraagd om in de weekends Toetssteen en zijn plejade van narren te spelen.

'O, wakkere nar! Dat bonte pak, wat een dracht!' Dan Turnbulls oude jas, die hem te groot was en waarvan de ellebogen rafelig wa-ren geworden, een broek die onder de olievlekken zat en die om-hoog werd gehouden met zijn oude schoolriem. 'Ja, nu in het woud van Arden ben ik meer nar dan tevoren.' Hij sprak inmiddels veel boerser dan zij, en zijn handen waren al helemaal overdekt met littekens van scherpe gereedschappen. Vanachter de dode to-matenplanten keek hij hoe Gregory haar het hof maakte.

'Want nu ben ik in een feestelijke stemming en geneigd om ja te zeggen. Wat zou je nu tegen me zeggen als ik jouw echte, ware Rosalinde was?'

'Ik zou je eerst kussen en dan pas spreken.' En ze wachtte met antwoorden totdat hun lippen elkaar raakten.

'Nee, je kunt beter eerst spreken; als je dan met je mond vol tanden staat en niets meer weet te zeggen, kun je altijd nog kus-sen.'

'Zag je die kus, George?' vroeg ze.

'Ik zag hem.'

'Komt zo'n vrijmoedigheid in het stuk te pas?'

'Waarom niet?' mompelde George. 'Iedere nar kan kussen.'

'Maar Rosalinde geeft zich uit voor een baardloze jongeling, die het op zijn beurt goedvindt dat de verliefde Orlando doet alsof hij

Rosalinde is. Als Rosalinde zich door Orlando laat kussen, wordt dan niet de schijn doorgeprikt?'

'Dat hangt ervan af wat voor kus het is,' zei George.

'Hij heeft gelijk,' zei Nina. 'De kus moet kuis en vriendschappelijk zijn, alsof twee meisjes elkaar kussen.'

'Of jongens,' zei Gregory, 'aangezien Orlando denkt dat ze een jongen is.'

'Jongens kussen elkaar niet,' opperde George, waarmee hij op een bijzondere manier een einde maakte aan de discussie.

'Laten we de kus als "nader in te vullen" beschouwen,' zei Janie.

'Een andere vraag is de volgende,' zei Nina, met haar lippen nog dicht bij die van Gregory. 'Als Rosalinde doet alsof ze iemand anders is, en Orlando kust die ander, wie kust dan eigenlijk wie?'

Maar de kus – mooi complex als hij was – bleef erin, en George, die achter de tomatenplanten een Woodbine opstak, keek ernaar. Roken was een gewoonte die hij zich in zijn razendsnelle ontwikkeling tot de volwassenheid had aangewend. Hij hield Gregory de sigaret voor, die eraan zoog en vroeg: 'En hoe bevalt u dit herdersleven, heer Toetssteen?'

'Om de waarheid te zeggen,' zei hij, 'op zichzelf beschouwd is het leven van een herder een goed leven; maar in aanmerking genomen dat het een herdersleven is, stelt het niks voor.'

Gregory reikte de sigaret aan Nina aan, die er ook een trekje van nam, maar moest hoesten.

'In aanmerking genomen dat het een leven in afzondering is, bevalt het me zeer wel,' zei George, 'maar in aanmerking genomen dat het een leven in eenzaamheid is, is het een slecht leven.'

'Waarom doe je het dan, George?' vroeg ze, wat niet aardig was, want ze wist het antwoord al.

'Meneer, ik ben een eerlijk werkman,' antwoordde hij. 'Ik verdien de kost, ik kan me kleden, ik draag niemand een kwaad hart toe en ik benijd niemand zijn geluk.'

Ze was na schooltijd aan de kastanjeboom aan het schommelen, als een kind weer, toen ze de vers aangebrachte letters in de boombast zag. Ze probeerde al schommelend te lezen wat er stond en boog haar hoofd naar achteren en opzij. Eén letter was genoeg, en ze wist de hele regel. *Zoekt een hert een lieve hinde, o het zoeke Rosalinde*. Ze draaide zich om en zag aan de andere kant van de rivier George staan, met Janies exemplaar van de tekst in zijn handen. Hij rookte nog.

'Heb jij dat geschreven, George?' riep ze.

'Wat geschreven?' vroeg hij.

'Die versregel die er in galop vandoor gaat.'

'Op de boom? Die boom brengt slechte vruchten voort.'

Ze schommelde nog even door en keek hem door haar wimpers heen aan, zag hem in het kwijnende licht aan de andere kant van de rivier op- en neergaan. Kind en man tegelijk leek hij, alsof hij die moeilijke stukken ertussenin had overgeslagen. Toen werd ze in haar dagdromerij opgeschrikt door zijn zachte stem.

'Er staat iemand achter je,' zei hij.

'Wie?' vroeg ze, hoewel ze dacht te weten wat hij zou antwoorden.

'Hij die de zoetste roos zal vinden, vindt liefdes pijn en Rosalinde.'

'Dus nu is het dus Rosalinde, en niet meer Hester.'

'Het lijkt erop,' zei hij.

'Is ze mooi?' vroeg ze.

'Nee,' zei hij, 'nu niet meer.'

'Hoe kan het dat Rosalinde dat niet is?'

'Ze was het vroeger wel,' zei hij, en hij gooide zijn sigaret in het water, die even siste en toen naar haar toe dreef.

22

Janie wordt langzaam wakker, de deken glijdt van haar af en valt op de pas in de was gezette vloer. Met haar linkerhand reikt ze, al voordat ze haar ogen heeft geopend, naar haar sigaretten, met haar rechterhand tast ze in haar zak naar het luciferdoosje, en ze trekt kraaienpootjes om haar ogen vanwege haar hoofdpijn door het overmatige alcoholgebruik van de vorige avond. Dan kringelt een rookwolk om haar heen, die weer verscheurd wordt door een rauwe hoest.

Ze loopt door het eenzame huis naar de keuken, waar ze een roestige ketel met water vult, met een volgende lucifer een gasbrander aansteekt en dan Gregory's voetstappen hoort op de trap achter haar. 'Heb je thee?' vraagt ze. 'En je kunt het me nu wel zeggen: heb ik reden om me te schamen voor gisteravond?'

'Op de eerste vraag is het antwoord ja,' zegt hij, en hij reikt haar een blik aan.

'En op de tweede?'

'Schaamte herinner ik me niet,' zegt hij, 'maar ik herinner me verder ook niet veel.'

De ketel begint langzaam te zingen, en Janie gooit wat stoffige blaadjes in een theepot.

'Het doel van een Ierse begrafenis, weet jij wat dat is?'

'De doden begraven,' zegt hij.

'Nee,' zegt ze, en ze laat een somber lachje horen. 'En trouwens, we hebben toch geen lijk? Nee,' herhaalt ze, 'het is een ritueel van een Byzantijnse complexiteit, waarvan schaamte de kern uitmaakt. Het is een gelegenheid om eindeloos handjes te schudden, fluisterend je deelneming te betuigen, toespelingen te maken op ongepaste zaken en grote emoties dapper in bedwang te houden, die naarmate de dag vordert een uitlaatklep zullen vinden. De dag eindigt in een avond van grote uitbundigheid, waarin vanzelfsprekend te veel wordt gedronken, oude wonden worden opengereten en nieuwe worden geslagen, waarin vijandigheden en intimiteiten opwellen als water uit een gebarsten pijp en waarin de dode langzaam wordt vergeten in een chaos van nieuwe emoties die nergens op slaan.' Ze glimlacht spottend. 'Daar zou je toch melancholiek van worden, monsieur Jacques.'

Hij reageert weer met een glimlach. 'Ik kan melancholie uit een lied zuigen zoals een wezel een ei uitzuigt.'

Ze leunt voorover op de tafel en legt haar hand op de zijne, legt haar bonkende hoofd op zijn schouder. 'Zal ik je daarbij helpen, Jacques?' fluistert ze.

'Orlando,' zegt hij. 'Ik was haar Orlando.'

'Maar voor mij was je altijd Jacques,' zegt ze. 'Laat me je dus helpen met de melancholie, het eten, het drinken, de dienst. Laat me je helpen met het kiezen van de lezingen.'

'Wat zou jij dan lezen, Janie?' vraagt hij, met een stem waarin de instemming al te horen is.

'Iets van Rosalinde,' zegt ze. 'Hoe ging het ook weer?'

Maar dit zijn allemaal leugens; in elke tijd zijn de mensen gestorven en door wormen opgegeten, maar niet uit liefde.

~

Tot haar verbazing deed het haar iets, die avond voor de laatste kerstvakantie in de aula van het Siena-klooster, toen de ouders zich in de gang voor de deur verdrongen en van de binnenplaats het geklepper van aankomende en vertrekkende paarden weerklonk. Janie en zij hadden elkaar geholpen met hun versie van de Elizabethaanse kostuums, die ze met kunst- en vliegwerk hadden gemaakt uit een van de wijde baljurken van haar moeder. Achter het doek hoorde ze geschuifel van voeten, en toen ze door een spleet in het gordijn keek, zag ze George, die, in een pak gekocht van zijn loon als boerenknecht, als een van de eersten de aula binnenkwam. Tijdens hun repetities in de plantenkas had hij, zittend achter de dode tomatenplanten, het stuk woordelijk uit zijn hoofd geleerd, wist ze. En terwijl de aula langzaam volstroomde met uit stad en achterland afkomstige familieleden van de jongedames die de nonnen van het Siena-klooster hun aandacht waardig keurden, ging George ergens apart zitten, alleen en zonder familie, stilletjes en uiterst geconcentreerd.

De rode gordijnen bolden op doordat jonge lijven er als in een langgerekte windvlaag achter voorbijschoten. Er klonk een symfonie van gehoest, het gekraak van schoenen, het heen-en-weerschuiven van stoelpoten over de parketvloer, het geknisper van de goedkope programmablaadjes, en door dit alles heen een zacht getik van kralen, terwijl de nonnen met hun kappen op heen en weer liepen door de gangpaden om laatkomers nog een plaats te wijzen alvorens ze zelf plaatsnamen. Toen werden het licht gedoofd, er ging een geroezemoes van verwarring door de zaal, en toen het doek opging, stond daar Gregory met een nauwsluitende zwarte broek en een Robin Hood-hemd op het toneel, kalm en rustig en met de voor hem zo karakteristieke concentratie van een reiger, en zonder enig teken van verwarring nam hij het woord.

Ze keek toe vanuit de coulissen, zag de lampen voor zijn knieën oplichten, zag de opkijkende gezichten in de zaal wegzakken in een diepe, kostelijke duisternis. Daar zat niet langer een verzameling onzekere provincialen die met hun houding geen raad wisten, zag ze, daar zat hun publiek.

Rosalinde, nichtjelief, wees vrolijk alsjeblieft.

Tot haar verbazing deed het haar wat, het deed haar iets op een manier die ze niet eerder had meegemaakt. En net als die keer dat haar pashervonden broer op de drempel van de keuken stond, vroeg ze zich af waar dat gevoel tot dan toe was geweest. Janie glimlachte brutaal bij het uitspreken van haar eerste zinnen, alsof het om een spel tussen hen alleen ging, en leek net zo verbaasd als zij toen het niet Nina was die antwoordde, maar Rosalinde. Rosalinde die niet helemaal zichzelf was, maar meer dan zichzelf, die maar twee uur in het schijnsel van het voetlicht bestond, omgeven door het stof dat hun schoenen opwierpen en in een lucht van oud zweet en schmink. En eigenlijk bestond ze niet in die twee uurtjes, maar werd ze belicht. Haar bestaan ging eraan vooraf, eindeloos lang, en in die twee uurtjes had Nina het voorrecht er leven aan te geven. Ze acteerde, dat wil zeggen ze deed alsof, en door te doen alsof, kreeg ze leven. De gemoedsbewegingen die Rosalinde in haar teweegbracht, roerden haar af en toe bijna tot tranen, maar tot haar verrassing, tot haar vreugde, waren het tranen die ze naar believen kon laten stromen en laten ophouden. Ze kon meehuilen en daarvan genieten, van de essentie van het huilen.

'Liefde is maar een dwaasheid,' zei ze tegen haar broer, 'en verdient evenzeer in een donker hok opgesloten en afgeranseld te worden als krankzinnigen, en de reden dat zij niet op die manier gestraft en genezen wordt, is dat deze maanziekte zo gewoon is dat zelfs de geselaars verliefd zijn.'

Je bent eigenlijk niet aan het gevoel overgeleverd doordat je het sentiment bewust cultiveert en het verfijnt door er uiting aan te geven, besefte ze, maar je bent aan het gevoel overgeleverd doordat je je verbindt met het sentiment, en ze beleefde de twee uren als Rosalinde in extatische verbazing als een verlichte verbintenis.

~

'Ik zal me haar altijd blijven herinneren,' zei Janie, terwijl ze haar hoofd op Gregory's schouders liet rusten, 'in het kostuum dat we hadden gesneden uit dat paarse gewaad dat haar moeder aanhad naar het bal van de Meath Hunt. Ze draaide zich naar me om en zei – hoe was het ook weer? "Lieve Celia, ik toon al meer vreugde dan ik in me heb." Ik was verbijsterd, geschokt zelfs, en zou de slappe lach hebben kunnen krijgen, ik zou hebben kunnen doen alsof het onbenullig schooltoneel was, ik zou een kartonnen boom omver hebben kunnen stoten of met mijn haar verstrikt kunnen raken in de papieren blaadjes van het woud van Arden, en me vervolgens de hele weg naar huis een bult lachen. Maar door de snelheid van haar reactie werd ik zowat gevloerd. Die zekerheid die ze uitstraalde, de manier waarop ze bewoog terwijl ze het zei. Ik realiseerde me dat er nog een andere aanwezigheid was, daar naast me op het toneel. Het was niet Nina, en ook niet Rosalinde – nee, ik was er getuige van dat ze uitgroeide tot iets, maar tot wat groeide ze uit? Help me daar eens bij, Gregory, jij was erbij, in je Robin Hood-pak – je was erbij betrokken, bij dit uitgroeien, bij dit andere waardoor je als aan de grond genageld bleef staan, waardoor je het ene moment lachte en het volgende moment huilde, alsof de Nina die we gekend hadden niet meer dan een geest van de echte Nina was. Er was ineens een realiteit, een realiteit die al die tijd had gesluimerd, geslapen, zoals Sneeuwwitje, of zoals in die vampierfilms waarin ze optrad en waarin ze sliep in de doodskist van haar eigen persoon.'

'Rosalinde was het personage waar ze het meest van hield,' zegt Gregory, 'En dan Viola. Ik heb haar als Viola gezien in *Driekoningenavond*, in een of ander West End-theater, ik weet niet meer welk, en toen zei ze naderhand in dat café bij de Seven Dials tegen me dat het nichten van elkaar waren, Rosalinde en Viola, of misschien halfzusters. Ik kan me nog herinneren dat ik dat een prachtig idee vond: dat er in die verschillende toneelstukken mensen optreden uit één familie. Op die manier zou Toetssteen dan een onwettige zoon van Falstaff kunnen zijn, en Edmund de donkere tweelingbroer van Jacques.'

'Familie,' zegt Janie dromerig, 'wat is ervan geworden? Ik kan me de mijne niet heugen.'

Gregory vat dat op als een aanwijzing dat ze klaar is met haar dromerijen, hij tilt haar hoofd voorzichtig van zijn schouder. 'Weet je echt heel zeker dat je wilt helpen, Janie?'

'Het zou mij helpen als ik jou kon helpen,' zegt ze. 'Samen zouden we haar weer tot leven kunnen brengen.'

~

Als ik een vrouw was, zou ik ieder van jullie kunnen kussen die een baard heeft en die me bevalt, wiens huid me bevalt en wiens adem ik niet kan weerstaan.

Maar ze was een meisje, nog geen vrouw, half meisje half vrouw misschien, ze zag Gregory achter de coulissen en stelde zich George voor ergens in die zee van donkere gezichten toen ze een revérence maakte en afscheid nam van zichzelf. Het doek viel, of juister gezegd: het werd met schokkerige bewegingen voor het toneel langs getrokken door een spookachtige witte nonnenkap, en het applaus begon al voordat het gordijn helemaal dicht was. Ze hoorde het applaus, of nogmaals juister gezegd: ze hoorde een uitbarsting van gejoel, stampen op het parket, en dat alles begeleid door hard klappen. De nonnen trokken de gordijnen weer open toen ze elkaar even aangeraakt hadden, terwijl ze nog midden in haar revérence was en de rest door elkaar liep om zich in een falanx achter haar op te stellen. En ze voelde een plotseling leegte over zich komen, alsof datgene wat haar twee uur lang had vervuld wegebde, alsof er een ballon leegliep.

Toen het gordijn werd dichtgeschoven, werd het donker, maar toen kwam er een ander soort licht, en dat was het begin van mijn opname in het licht zelf en in de duisternis daaromheen: voetlichten, booglampen, toplichten, spotlights, elk een eigen kegel van licht in de duisternis, om een wang reliëf te geven, een haar uit te lichten, een lip te strelen, een oog te doorboren, meestal van mij.

We stommelden rond in de duisternis achter de zware gordijnen, totdat ze opengetrokken werden, en waar een zwart gat was geweest, een onzichtbaar publiek, stonden nu stralende nonnen en een menigte applaudisserende ouders, onder wie de mijne. Alleen geen George. Toen was het ineens weg, plotseling was het personage me door onzichtbare handen afgenomen, handen die niet van plan waren het nog los te laten. Het was inmiddels zelf een geest geworden en hing misschien nog ergens tussen de coulissen om zich later weer te kunnen manifesteren, belichaamd door een ander, in een volgende voorstelling.

Misschien zijn dat de geesten die het meest beklijven, de schimmen die zonder specifiek leven blijven bestaan en in een soort doodstoestand geduldig wachten totdat ze belichaamd worden door weer een volgende acteur. Ik herinner me Rosalinde als een serie kleuren, een amalgaam van geuren, een troep listen en lagen, een intelligentie waar ik nooit tegen opgewassen zou zijn, maar als ik eenmaal in haar zat, was ik blij dat ik die heldere geest kon zijn, die bron van vriendelijkheid, die lieve, ironische muze. Maar toen ze verdween, was het afgelopen.

Na afloop was er thee en cake in de naar bijenwas geurende refter. Mijn ouders waren er, mijn moeder, met een zwierige hoed op het hoofd, praatte met de zusters Assumpta, Bonaventura, Catherine en Camille, en in de zee van gezichten zag ik die van Janies ouders en dat van Gregory, maar alweer niet dat van George. En toen we op weg gingen naar huis in de automobiel van mijn vader, die zich over de weg naar Baltray voortbewoog met de fijnzinnigheid van een horde buffels, en we de hooischuur van Mabel Hatch passeerden, zag ik bij de hooiberg een gestalte staan die niemand anders kon zijn dan hij. De motor van de auto sloeg af en werd weer gestart, maar voordat hij zijn weg kon vervolgen, vroeg ik of ik eruit mocht voor een beetje frisse lucht en om langs de rivier terug naar huis te lopen. Ik gaf hun allebei een kus, en toen verwijderden Gregory en zij zich te midden van het motorlawaai en de wolken rook. Ik draaide me naar de hooischuur en ging naar binnen.

'Is Toetssteen daar?' vroeg ik, in de hoop dat er humor in mijn stem zou klinken. Maar die hoorde ik niet.

'Nee,' klonk het van de top van de hooiberg, 'dit is George, de hooibergmaker, de koolraapsteker, de wandelende vogelverschrikker, die de kost verdient en zich kan kleden, die niemand een kwaad hart toedraagt en niemand zijn geluk benijdt.'

'Heeft George van de avond genoten?' vroeg ik, terwijl ik in de hooiberg klom en op hem af ging. Achter hem was een paneel in de wand van de schuur kapot, waardoor maanlicht te zien was. Zijn hoofd tekende zich roerloos in het maanlicht af. Ik voelde dat ik een knoop in mijn maag kreeg en besefte dat hij voor mij het enige, werkelijk relevante publiek was.

'Ja,' zei hij, 'George vond het al met al machtig mooi. En de kus was het machtigste van alles.'

'We hebben dus het probleem van de kus opgelost,' zei ik, terwijl ik naast hem plaatsnam.

'Zeker,' zei hij, 'want je was heel iemand anders. Gregory was nog gewoon Gregory, maar Nina was geen Nina meer.'

'Dus het was Rosalinde die Gregory kuste?' vroeg ik.

'Zoals het moest zijn,' zei hij.

'En kan Rosalinde George kussen?' Voor me zag ik zijn grote hoofd in het maanlicht afgetekend tegen de muur van de schuur.

'Zij kan dat niet,' zei hij zachtjes, 'maar Nina misschien wel.'

Ik boog me voorover en kuste hem, en anders dan toen we kinderen waren – toen hij altijd kleiner was dan ik – moest ik me nu naar hem oprichten. Hij had dikke lippen, met een wat schilferende huid, en zijn adem was schokkend volwassen in zijn directheid, temeer daar het eigenlijk nog de mond van een kind was, vooral doordat de ene lip tegen de andere trilde, zelfs toen ik ze bedekte met mijn mond. Ik dacht eraan terug hoe ik ze in mijn baldadigheid had ingesmeerd met lippenstift en bracht mijn handen omhoog om te voelen of zijn blonde krullen er nog zouden zitten. Maar die waren weg, en ik voelde zijn ruwe, geschoren nek. Hij trok zijn hoofd terug, keek me in mijn ogen, en staarde daarna over mijn hoofd heen.

'Kijk eens wie er naar ons kijkt,' zei hij. Ik draaide me om en zag op de balken onder het hoge, gewelfde houten dak een bosuil zitten. Hij stiet een diepe uilachtige kreet uit, klapte zijn vleugels open en vloog over ons heen, door het gat in de muur het maanlicht tegemoet.

'Door hem zal ik aan jou denken als ik weg ben,' zei hij.

'Waar ga je heen?' vroeg ik.

'Naar de oorlog,' zei hij. 'Europa is in oorlog, en dat betaalt beter dan op het land werken.'

23

'Vóór de storm was het stil, hè, Gregory?' vraagt Janie. 'Naarmate het schooljaar zijn einde naderde werden de avonden steeds langer, en de langste van allemaal was die van het gekostumeerd bal op de tennisclub, toen we allebei niemand anders konden bedenken om mee te vragen dan elkaar. Nina had wel meer keus, dat had ze altijd, maar Buttsy Flanagan stonk uit zijn mond, zei ze, en van Albert Taffe wist ze zeker dat hij op haar tenen zou gaan staan. Dus besloot ze om mijn lieve broer George te vragen, die wel niet uit zijn mond stonk, maar van wie ze ook zeker kon zijn dat hij op de punten zou gaan staan van de rode schoentjes die ze bij Quirk in Church Street had gekocht.

Hij bereidde zich zorgvuldig en zeer uitgebreid voor op de avond. Dagenlang was hij in de weer om zich schoon te boenen in de koperen tobbe in de keuken, alsof één keer wassen niet genoeg was om het vuil van de erwten- en aardappelvelden van Keiling af te wissen. Van wat hij van zijn loon had overgehouden huurde hij een pak bij Quirk. Het moest voor hem een volmaakte avond worden, net zo volmaakt als die lange avonden in Mozambique, zo lang geleden al.

Om een uur of zes kwam hij op zijn fiets thuis, nam nog een laatste bad en kwam me toen laten zien hoe hij er in zijn gehuurde pak uitzag, waar hij bij de schouders bijna uit barstte. Ik was stomverbaasd hem te horen vragen wat ik ervan vond, en ik merkte op dat er iets niet in orde was. Zijn gezicht was schoon, hij had zijn haar ingevet en achterovergekamd, zijn mouwen waren natuurlijk iets te kort, maar wat echt alles verstoorde waren zijn nagels, die hij lang niet had geknipt en waar randjes aarde onder zaten die hij bij al het baden niet weg had kunnen krijgen. Ik pakte mijn schaartje, knipte ze bij en maakte de randjes onder de nagelriemen zo goed mogelijk schoon, waarna hij op zijn fiets stapte en vertrok.

"Je moet niet te vroeg zijn, Georgie," gaf ik hem als advies, "dat is het ergste wat je kunt doen", maar hij stelde me gerust en zei dat hij niet de kortste weg zou nemen.

Toen kwam jij, in het rokkostuum van je vader, terwijl de zon achter de duinen onderging. Mijn vader zat buiten naast de voordeur op het kleine rieten stoeltje en riep me. Het is tijd, Janie, zei hij. Ik hoorde het *kraskras* van Garibaldi's hoeven op het grind, en kan me nog herinneren dat ik dacht dat het eigenlijk een *klikklak* had moeten zijn. Ik was in het keukentje bezig een roos op mijn blouse te bevestigen, en mijn moeder zat aan mijn haar te frunniken. Zij wist natuurlijk dat het nooit iets zou worden, het was maar een dansavond op de tennisclub, en ze fluisterde me toe dat ik me niks in mijn hoofd moest halen, maar aan haar stem te horen fantaseerde ze er net zo over als ik. Dat haar jongste dochter zou trouwen met een zoon van Baltray House, hoe dubieus zijn afkomst ook mocht zijn.

Jij gaf mijn vader een hand, maakte een paar grappige opmerkingen over het weer, prima avond voor zoiets, zei hij, alsof er een of ander oeroud ritueel ging beginnen, en jij zei, met die keurig nette Engelse klinkers van je: zeker een prima avond, meneer Tuite. Je sprak het uit als "twiet", niet als "tjoet" zoals wij zeggen, en binnen glimlachte mijn moeder naar mij. Ze dacht dat jij me op een ouderwetse manier het hof zou maken, ze glimlachte naar me in de spiegel en zei: je meneer is er voor je. Hou op, mama, zei ik, hij is niet van mij, en een meneer is hij zeker niet. Maar die glimlach was niet van haar lippen te krijgen, dat wist ik, dus gaf ik haar een kus op haar wang op de manier zoals ze dat graag had en ging naar buiten om jou te begroeten.

Georgie zou op de fiets al op jullie oprijlaan rijden, op weg naar die grote voordeur van jullie. Je vader begroette hem, terwijl je moeder, of je stiefmoeder of hoe je haar ook noemt, vanuit het bovenraam toekeek. Ik weet dat omdat Nina het me heeft verteld. Nina is zonder plichtplegingen naar buiten gelopen, heeft je vader een schouderklopje gegeven en is bij Georgie op de stang van zijn fiets gaan zitten. Hup, daar gaan we, Toetssteen, zei ze. En dat weet ik omdat híj het me heeft verteld.'

~

Hij droeg een rokkostuum dat hij geleend of gehuurd had, en door de geur van mottenballen heen rook ik een lichte maar onmiskenbare geur van heide, zo'n naar turf en brem ruikende lucht die 's zomers altijd om hem heen hing. 's Winters rook hij naar nattigheid en koolrapen, maar in de zomer was het altijd deze geur, die ik kende van de keren dat ik op mijn rug in de prikkende hei had gelegen en naar de voorbijtrekkende wolken keek. Zijn kin raakte onder het rijden steeds het bovenste puntje van mijn hoofd, kwam er steeds op neer in het ritme waarmee de pedalen rondgingen, en ik wist dat hij de corsage verpletterde die mijn moeder voor me had geplukt en die ik op mijn opgestoken haar had gebonden, maar het kon me eigenlijk niet schelen. Zijn armen aan weerszijden van mijn schouders voelden aan als stalen trossen, en zijn knieën gingen op en neer als zuigers die de fiets met een onontkoombare kracht voortbewogen. Ik kon hem alleen maar vergelijken met zo'n landbouwmachine waarmee ze tarwe en gerst oogsten, zo een die Hester had opgeslokt en vermalen, maar dan een machine die speciaal was ontworpen om mij op de stang zo snel en zo veilig mogelijk naar de tennisclub van Baltray te transporteren. Een machine die, nadat hij me bij de ingang had afgezet, een beetje zou overhellen en het fietsgedeelte met een ijzeren greep in positie zou houden terwijl ik afstapte, om zich vervolgens, als de muziek begon te spelen, te transformeren tot een apparaat dat onhandige danspassen uitvoerde. Een machine die ook kon dansen dus, en waar ik, mocht de nood aan de man komen en mijn waardigheid bedreigd worden, ook van op aankon dat hij een afschrikwekken-de vechtmachine kon worden.

George had dus op dat moment een aan zijn spierkracht gebon-den waardigheid, hij hield me volmaakt en zelfs elegant op de stang van zijn fiets in evenwicht, totdat hij stilhield bij het groepje in het pak gestoken flinkerds uit de buurt die voor de ingang had-den staan gnuiven, iets wat hij alleen al door zijn postuur de kop indrukte. Hij zou me met alle plezier over het morsige grind heen hebben getild en mij in mijn nieuwe schoentjes binnen op de vloer hebben gezet, maar ik was bang dat het onderdrukte gnui-ven dan zou uitbarsten in een bulderend gelach en de vechtjas in de machine aan mijn zijde ineens aan zou slaan. Ik stak dus mijn arm door de zijne en vlijde zijn elleboog onder de zwelling van mijn borst in mijn met kant afgezette jurk. Zo liepen we, alsof we verenigd werden door onze erotiek, over het stoffige, knerpende grind naar de dansvloer binnen.

George toonde aan de buitenkant waardigheid, maar eigenlijk was het bijna arrogant zoals hij mijn hand in de zijne nam, de an-dere om mijn middel legde, en hij, terwijl de band de verjaardags-wals speelde, als een volleerd danser met me de zaal door walste. Ik zwierde met mijn dansmachine tussen de schuifelende voeten door, en wonder boven wonder overleefden mijn rode schoentjes dit alles zonder dat erop getrapt werd.

'Waar heb jij leren dansen, George?' vroeg ik, en hij antwoord-de: 'Ik heb geoefend met Janie.'

~

'We hebben natuurlijk ook met anderen gedanst,' zegt Janie. 'Ga me nou niet vertellen dat ik de enige ben die zich die twee heerlij-ke uurtjes herinnert waarin alles mogelijk leek. Maar goed, we dansten dus ook met anderen, met bewonderaars, en natuurlijk kwam er bij het wisselen van partner ook een moment dat broer en zus met elkaar dansten, en halfbroer en halfzuster. Wij hadden thuis in de keuken geoefend, waarbij mijn vader polka's speelde op zijn accordeon. Ik liet me zo meeslepen door het succes dat ik met mijn lessen had gehad, doordat hij de danspassen die ik hem had geleerd zo perfect uitvoerde, dat ik jou een ogenblik lang helemaal vergeten was, Gregory, en toen de tenor ophield met het zingen van "Oh, the Night of the Kerry Dances" en er ook aan het geschuifel een einde kwam, waren jullie allebei weg.'

'Ik had die corsage op haar haar weer in orde gebracht,' zegt Gregory. 'Ik probeerde de kamperfoelie weer recht overeind te krijgen, maar daar was niets meer aan te doen. Met de roos lukte het me beter, die had iets onverwoestbaars, en ik snoof het parfum op waaraan ik gewend was geraakt in die zeven of acht jaar, of waren het er negen? Ik heb tegen haar gezegd dat ze alle anderen de loef afstak. Ze zei dat het probleem met die bloemen was dat ze geen lucht kregen. Zullen we ze dan lucht geven? vroeg ik. Waarom niet, zei zij. We hebben ons door de drukte bij de ingang een weg naar buiten gebaand en zijn naar de bunkers gelopen, waar de frisse lucht was en het zand schoon en wit was.'

~

Ik ben in de bunker bij de achttiende hole gaan liggen, en hij veegde het zand van mijn kousen. Het glinsterde in het maanlicht als diamantjes op de stof, en als hij de ene knie schoonveegde, lachte ik en draaide ik me om, en dan was de andere knie weer bezaaid met diamantjes, die hij er dan ook afveegde. De band speelde het nummer van de dansfeesten in Kerry, die net als mijn jeugd helaas te snel voorbij waren gegaan, en toen ben ik gaan liggen, ik heb mijn haar over het witte zand uitgespreid en heb tegen hem gezegd dat hij mocht doen wat hij wilde, zijn hand tussen mijn borsten leggen, wist ik, en de bovenste knoopjes losmaken en zijn lippen naar de mijne te brengen – o als ik daaraan denk, o als ik daarvan droom, dan huilt mijn hart. Zouden er anderen zijn, vroeg ik me af, die me zo zouden ontroeren als hij? En ik hoopte van wel, maar wist op de een of andere manier dat ze er niet zouden zijn, en ik besefte dat George eigenlijk nog een functie had, namelijk die van een verhinderingsmachine, dat hij tussen mij en mijn halfbroer in moest staan om al die gevoelens te absorberen die in mij opwelden, om een uitbarsting te voorkomen.

'Herinner jij je broeder Barnabas nog,' vroeg ik, 'en dat paard dat de gerst plattrapte? Het lijkt wel een dansnummer: het paard dat de gerst vertrapte.'

'Ja,' zei hij. 'Waarom vraag je me dat nu?'

'Omdat hij tegen ons zei dat we niet echt bestonden,' zei ik. 'Dat we alleen bestonden in de droom van de abt in de kloostertuin. Dat is voor ons de enige manier om te bestaan,' zei ik, 'in de droom van iemand anders.' Ik hield mijn lippen vlak bij de zijne en zag het blonde donzige haar in zijn nek, maar ik kuste hem niet, misschien kon ik het niet.

'Is dat tragisch of is dat komisch?' vroeg hij.

'Ik zou willen dat het komisch was,' zei ik, 'maar ik denk dat het tragisch is.'

~

'Dus jullie zijn samen weggegaan tijdens de "Kerry Dances",' zegt Janie. 'Via een van die groene deurtjes achterin. Wat waren jullie van plan? Samen over de purperen zee uitkijken? Als broer en zus hand in hand door het hoge duingras lopen, dat met zijn scherpe punten aan haar knieën en onder haar jurk gekriebeld zou hebben? Ik had daar willen lopen, dat snap je toch wel, Gregory? Ik had dat gras tussen mijn knieën willen voelen prikken, mijn hand in de jouwe willen voelen, de jouwe over mijn vingers willen voelen strijken. Het was een volkomen onschuldig verlangen, maar mijn god, wat kreeg ik het er warm van. Ik begreep er niets van. Ik keek hoe George naast me van zijn limonade nipte, hoe de dansers achter hem onhandig stonden te doen, en ik zag hoe verkeerd het allemaal in elkaar zat, als een puzzel met maar één oplossing, maar een oplossing die onmogelijk was, en alle stukjes van de puzzel gingen in de richting van de enig mogelijke oplossing, de onmogelijke. Toen kwam zij weer binnen, met jou aan haar arm, de band begon weer te spelen, we wisselden van partner, en alles leek weer in orde.

Toen we naar huis gingen, George in de sjees met zijn fiets aan de hand ernaast, Nina op de bank, het hoofd achterover, waardoor ze de wereld ondersteboven zag, jij en ik lopend, mijn arm door de jouwe, langs de rivier met het maanlicht erop, toen was het nog voorstelbaar dat alles goed zou komen, nietwaar? Dat we normale levens zouden leiden, wat normaal ook mocht betekenen. Maar in de zomer van dat jaar zou dat voor mij een baantje op kantoor bij de stoombootmaatschappij hebben betekend, op een dag misschien trouwen, kinderen. En voor George een boerderijtje met een klein akkertje, trouwen, misschien ooit kinderen. En voor jou en Nina in elk geval een voortzetting van het leven in Baltray House.'

~

Ik herinner me de bomen die over mijn hoofd heen en weer wuifden, de bladeren die ruisten in de koele bries die van de rivier af kwam, de uitgestrekte, zachte, doodstille hemel met de talloze schapenwolkjes daarachter, met ergens dáárachter weer de maan, die onzichtbaar was, maar wel de wolken verlichtte. Ik koesterde tedere gevoelens, teder als die hemel, wij deelden met ons vieren hetzelfde gevoel. Ik dacht terug aan zuster Camille, die ons had verteld over de vijf delen waaruit Ierland bestond, de vijf provincies, *cuige* noemde ze die, hoewel het er in wezen maar vier waren: Munster, Leinster, Connacht en Ulster, en dat de vijfde de eenheid was die de andere vier vormden. Ik vond dat evenzeer op ons van toepassing, op ons vieren die eigenlijk met z'n vijven waren, en die vijfde was dan ons vieren samen, ofwel de geest die ons allen bond. En ik liet mijn gedachten gaan naar die vijfde persoon, die geest, en dacht weer aan Hester, want zij was het natuurlijk, die onzichtbare vijfde, die alleen aanwezig was als wij alle vier bij elkaar waren. Een krankzinnige gedachte misschien, maar niet krankzinniger dan wat de toekomst in feite voor ons in petto zou blijken te hebben, en veel troostrijker en misschien zelfs reëler dan de werkelijkheid.

Ik hield een tijdje het stuur van de fiets van George vast, en toen de inspanning me te veel werd, zijn elleboog. 'Ik wil niet volwassen worden,' zei ik.

'Je bent al volwassen,' zei Janie.

'Nee,' zei ik, 'dat ben ik niet, en jullie drieën ook niet. Als een van ons volwassen wordt, dan is dat onmkeerbaar en heel tragisch.' Ik deed mijn hoofd achterover en keek naar de hemel vol schapenwolkjes die boven de boomblaadjes voorbijschoven en bedacht dat ik erg van het woord 'onomkeerbaar' hield. Het deed me denken aan het klepperen van Garibaldi's hoeven, aan het zachte ruisen van de leidsels waarmee Dan hem over zijn rug streek, aan het woord dat Nina lang geleden zo graag zou hebben gedeeld met haar enige, haar dode Hester.

24

'Het arme katholieke België,' zegt Janie, terwijl ze van de huiskamer naar de keuken loopt, waar Brid Moynihan etenswaren voor een week en een waterkoker heeft achtergelaten, 'weet je nog, het arme katholieke België?'

'Maria-Boodschap in Slane herinner ik me beter,' zegt Gregory.

'Het arme katholieke België hield zuster Camille zo bezig dat haar hartstocht voor mijn arme ik helemaal op de achtergrond raakte,' zegt Janie. 'Ze zag zichzelf al als martelares in Leuven op de bajonetten van de moffen gespietst, en je hoorde haar zachte stem alleen nog novenen mompelen in de keuken, de tuin en de sacristie. Ze fantaseerde over verkrachting, hoewel ze dat woord natuurlijk nooit zou gebruiken, want het seksuele was zo gesublimeerd dat het nauwelijks nog realiteitswaarde had. Maar in de fantasie werd het een soort vloedgolf, een vloedgolf van bloed die zich uitstrekte tot aan onze maagdelijke kusten en die de onderjurken van ons maagden en de gebreide onderbroeken die zij als novice droeg bedreigde, hoewel je je kon afvragen wiens wereld het was die bedreigd werd. De mijne was het niet, het was die van jou en Nina, die van je vader...'

'Wat ik me wel herinner, is Maria-Boodschap in Slane,' zegt Gregory. 'Het korps vrijwilligers had stalletjes opgezet op het landgoed, en alle doedelzakbands speelden er. De markies van Conyngham stond te oreren op het podium, met naast zich die kleine politicus uit Dublin. Dan Turnbull nam ons er met de sjees een middagje naartoe, en George fietste naast Garibaldi en probeerde hem in zijn draf bij te houden. Rond de heilige bron stond het vol met pelgrims met flessen en kannen voor het water. Achter het podium was een stal, en daar zag George het embleem met het magische getal erbij: de zeven shilling. Koning en vaderland zeiden hem niets, maar zeven shilling wel. Dat was veel meer dan hij bij Keiling kreeg, je kreeg er je natje en je droogje, en laarzen en een uniform voor niks. Maar ik was al geïndoctrineerd, weet je, want ik geloofde net als die zuster Camille van jou alle verhalen van onderwerping door de moffen en hoe ze de nonnen in België behandelden, en ik wist trouwens dat mijn tijd hier erop zat, dat mijn jeugd zo'n beetje voorbij was, dus daar kon ik dan daar maar beter snel een einde aan maken, vond ik.

Op die tafel met het groene laken lag een potlood aan een touwtje, en een kapitein in uniform deelde er flessen donker bier uit. We hebben allebei getekend en toen hebben we voor het eerst dat donkere, bittere schuim geproefd. Ik heb mijn armen om zijn schouders gelegd en heb hem tegen me aan gedrukt. Het gaf een vreemd soort voldoening dat we ons allebei in deze hachelijke situatie stortten, alsof we elkaar voor het eerst weer accepteerden...'

~

Toen de klas die in 1914 eindexamen deed op een warme dag in juni in de stille tuin van het Siena-klooster het afscheid vierde, leek de vloedgolf van bloed die hun maagdelijke onderjurken bedreigde echter nog ver weg. Nina, die de eerste prijs had gewonnen voor welsprekendheid, een gebonden uitgave van de gedichten van George Herbert, nam afscheid van zuster Catherine – met twee kussen en vervolgens nog een derde op beide wangen – en zei dat ze hun wandelingen in de tuin samen nooit zou vergeten. Ze zag Janie, die op het tweezitsbankje onder de magnolia met haar voeten zwaaide en haar ene voet af en toe om de kuit van zuster Camille sloeg, die zich naar haar vooroverboog om haar het zoveelste kopje thee aan te reiken. Te midden van al die kappen en seculiere hoofddeksels zag ze haar vader en moeder, die het oor leenden, zoals dat heet, aan de moeder-overste.

'Het beroep van actrice zou ik normaal gesproken volkomen ongeschikt vinden voor een meisje van Siena,' fluisterde zuster Catherine. 'Maar ik was zelf zeer onder de indruk van jouw prestatie op het toneel, Nina, lieverd. En ik heb een vriendin in Dublin, Ida heet ze, Ida Lennox, die het als haar missie beschouwt om de opvattingen die over de toneelkunst bestaan te veranderen. Je hebt een van God gegeven talent, Nina lieverd, en misschien moeten we dat in veilige handen geven...'

Nina kneep even in haar arm toen er iemand met een ander soort hoofddeksel achter haar opdook. 'Moeder,' zei ze, en zuster Catherine maakte haar zin niet af, draaide zich om en keek toen niet haar moeder-overste aan, maar Nina's moeder, mevrouw Hardy.

'Is ze niet prachtig opgebloeid, zuster Catherine?'

'Ik denk het wel,' zei zuster Catherine, verlegen als altijd.

'Wij geven onze zaailingen aan u over, en u brengt ze met uw groene vingers tot bloei.'

Zuster Catherine bloosde, en haar kleine handen verdwenen in haar wijde mouwen. 'We doen ons best,' zei ze enigszins onzeker.

'Haar broer hoopt dat ze bij de Royal Irish een man van hem zullen maken.'

Zuster Catherine zag hoe Nina haar ogen neersloeg: als motten die naar beneden dwarrelen. 'Heeft hij getekend?' zei ze.

'Misschien wordt zij dan een vrouw, dankzij zijn afwezigheid?'

'Ik ben nog een meisje, moeder.'

'Ja, lieverd. Natuurlijk. Mijn kleine Nina.'

Ze hoorde het geluid lang voordat ze zag waar het vandaan kwam. Een dof gerommel over de zomerse landerijen was het, alsof een onweer in de verte geen zin had om met een echte donderslag uit elkaar te klappen. En toen pas, toen het geluid aanzwol, zag ze een rookwolkje dat zich een weg zocht tussen de heggen, alsof er een speelgoedtreintje puffend tussen de fuchsia's door reed. De zon blikkerde in een helm, en toen verscheen het ding uit de richting van Drogheda. Opzij zat er een wagentje aan vast, en het reed met de snelheid van een paard in handgalop op het hek af, met daarachter een spoor van grijze uitlaatgassen, terwijl de wielen stof opwierpen van het zomerharde wegdek. Ze rende van het bovenraam de eikenhouten trap af, en toen ze bij de voordeur was, zag ze het over de oprijlaan op zich af komen, nu wat langzamer. Het ding leek in wankel evenwicht te verkeren, er was te veel gewicht aan één kant geconcentreerd, de massieve gestalte van de bestuurder leek te groot voor het kleine zijspan aan de linkerkant, zodat hij het dreigde te verpletteren. Toen het vlak bij haar was gekomen, kwam het trillend en schuddend tot stilstand en zette de bestuurder zijn motorbril en helm af. Het bleek George te zijn, in een kaki uniform.

'Hij trekt een beetje naar links,' riep hij naar de gestalte van Gregory achter hem, die uit het zijspan was gestapt.

'Dan moet je tegenwicht geven, naar rechts leunen.'

'Ja, meneer.'

'Moet je meneer tegen hem zeggen?' vroeg Nina terwijl ze de traptreden af liep.

'Nee,' zei George, 'hij is gewoon soldaat, net als ik. Eén shilling per dag.'

'Vanwaar dan dat meneer?'

'Omdat hij eruitziet als een meneer. Zelfs in het uniform van een gewoon soldaat.'

'Goed, wil je dan een ritje maken met meneer en mij?'

'Achterop of in het zijspan, Nina?' vroeg George. 'Jij mag het zeggen.'

'Moet je tegen mij geen mevrouw zeggen?'

'Nee, mevrouw.'

'Achterop dan, soldaat George,' zei ze. 'Laat meneer maar lekker gemakkelijk in zijn zijspan zitten.'

Hij zag er inderdaad uit als een meneer, dacht ze, terwijl ze op de motorfiets af liep. George pakte haar hand, nadat hij eerst zijn vleugelvormige handschoen had uitgetrokken. Moet alles nu anders, vroeg ze zich af: handschoenen, een stofbril, aanspreekvormen, bijnamen. Toen zette ze haar achterwerk op het achterzadel, propte haar jurk tussen haar benen, voelde de ijzersterke rug van George onder zijn zware kaki jas en bedacht dat sommige dingen altijd hetzelfde zouden blijven.

'Zet je schrap, Nina,' mompelde hij. Hij kwam omhoog en met de inzet van zijn hele gewicht trapte hij de kickstarter naar beneden, waardoor het ding bulderend en schuddend tot leven kwam. 'Daar gaan we dan, hou je vast,' zei hij, en ze voelde hoe het met een schok in beweging kwam en langzaam op het hek af reed, het passeerde en langs de oever van de rivier vaart vermeerderde.

De snelheid leek precies bij hen te passen en hen te karakteriseren. Vertrekken was het best, dacht ze, aan aankomen moest je niet denken, misschien waren ze wel voorbestemd om te vliegen. Dit was ook veel interessanter dan een paard, besefte ze. Een paard was een en al zweten en zwoegen, inspanning en uitscheiding. Dit was de toekomst, mechanisch gebulder, trillen van metaal, ratelen van onderdelen, een ballistisch en balletachtig gebeuren, volstrekt nieuw, met veel kabaal tussen de oude fuchsiaheggen door rijden, met haar armen om hem heen om er niet af te vallen, wie weet wat voor toekomst tegemoet. In een mum van tijd waren ze in Drogheda, ze raasden de lege havenweg af, maakten bij de brug rechtsomkeert en reden noordwaarts in de richting van Clogherhead. George schoot door dorpjes met alleen een hoofdstraat, passeerde een grote tent versierd met aanplakbiljetten die dienstneming propageerden. Toen het havenkwartier in met de geur van natte makreel in de drogende lucht. Aan de horizon was een grijs fregat te zien dat op Carlingford Lough af koerste. Het zag er voor Nina uit alsof een kind het in alle onschuld op een zeegezicht had ingetekend, met slechts één, nauwelijks opvallend maar wel bedreigend aspect: de rookpluim die uit de pijp van het schip kwam, een van binnenuit uitdijende zwarte wolk.

'Je had geen dienst hoeven nemen,' zei Nina, naar de glinsterende, klappende bewegingen makende makrelen in de vissersboot beneden kijkend.

'Nee,' zei George, 'maar als ik geen dienst had genomen, had ik koolrapen moeten blijven steken.'

Tussen de makrelen kronkelde een lange zeepaling. Een vissersman doorstak hem met een visspeer, hakte zijn staart af en vervolgens zijn kop.

'Ik kan me een oorlog niet voorstellen,' zei ze, terwijl ze keek hoe het zwarte bloed over het dek spoot, op de makreel die daaronder lag. 'Jij wel, Gregory?'

'Nee,' zei hij, 'dat hoef ik toch niet te doen, me een oorlog voorstellen?'

Zijn stem klonk haar volwassen in de oren, maar toen ze zich omdraaide en naar zijn gezicht keek, leek het jong als altijd.

'En wie past er op jou, Gregory, als je op het slagveld staat?'

'Zul jij op me passen, George?'

'Ik zal op je letten. Ik weet niet of ik op je kan passen. Ik ben nog nooit op een slagveld geweest.'

'Letten jullie op elkaar,' zei Nina, terwijl ze hen beiden bij de arm nam. Er woei ineens een koude wind van zee. 'Beloven jullie me allebei dat jullie terugkomen?'

Onder aan de kade aten ze gebakken makreel, een halve penny per stuk. Het was een retorische vraag geweest, dat moest wel, want geen van beiden gaf antwoord. Gregory zei dat zijn laarzen knelden en dat zijn kaki broek niet lekker zat, George praatte over de stroomverdeler van de motor. Gregory zei dat het een strijd voor de beschaving was, George zei dat hij had horen zeggen dat het voor het arme katholieke België was, en Nina vond het moeilijk zich hierbij ook maar iets voor te stellen. Het was alsof er een leemte was ontstaan in haar vermogen tot dagdromen, in haar fantasie, en of zij tweeën daar met een razende vaart in verdwenen, op een motorfiets met zijspan.

Toen ze genoeg hadden van het rondkijken op de pier en de aanblik van de op apegapen liggende makrelen, stapten ze weer op de motorfiets. George bracht hem op gang, en zei dat hij via een omweg naar huis zou rijden. Hij wilde hun het graf laten zien van de vrouw van de rivier.

Ze arriveerden er bij zonsondergang, en de koplamp van de motorfiets wierp een kegel van zwavelig licht op het ronde heuveltje en de fosforescerende koeien in het weiland erachter. Gregory stond er als eerste naast, tilde haar er galant bij haar middel af en zette haar op de zachte aarde. George stak een sigaret op, zette zijn ellebogen op het stuur van zijn zachtjes ronkende motor en legde zijn kin op zijn gevouwen handen. Zij nam Gregory bij de hand en liep in de richting van het heuveltje aan de zwakke basis van de lichtkegel met eromheen de vreemd oplichtende runderen. De witte plekken op hun huid staken af tegen de bruine, die weg leken te zakken in het omringende duister, terwijl de laatste stralen van de avondzon om hun knikkende koppen opgloeiden. Gregory's lange, dunne vingers leken verlengstukken van de hare.

'Hij is smoorverliefd,' zei hij, 'daarom gaat hij.'

'Dus het is niet vanwege het geld?' vroeg ze.

'Nee, het is om jou, lieve.'

'Lieve,' zei ze, 'je zei lieve tegen me, dat mag niet.'

'Om jou, Nina, dan.'

'Maar hij is Toetssteen,' zei ze, 'en een Toetssteen die verliefd is op Rosalinde, dat is uit dramatisch oogpunt absurd.'

'In een komedie wel,' zei Gregory. 'Maar in een tragedie misschien niet.'

'Of het een tragedie is of een komedie, Rosalinde houdt toch nog van Orlando.'

Het gele licht glansde op Gregory's haar, en ze hoorde achter zich het zachte geronk van de motor en realiseerde zich dat George stapvoets achter hen aan reed.

'Hebben jullie het over mij?' vroeg hij.

'Nee,' zei Gregory, 'we hebben het over het verschil tussen een komedie en een tragedie. Bij de ene moeten te mensen lachen, bij de andere huilen ze.'

'En in de ene leven de mensen,' zei George, 'en in de andere sterven ze.'

'Laten we er daarom voor zorgen dat wat wij doen een komedie is,' zei ze.

'Wat betekent dat?' vroeg George.

'Dat betekent dat jullie allebei terugkomen.'

Het ronde heuveltje lag nu vlak voor hen. Hij liet het voorwiel langzaam zwenken, vlak langs de vleug wit op het hobbelige gras en de paar kale doornstruiken; een geit met de hoorns omhoogkeek naar hen, met om zich heen de volmaakte halve cirkel van de heuvel. En toen zag ze ze. Twee blokken steen, die als consoles een transept droegen, met daarin ronde voluten uitgehouwen, in het harde licht van de koplamp zo te zien nog pas de vorige dag.

'Wat is dat?' vroeg ze.

'De ingang,' zei George achter haar.

'De ingang van wat?'

'Van haar graf.'

Ze liep door het gras, dat inmiddels vochtig begon te worden. Links van haar kwam een koe in beweging, liep de lichtkegel in en er weer uit. De geit keek van bovenaf toe alsof hij gehypnotiseerd was. George reed met de motorfiets door totdat de koplamp een donkere gang achter de rechtopstaande stenen bescheen, die de volmaakt gevormde heuvel in liep.

'Wiens graf, George?'

'Dat weet je wel.'

'Zeg het nog een keer.'

'De vrouw van de rivier.'

'Boinn.'

'Als het regent, koken we daar ons water voor de thee.'

'Is dit dan het land van Keiling?'

'Een stuk daarvan. Voor de groenten. Koolrapen, pastinaken, aardappels.'

Ze pakte Gregory's hand steviger vast en wilde hem naar binnen trekken, maar hij maakte zich los.

'Lafaard,' fluisterde ze.

'Nee, ik hoor daar niet naar binnen te gaan,' zei hij.

De stenen gang glinsterde in het licht van de koplamp, de in de muren gebeitelde spiralen leken er te zijn aangebracht door een reuzenkind. Iemand als George, dacht ze. Daarachter was alles in duisternis gehuld. Toen ze naar binnen liep, zag ze haar eigen, reusachtige schaduw voor zich uit dansen. Een tweede schaduw haalde haar in, en ze voelde zijn adem in haar nek.

'Je hoort hier dus toch,' zei ze, en ze pakte zijn hand. Even schrok ze van de kracht die erin schuilde, maar toen realiseerde ze zich dat het de hand van George was. Hij omklemde de hare stevig, alsof hij verwachtte dat ze hem zou terugtrekken.

'Zo, dus hier eet Toetssteen zijn twaalfuurtje?' vroeg ze.

'Als het giet van de regen en het aardappelveld een moeras wordt, als het nauwelijks meer de moeite loont om door te gaan. Wat wel elke dag het geval lijkt te zijn. Dan zit ik hier,' zei hij. 'En dan denk ik aan jou.'

Ze stonden nu voor een halfronde steen, een soort vergiet leek het wel.

'Waar?' vroeg ze. 'Waar zit je dan?'

'Hier,' zei hij, en hij stak in het donker zijn handen naar haar uit, tilde haar op en zette haar op een steen met een lichte, op een zitting lijkende uitholling.

'Ik pas er niet in,' zei ze, 'en als ik er niet in pas, snap ik niet dat jij er wel in zou passen.'

'De mensen waren toen kleiner,' zei hij.

'Waren het P- of Q-Kelten?' vroeg ze.

'Weet ik niet,' zei hij. 'Ik heb geen verstand van Kelten.'

'En daar heb je er een die geen weet heeft van P en Q.' In de muur zag ze een vrouwengestalte uitgehouwen, met een omhooggeheven grijnzend gezicht en de knieën uit elkaar, waar ze haar handen tussen had gestoken. 'Doet ze wat ik denk dat ze aan het doen is?'

'Wat denk je dat ze aan het doen is?' vroeg George, en er klonk ineens tederheid in zijn stem.

'Ze voelt tussen haar benen,' zei ze, en ze drukte haar knieën tegen elkaar.

'Waarom zou ze dat doen?' vroeg hij.

'Ze is een oude Ierse godin met een bron tussen haar benen.'

Hij trok zijn hand van haar af, en ze zag zijn zware gestalte achteruitwijken.

'Ga nog niet weg,' zei ze.

'Een bron?'

'Ja,' zei ze, 'een bron waaruit een rivier geboren wordt.' En ze stak haar armen naar voren, voelde zijn eeltige hand en trok die naar zich toe.

'Dat maakt voor mij nog niet duidelijk waarom ze...' Hij zweeg ineens, alsof hij niet over de woorden beschikte waarmee hij iets zou kunnen zeggen over de handen die daar in steen waren uitgehouwen.

Misschien moet ze de rivier helpen op zijn tocht,' zei ze, en ze voelde hoe hij zijn grote hand op haar knie legde.

'Hoe dat zo?' vroeg hij, zwaar ademend.

'Om het water te laten stromen,' zei ze.

Ze voelde hoe zijn hand onafwendbaar op haar toe kwam, en ze opende haar benen weer, legde haar hand op de zijne en begeleidde hem in wat hij deed. Waarom wist ze eigenlijk niet, ze wist eigenlijk niets, alleen dat hij en haar halfbroer weldra in een duisternis zouden verdwijnen waar ze geen voorstelling van had, en de impuls die ze voelde overweldigde haar, zoals ook de vrouw aan de muur erdoor overweldigd werd, die met haar handen dezelfde bewegingen leek te maken als George deed, en wiens knie nu net zo beefde als de hare, het voelde alleen niet aan als steen, helemaal niet, het voelde aan als water, een klein stroompje in het begin, en dan een langzaam stromende rivier die zwenkte en bewoog als zij het deed. 'Het doen', schoot haar te binnen, zo werd het genoemd, had ze wel eens gehoord, ik heb het met hem gedaan en hij heeft het met mij gedaan. En hij moest het met haar gedaan hebben, want de vrouw was nergens meer te bekennen, alleen de spiralen in het plafond waren er nog, en zij lag op de koude grond met George boven op zich, en ze gaf een gilletje, een gilletje zoal de uil die avond in de schuur had gedaan, hoog in de hooiberg.

Ze sloot haar ogen en het was alsof ze sliep, maar het was geen slaap, want ze voelde hoe hij van haar af schoof en ze hoorde zijn laarzen zachtjes over de stenen grond schrapen. Al snel hield het schrapen op, en begon een ander schrapen, bij de ingang.

'Sheila-na-gig,' klonk het.

Ze hoorde de stem weerkaatsen in het prachtige, oeroude graf. Toen ze haar hoofd omdraaide, zag ze Gregory op zich af lopen, althans zijn silhouet in de koplamp bij de ingang.

'Sheila wat?' zei ze zachtjes. Ze trok haar knieën op tot haar kin en streek haar kleren recht. Bij haar billen was het nat.

Hij hief zijn arm op en liet de schaduw van zijn wijsvinger op de voorstelling achter haar vallen. Hij liet hem langs de geopende mond gaan, langs de gespreide knieën en de grijpende handen.

'Sheila-na-gig. Het is een Keltische godin. Schandalig, vind je niet?'

'Vind je?'

'Ach, wat weet ik er ook van? Ik ben geen Kelt.'

'Waar is George?' vroeg ze, terwijl ze overeind kwam.

'Is hij niet hier binnen?'

'Nee. Hij is weggegaan.'

'Nou, hij is niet naar buiten gekomen. Ik heb staan wachten, weet je. Ik heb lang gewacht, totdat ik vond dat door mijn afwezigheid, eh... laten we zeggen, de grenzen van de eh... kiesheid werden overschreden.'

'Is er nog een andere uitgang?' vroeg ze. Ze streek haar jurk glad.

'Is er überhaupt wel iets kies aan Toetssteen?'

'George,' zei ze. 'Hij heet George.'

'En zijn jullie er nog uit gekomen?' vroeg hij. 'Wordt het een komedie of een tragedie?'

Toen begon het licht dat hen beiden bescheen te trillen en kwam de motorfiets voor de deur van het graf bulderend tot leven.

'Er moet nog een uitgang zijn,' zei ze.

Het licht keerde zich van hen af toen de motorfiets werd omgedraaid, zodat die met de achterkant naar hen toe stond toen ze naar buiten gingen. Het viel haar op dat hij in het gras krullen had achtergelaten die sprekend leken op de spiralen in de stenen latei bij de ingang. George zat met zijn rug naar hen toe geduldig te wachten en hield de motor draaiende. Voor de thuisreis gaf ze de voorkeur aan het zijspan en ze gunde Gregory de plaats achterop en de mogelijkheid zijn armen om George heen te slaan. Ze zeiden niet veel tegen elkaar, en de geit boven op de heuvel mekkerde om hun zwijgzaamheid te benadrukken.

Tijdens de thuisreis blies de wind door haar haren, alsof de wind een reis maakte door haar lokken, in plaats van dat zij een tocht maakten langs de mooie boerenhuisjes van Slane, de donkere straten van Drogheda, het door de maan beschenen water op het glinsterende moerasland. George bracht het motorrijwiel in het grind bij hun voordeur tot stilstand, en om de een of andere reden hoopte ze dat haar moeder al naar bed zou zijn en haar niet zou komen begroeten.

'Tot morgen dan, soldaat George,' zei Gregory terwijl hij afstapte.

'Welterusten, Nina,' zei George, alsof Gregory niet bestond.

Ze stapte uit het zijspan en gaf hem een zoen op zijn stoffige wang, onder de leren motorbril. 'Welterusten, George.'

Binnen was alles rustig. Haar moeder zat in de huiskamer en lengde een glas cognac aan met spuitwater.

'Je hebt het avondeten misgelopen,' zei ze.

'We hebben makreel gegeten op de pier,' zei Nina. 'In Clogherhead.' Ze hoorde zelf dat haar stem anders klonk en hoopte dat haar moeder het niet zou horen, hoopte stiekem dat haar moeder het niet kon horen. En even stiekem hoopte ze dat Gregory het niet kon horen. Ze liep de gang door, waar de muren van haar weg leken te wijken, alsof alle hoeken, alle vlakken, alle evenwijdige lijnen zich kromden bij haar nadering. Ze liep de pianokamer in, en Gregory volgde haar als een stomme schaduw. Ze ging aan de piano zitten en begon het stuk van Mozart te spelen, en toen ze niet meer wist hoe het verderging iets van Schubert dat ze wel kende. En toen haar geheugen het wat Schubert betreft ook liet afweten, hield ze op met spelen en luisterde ze hoe de klanken van de piano wegstierven.

'Ik heb op jullie staan wachten,' zei Gregory.

'O ja?'

'Ja. Ik heb gewacht totdat ik het koud kreeg, en toen dacht ik: als jullie niet naar buiten komen, ga ik maar naar binnen, maar toen ik naar binnen wilde gaan, hoorde ik iets waardoor ik het idee kreeg dat ik het niet zou moeten doen.'

'Wat niet zou moeten doen?'

'Naar binnen gaan. Verder naar binnen gaan. Maar ik zag jullie schaduwen op de muur, op het reliëf. Toen ben ik weer naar buiten gegaan.'

'Ah.'

'Hè? Wat betekent dat, "ah"?'

'Dat betekent... Gregory, je huilt.'

'Het spijt me... Ik voel me...'

'Hoe voel je je?'

'Zoals ik me voelde toen ik hier net was aangekomen. Toen ik jou voor het eerst zag.'

Ze stond op, sloeg haar armen om hem heen, trok hem op het hartvormige bankje en liet zijn hoofd rusten tegen het stukje witte huid tussen haar hals en de rand van haar jurk, de witte huid die over een paar weken bruin zou zijn, de eerste echt zomerse weken, en ze zei tegen hem dat hij niet moest huilen, herinnerde hem aan de dagen die ze samen hadden doorgebracht, de dagen op het witte, opstuivende zand, de dagen op en om de tennisbaan, de dagen in de duinen, tussen de stroompjes van Mozambique.

'Je snapt het niet,' zei hij. 'Jij hebt me iets gegeven wat ik nooit heb gekend, jij hebt me een jeugd gegeven, en die is nu voorbij.' Toen kwam haar moeder binnenlopen.

Wat ze zag, was dat Gregory op het hartvormige bankje in Nina's armen lag, in alle opzichten een kind behalve qua afmetingen, en dat hij zijn lippen op de tere holte onder aan haar hals had gedrukt. Haar moeder bleef stokstijf in de deuropening staan, hield het hoofd schuin als een vogeltje dat onderzoekend kijkt. Haar lippenstift was aan de mondhoeken op zo'n manier uitgelopen dat haar geschoktheid het aanzien van een glimlach had. Een geamuseerde glimlach, alsof ineens zichtbaar was geworden dat

ze een vlek op een kledingstuk had terwijl ze de hele tijd al had geweten dat er iets aan mankeerde. In haar ene hand had ze een
krant, in de andere een afgekloven potlood.

'Wijding met olie?' vroeg ze met haar mond, maar eigenlijk
niet met haar ogen.

'Zalving,' zei Nina.

'Zalving,' herhaalde ze. Ze noteerde het op de krant, terwijl
haar ogen heen en weer schoten tussen de krant en Gregory, die
inmiddels was gaan staan en zijn hand uit die van Nina had losge-
maakt. 'Ik geloof dat dit uiteindelijk het beste is, denk je ook niet,
Gregory?'

'Wat bedoelt u, wat is het beste?' vroeg hij.

'Dat jij nu binnenkort weggaat. De wind waait uit de verkeerde
hoek, zoals dat heet, uit een heel verkeerde hoek. Dat belooft niet
veel goeds.'

25

Bijna helemaal boven in de hooiberg in de schuur van Mabel Hatch, vlak bij het gat in de muur, lag ik over de door de maan beschenen landerijen uit te kijken. Tussen de hooischelven beneden dansten de hazen, ze waren echt aan het dansen. Met dit dansen vierden ze hun vertrek, hun afscheid, maar ik was daar alleen, vierde mijn alleenzijn, verwonderde me over die ronde heuvel op Keilings land, de venusheuvel waar de vrouw van steen haar stenen kruis betastte. Ik hoorde voetstappen beneden en zag iemand in uniform binnenkomen. 'George?' zei ik tegen de man in uniform; 'ja' antwoordde de man in uniform, en toen klom die andere George naar me toe, van baal tot baal omhoog. Hij was lichter, deze George, kwetsbaarder, meer een Gregory dan een George, maar Gregory had het vanavond nodig om George te zijn, moest alles zijn wat George was geweest, en deze behoefte gaf zijn stem iets zekers, maakte zijn stappen in de vastgekoekte, met hooi bedekte aarde beneden zwaarder.

'Komt George boven?' vroeg ik.

'Komt George meestal boven?' vroeg hij op zijn beurt.

'Soms wel, soms niet. Soms is hij al boven en kom ik naar hem toe.'

'Nou,' zei hij, 'George komt nu naar boven, naar jou toe.'

Maar het was overal donker, behalve buiten, aan de andere kant van dat rechthoekige gat in de muur, dus het enige dat ik zag was het uniform, de contouren van het uniform en de belofte die de man die het droeg beneden inhield.

'George, je bent te laat,' zei ik.

'Hoe laat hadden we dan afgesproken?' vroeg hij, en ik antwoordde: 'Ik weet het niet meer, maar hoe laat het ook was, niet op dit tijdstip.'

'Het spijt me,' zei hij.

'En terecht,' zei ik. 'Ga nu dan maar daar zitten, George, met jouw rug tegen de mijne, ik wil deze keer je gezicht ook niet zien.'

'Deze keer,' zei hij, terwijl hij ging zitten. 'En de vorige keer dan?'

'De vorige keer zag ik je gezicht ook niet, George, en je weet waarom ik je gezicht niet wilde zien.'

'Zeg het nog eens,' zei hij, 'waarom je mijn gezicht niet wilde zien.'

'Omdat ik me wilde voorstellen dat je Gregory was, dat weet je.'

'Waarom wilde je je voorstellen dat George Gregory was?' vroeg hij, en ik voelde de ruwe haartjes van zijn uniformkraag in mijn hals.

'Omdat ik dan jou, George, zou hebben kunnen kussen zoals ik Gregory gekust zou hebben.'

'Hoezo, zoals je Gregory gekust zou hebben?'

'Zoals ik Gregory gekust zou hebben als hij niet Gregory was, als hij niet mijn halfbroer was geweest, als hij iemand anders was geweest die ook George heette.'

'Kun je iemand kussen zonder te kijken?' vroeg hij zachtjes.

'Ja,' zei ik, 'doe je ogen dicht, draai je hoofd half om, steek je hand uit naar de mijne en trek die naar je toe.'

Hij deed het. En ik voelde zijn lippen, die tere lippen, en zijn wang, die donzige wang, en alles voelde aan alsof er een vliesdun laagje water op lag, dat elk moment kon openspringen.

'Mag George bijvoorbeeld dit doen?' vroeg hij, en zijn hand ging van mijn kin langs mijn hals naar beneden en toen langs de zoom naar voren.

'Deed hij het, of mag hij het?' vroeg ik.

'Deed hij het?'

'Hij deed het en hij mag het,' zei ik, en toen werd het een soort spel, 'Deed George het' heette het spel: deed George dit, deed hij dit, dat en dat. Ik zei: 'Ja, dat deed hij, precies dat, en dat ook, maar niet zo goed, niet zo lekker. Zul je je dit herinneren, George?'

'Ja,' zei hij, 'ik weet zeker dat ik dit nooit zal vergeten.'

'Goed,' zei ik, 'want het zal nooit, nooit meer gebeuren.' Overal om ons heen was hooi; als we ons hadden willen verstoppen, hadden we daar alle mogelijkheden voor. Het hooi zat onder mijn armen, onder mijn knieën, het prikte tussen mijn billen, en het kaf zat in mijn mond, ik at het als manna, het was nat en droog tegelijk, maar de natheid leste mijn dorst niet, het was nat maar ik bleef er droog bij, en toen hoorde ik de kreet van de uil weer, en toen ik luisterde of ik de vleugelslag hoorde, hoorde ik die inderdaad, ik deed mijn ogen net op tijd open om de bosuil over hem heen te zien vliegen, over hem wiens gezicht ik vreemd genoeg niet had willen zien. Ik wendde mijn blik af en zag door het gat de hooischelven buiten staan, met het maanlicht erop, en de hazen? De hazen waren weg, en het kaf in mijn mond was plotseling zo droog als as geworden. Ik voelde het uniform van me weggaan, zag hem langs de geïmproviseerde trap van de balen hooi naar beneden glippen, en ik vroeg me af of de man in uniform net zo huilde als ik.

26

Zoals bij de meeste gedenkwaardige gebeurtenissen was er aan hun vertrek geen duidelijk begin en einde te onderscheiden, er was geen moment dat je kon aanwijzen en waarvan je kon zeggen: toen en toen is het gebeurd, zo was het, zo zal ik het me blijven herinneren. De zomerdagen gleden voorbij, de lucht boven de landerijen werd door de warmte steeds heiiger, de golfspelers liepen met hun mashy's en niblicks op en neer over de te bedwingen baan. Gregory en George kwamen wel eens langs en vertrokken dan weer, alsof ze verlengstukken van de motorfiets en het zijspan waren geworden. Ze liepen te zweten in hun uniform, maar trokken het niet uit, keerden terug om dagmarsen te maken rond Baldonnel, voor schietoefeningen op Richmond Hill, een twee maanden durend bivak in de velden bij Londonderry. Zeven shilling de man, met alle maaltijden, bed, schoeisel en kleding.

Op een dag plukte George aan de kant van Baltray, tegenover de visfabriek, uit een poeltje tussen de rotsen vier oesters, die daar door het kolkende water achteloos waren achtergelaten. Hij wrikte de schelpen open met zijn legermes en bood elk van ons er een aan, Gregory, Nina en zijn zus Janie. Toen ze zeiden dat ze er geen trek in hadden vanwege de smaak van het vieze brakke water waarin hij ze had gevonden, at hij ze zelf op door de open, zilte schelpen aan zijn mond te zetten en de inhoud op te slobberen.

'Je bent eigenlijk een halve barbaar,' zei Janie.

'En daardoor een aanwinst in de strijd voor de beschaving,' zei Gregory.

'Wat kan daar nou aan mankeren?' zei George. 'Het zijn maar oesters.' Maar bij de vierde die hij opslokte begon hij te kokhalzen, te hoesten en naar adem te happen. Nina gaf hem een klap op zijn rug, maar hij liep blauw aan, waarop Gregory het van haar overnam met hardere, mannelijke slagen op het brede kakikleurige vlak.

'We kunnen je niet missen, George. Kitchener kan niet zonder je,' zei hij, en George hoestte nog een laatste keer en spuugde toen datgene uit wat in de schelp had gezeten en hem bijna had laten stikken. Het rolde door het droge zand, en omdat het nat was van zijn speeksel koekte er een lichtbruin laagje aan vast.

'Bah,' zei Janie, die het allemaal maar smerig vond. Maar Nina keek hoe het balletje over het zand rolde en weer in het poeltje viel waaruit het afkomstig was. Ze zag het glimmen onder de waterspiegel, stak haar hand in het water, bewoog die heen en weer en haalde het naar boven.

Het was onmiskenbaar een parel, klein, niet helemaal rond, en met sprankjes turkoois onder het roomwitte oppervlak.

'Jij zit ook vol verrassingen, George,' zei ze.

'Hier,' zei hij. 'Jij mag hem hebben.'

'Je slobbert schelpdieren op en spuugt parels uit.'

'Zal ik het nog eens proberen,' zei hij, 'de hele rivieroever afgrazen en een halssnoer voor je maken?'

'Nee, George. Eén is meer dan genoeg. Om me aan jou te herinneren.' Ze stopte hem in de zoom van haar jurk.

'Zo verlies je hem,' zei Gregory.

'Nee,' zei ze, 'ik zal hem er vanavond in naaien.'

En toen ze in haar eentje op haar kamer de parel innaaide, niet in haar jurk maar in het boordsel van haar pauwblauwe sjaal, viel het haar op dat de kastanjeboom in het avondlicht over het dak van de bijgebouwen aan de binnenplaats doorboog. De tak die evenwijdig aan de rivier liep werd door een flink gewicht omlaaggetrokken. Ze maakte haar naaiwerk af, liet de parel in het boordsel door haar vingers gaan om te controleren of hij er niet uit kon vallen. Toen ging ze weg bij het raam, en enkele minuten later ging ze het huis uit en stak in haar witte jurk, die in het wegstervende licht ook iets van een parel had, de binnenplaats over. Ze liep onder de galerij door, passeerde de plantenkas en liep over het langgerekte grasveld naar de forse gestalte die daar onder aan de kastanjeboom heen en weer schommelde.

'Je bent vanavond naar me toe gekomen,' zei George.

'Hoe kan dat nou?' zei ze. 'Ik was in mijn kamer.'

'Ik weet niet hoe het kan, maar je kwam over de velden naar me toe, je kreeg natte voeten, je klopte op mijn raam, ik ben naar buiten gekomen, we zijn naar de schuur van Mabel Hatch gelopen en daar hebben we geluisterd hoe de regen op het dak viel.'

'Maar het regent niet, George.'

'Weet ik. Ik was in slaap gevallen. Het was in mijn droom dat je naar me toe kwam.'

'Is dit de eerste keer dat ik naar je toe ben gekomen?'

'Ja,' zei hij, 'maar het zal vaker gebeuren.'

'Hoe weet je dat?'

'Dat weet ik niet, maar het had te maken met de manier waarop je naar me keek toen je je over me heen boog en je haar over mijn gezicht viel. Een uil kwam aan de ene kant de schuur binnenvliegen en vloog er aan de andere kant uit. Een bosuil. En toen dacht ik: als je zo aan me verschijnt, zomaar op een willekeurige avond, dan doet het er niet toe. Dan zal de bosuil af en toe over ons heen vliegen, de regen zal op het dak kletteren, en al heb ik jou niet, dan heb ik dit tenminste.'

'Wat heb je dan?' vroeg ze.

'Dan heb ik die ander die jij bent. Aan die ander die jij bent kan niemand iets veranderen, die zal altijd daar bij de slikken en Mozambique zijn.'

'En laten we de hooischuur van Mabel Hatch niet vergeten,' zei ze.

'Heb je die parel nog ingenaaid?' vroeg hij.

'Ja,' zei ze, 'ik heb de parel ingenaaid.'

Ze hield de zoom van haar sjaal voor hem op, zodat hij het kon voelen, en hij hield op met schommelen en liet de parel met zijn grote vingers keer op keer in zijn kanten omhulsel ronddraaien, terwijl zij eraan dacht dat Dan Turnbull al die jaren geleden toch prima werk had geleverd met die schommel: dat die hem met het gewicht dat hij inmiddels had nog steeds kon dragen.

De dag daarop vertrokken ze.

~

'Wij waren naar de haven gekomen om jullie uit te zwaaien,' zegt Janie, 'maar we hadden geen idee dat er zoveel mensen zouden zijn, de kaki uniformen stonden twintig rijen dik langs de kade, en de band speelde "God save the king", en die kleine politicus – Redmond heette hij, nietwaar? – hield vanaf een podium een toespraak, en dan waren er nog anderen, met spandoeken uit het bovenraam van het gebouw van de bond van zeevarenden. Haar vader, jouw vader, hield ons allebei bij de hand, en haar moeder zei: "Mijn vader heeft dit schip gebouwd, en hij heeft de kades laten aanleggen waar het schip aan ligt" – hoe heette het ook alweer, de Kathleen Mavourneen.'

'Hij was verliefd op haar,' zegt Gregory. 'Dat begreep ik toen ik samen met hem de loopplank op liep en hij niet achterom wilde kijken. Hij zei dat hij, als hij wel achterom had gekeken, nooit zou zijn vertrokken. En hij zei dat hij wel wist dat Toetssteen niet van Rosalinde kan houden, dat het uit dramatisch oogpunt absurd was. Ik ben me ervan bewust dat hij het vreselijk moet hebben gevonden hoe lichtzinnig ik op zijn gevoelens reageerde, maar om je de waarheid te zeggen, heb ik hem erom benijd dat hij wel een gevoelsleven had dat een beetje coherent was. Dat had ik helemaal niet, althans niet voorzover ik het kon begrijpen. Ik liet een plek achter waar ik een jeugd had gekregen, waar ik man was geworden, en toen ik daar stond en de boot langzaam wegvoer, kon ik niet anders dan me afvragen hoe ik in godsnaam van zo'n stotterende knaap de man was geworden die ik toen was. Ik wist alleen dat hij van haar hield op de manier waarop ik van haar wilde houden, maar ik wist natuurlijk dat ik dat niet kon. Als de liefde van Toetssteen voor Rosalinde uit dramatisch oogpunt absurd was, zou de liefde van Orlando voor Rosalinde obsceen zijn.'

~

Er verstijfde iets in me daar op de kade, toen de Kathleen Mavourneen onder de tonen van de band langzaam wegvoer. Ik weet het aan mijn verdriet of aan een gevoel van verlies, maar dat was het niet, het was gewoon misselijkheid. Ik boog me voorover en braakte in het water, en niemand merkte het, want alle ogen waren gericht op het schip dat op de Lady's Finger af koerste, en ik herinner me nog dat ik me afvroeg of verdriet je zo'n leeg gevoel kan geven. Het was een realiteit, die misselijkheid, of noem het verdriet, een actieve realiteit die ik niet wilde erkennen, en toen ik wist waar het aan lag, was dat voor mijn zo'n schok dat ik er nooit meer over na heb willen denken. Ik had net als mijn moeder waarschijnlijk van die dingen waarover niet te praten viel, genot bijvoorbeeld, zoals die intense vervoering die ik op het steen had gevoeld en die zoveel te maken had met de vrouw in het steen die met haar handen tussen haar benen zat. Het was ook omstreeks die tijd dat ik mijn moeder ging haten, dat ik op een niet te achterhalen manier wist dat ik in mezelf aanleiding had om haar te haten. In de stiltes die vielen koos ik altijd zijn kant, nooit waren er ruzies, alleen stiltes, ruzies zouden tenminste een objectief bestaan hebben gehad. Ik koos zijn kant, koos voor zijn manier om met een abstract soort tederheid alle onderhuidse onaangenaamheden tegemoet te treden. Als er sprake was geweest van liefde – en die moet er geweest zijn, in Florence, op Trafalgar Square –, dan had de komst van mijn halfbroer, zijn volle zoon, daar met wetenschappelijke precisie mee afgerekend.

27

'Van Liverpool ging het naar Basingstoke,' zegt Gregory, 'waar we in de uitrusting voor het westelijk front een maand lang over het platteland van Hampshire hebben gemarcheerd, druipend van het zweet omdat het in mei al zo warm was, totdat we op een dag tropenhelmen en hemden met open halzen kregen en we begrepen dat we naar het oosten zouden gaan. Toen per trein naar Davenport, waar ze ons op een met kolen gestookte stoomboot inscheepten en we op weg gingen naar de Golf van Biskaje. We keken bij maanlicht hoe de dolfijnen in het kielzog het kolenschip volgden en begrepen alleen uit het feit dat het steeds warmer werd welke kant we op voeren. Op het dek was het niet uit te houden vanwege de brandende zon, en in het ruim niet vanwege de hitte, zelfs de scheepshuid zweette. Overal waren manschappen en overal was de lucht van manschappen, die tot op hun kaki onderbroeken uitgekleed met van zweet doordrenkte kaarten zaten te eenentwintigen en zich voortdurend afvroegen waar ze heen gingen.'

Er weerklinkt een geluid als van een trein die in de verte voorbijrijdt. Gregory laat zijn blik van het gezicht van Janie naar beneden gaan, langs de lijn van haar arm naar de rokende sigaret en de ketel achter haar. Hij legt zijn vingers op de tuit en voelt de stoom opwellen.

'Ongeveer een maand nadat jullie vertrokken waren, kwam er een vrouw op bezoek,' zegt Janie. 'Ida Lennox, een stijf type met een hoop poeha van een toneelgezelschap uit Dublin, gestuurd door zuster Catherine. Met een picknickmand vóór ons op het gras dronken we thee in de schaduw van de kastanjeboom. Mary Dagge bracht vers gezette thee uit het huis, ik smeerde warme broodjes, en Ida Lennox vertelde over het theater.

"Ik wil de opvattingen veranderen zoals die in het algemeen over de toneelkunst bestaan," zei ze, "en ervoor zorgen dat toneelspelen niet meer gezien wordt als iets wat nauwelijks beter is dan prostitutie, maar als een achtenswaardig doel waar iedere jonge vrouw zich voor zou kunnen inzetten. En jij, mijn beste jongedame, met jouw naar ik heb gehoord overduidelijke, schitterende talent, zou in een van zijne majesteits gevangenissen moeten worden opgesloten als je iets anders zou overwegen dan een loopbaan als..."

Toen ze weg was, keek ik Nina aan. "Aan wie doet ze jou aan denken?" vroeg ze.

Ik was verbaasd dat haar stem zo vlak klonk, herinner ik me. "Aan wie dan?" vroeg ik, en zij zei: "Je zult je haar wel niet meer herinneren."

"Nou, misschien wel," zei ik, en ik zag haar naar de schommel kijken, die daar boven het water hing te beschimmelen.

"Shawcross," zei ze. "Juffrouw Isobel Shawcross."

Toen begreep ik dat haar iets mankeerde, maar wat het was, wist ik niet.'

'Van Cyprus voeren we naar Alexandrië om in de Sinaï-woestijn tegen de Turken te vechten,' zegt Gregory. '"Wat hebben de Turken gedaan?" vroeg George. "Wat hebben ze gedaan tegen het arme katholieke België? Wat hebben wij tegen de Turken? Ik heb heimwee, ik mis Mozambique."

"Ze hebben hier ook water," zei ik tegen hem, "breder dan onze rivier thuis."

Ik schreef zijn brieven voor hem. Lieve Dada en Janie, schreef ik voor hem, het is hier bloedheet, we liggen in de haven van Alexandrië in afwachting van onze strijd tegen de Turken in de Sinaï-woestijn en we besteden onze tijd voornamelijk aan het drinken van zoete thee op marktpleintjes; het is hier een oneindige wirwar van kleine straatjes, en als ze er niet een strodak overheen hadden gelegd zou de zon daar ondraaglijk zijn geweest. Ik heb tweehonderd miljoen vliegen gezien, en het lijkt wel alsof ze me allemaal geprikt hebben. We hebben vandaag gehoord dat we niet in de Sinaï-woestijn tegen de Turken gaan vechten maar ergens waar het Dardanellen heet.'

~

Ze zat in de keuken over een bord roereieren van Mary Dagge gebogen haar kruiswoordraadsel op te lossen, met het afgekloven potlood in haar linkerhand.

'Gemeenzame uitdrukking voor buik,' zei ze, alsof er niets gebeurd was, alsof hij er niet geweest was, alsof hij niet was weggegaan.

'Pens,' zei ik, ook alsof er niets gebeurd was. Vader stond over haar linkerschouder gebogen kokendhete thee in te schenken.

'Er zijn paardenrennen in Laytown,' zei hij. 'Ik dacht dat we daar wel eens heen konden gaan, kijken hoe de paarden met laagwater over het strand rennen.'

'Wanneer is het laagwater?' vroeg ik.

'Om vier uur,' zei hij. 'Zou jij dat leuk vinden, Nina?'

Ik knikte en keek naar haar om te gissen wat zij dacht, maar van haar gezicht viel niets af te lezen, zag ik, al zou ik honderd jaar wachten. 'Zou jij dat leuk vinden, moeder?' vroeg ik.

'Als jullie het allebei leuk vinden, vind ik het ook leuk,' zei ze.

Hij schonk thee voor me in en drukte met die voor hem zo typische verstrooidheid een kus op mijn voorhoofd. 'Laten we dan gaan.'

Regens van zeewater opspattend renden de paarden langs het strand en de jockeys met hun racekleuren lichtten helder op tegen de ijzerkleur van de zee. De gokkers en de bookmakers met hun stalletjes stonden dicht bij elkaar op het harde zand. Maar dat alles interesseerde me niet. Wat me interesseerde, was de tent op het grasveld achteraan met het bord waarop te lezen stond: 'DE WARE TRAGEDIE VAN COLLEEN BAWN, iedere avond uitvoering.' En terwijl zij naar de paarden keken, liep ik naar de tent en ging in een geur van nat zeildoek en geplet gras naar binnen.

Op het verhoogde houten toneel stond een meisje te jammeren dat ze door toedoen van een man in het verderf was gestort. Achter haar rug bevond zich een decor dat een Iers boerenhuisje met een rieten dak in een moeraslandschap moest voorstellen. Ik bleef naar het meisje staan kijken, en ondanks haar houterige mimiek en schoolse speelstijl raakt ik algauw in de ban van haar verhaal, waaruit bleek dat ze spoedig de dood zou vinden in het onzichtbare meer achter het huisje. Ik bedacht dat ik ook iets dergelijks zou kunnen gaan doen met mijn nutteloze lijf.

Het was een bleek meisje met pukkels op haar gezicht en een Engels accent, dat ze probeerde te verdonkeremanen met een opgelegde Ierse tongval.

'Je mag hier niet komen, hoor,' zei ze. 'Ik ben aan het repeteren; we beginnen pas om acht uur.'

Ik keek naar haar bleke gezicht met het puisterige voorhoofd en vatte meteen sympathie voor haar op. 'Neem me niet kwalijk,' zei ik. 'Ik liep zomaar even binnen, ik ben hier niet voor de paarden, ik heb ook liefde voor toneel.' Hoe ik dat gezegd had, beviel me wel. Liefde voor toneel. En het was haar ook opgevallen. 'Hoe lang spelen jullie hier?' vroeg ik.

'Drie avonden,' zei ze, 'dan treden we aan de overkant van de rivier op in Baltray, en dan gaan we weer op de boot terug naar Engeland.'

'Waar gaat het toneelstuk over?' vroeg ik.

'Over een Iers meisje dat in het verderf wordt gestort door een Ierse man,' zei ze. 'Heel wat anders dan bij mij. Ik ben een Engels meisje dat in het verderf is gestort door een Engelsman.'

~

'"De Hellespont," zei ik, "Troje, de Egeïsche eilanden. Waar Odysseus het houten paard bouwde en Achilles de pijl in zijn hiel kreeg. Gallipoli. Daar ligt een smal stukje water dat helemaal naar Constantinopel voert. Daar willen ze overheen."

"Ze willen het veroveren," zei hij.

"Ja," zei ik, "en dan tot aan de Zwarte Zee doorstoten. Je moet het als een exotische expeditie zien. De Royal Navy dringt door in het serail. In het Ottomaanse Rijk. Klein-Azië. De Oriënt."'

~

Ze ging op een van de wankele bankjes tussen het stinkende publiek zitten en keek toe hoe de acteurs met hun geschminkte gezichten hun stukje opvoerden met een opvallend gebrek aan bezieling en een ongeïnteresseerdheid die ze vreemd genoeg heel aantrekkelijk vond. Ze leken het drama op te voeren alsof ze het voorlazen, de dood van Colleen Bawn was blijkbaar iets waar ze alleen naar hoefden te verwijzen en waar ze nauwelijks gevoel in hoefden te investeren, en opgelegd drama was ook niet nodig om het publiek in vervoering te brengen of het te betrekken bij leven en sterven van de bezoedelde heldin van het verhaal. Ze besefte dat ze zelf ook dolgraag op die manier zou willen vluchten in een ander leven dan dat wat zijzelf leidde, elke avond, het maakte niet uit wat voor een leven, en dat ze dol zou zijn op de anonimiteit en het voortdurende rondreizen dat je met zo'n gezelschap deed. Haar gezicht was zo bleek dat ze geen schmink nodig zou hebben, bedacht ze, en na de voorstelling liep ze tussen de woonwagens door totdat ze het meisje vond, dat met de deur open in het licht van een olielamp in haar wagen worstelde met het rijgkoord van haar bustier.

'Zal ik je daar even mee helpen?' zei ze.

'Nou, graag, kind,' mompelde het meisje, en pas toen zag ze haar in de spiegel. 'O, ben jij het weer,' zei ze, en ze pakte met haar vrije hand een sigaret van het vol met peuken liggende schoteltje dat voor haar stond.

Op dat moment hoorde ze haar vader buiten roepen. 'Nina, Nina meisje.' Ze hield op met wat ze aan het doen was, zei haar gedag, ging naar buiten en sloot de deur achter zich. Ze zag de sjees tussen de woonwagens staan, met een ranzige maan erachter, Dan Turnbull ervoor, haar moeder achterin en haar vader naast Dan.

'Nina,' riep hij nog een keer, het klonk zo triest, en ze vroeg zich af wanneer de dag zou komen dat ze zijn hart zou breken.

28

'Ik herinner me zijn brieven nog,' zegt Janie terwijl ze het koken-
de water uit de ketel giet, de theepot ermee schoonmaakt en dan
de blaadjes erin strooit. 'Het waren brieven in jouw handschrift,
maar met zijn zinsbouw, wat een vreemde combinatie was, als ik
het mag zeggen. Jullie tweeën waren één geworden, elegant maar
ongeletterd, met af en toe een geleerd woord als een misplaatste
edelsteen tussen de gewone, bondige zinnen. Ik heb ook jouw
brieven aan Nina gelezen, en hoe goed ze ook gesteld waren, ik
begreep eigenlijk nooit waar het precies over ging. Maar de brieven van Gregory-George, als ik jullie twee-eenheid zo mag noemen,
hadden eenvoud doordat alles direct verbeeld en direct gezegd
werd, waardoor ik de dingen voor me zag. Ik zag de Middellandse
Zee blauwer voor me dan de korenbloemen rond de koolraapaan-
plant van Keiling, waarmee hij hem vergeleek. Ik zag de eilanden
langs het kolenschip glijden zoals de wolken langs de Mourne-
bergen glijden of langs de kastanjeboom als we op de droge modder daaronder lagen en langs de stam omhoogkeken. Ik zag het
kolenschip langs de eilanden glijden, en dan zag ik de schepen
van zijne majesteits zeemacht er als potten en pannen omheen
dobberen. Alle oorlogsschepen braakten zwarte rookwolken uit
alsof het primussen waren, schreef hij geloof ik, of schreef jij
voor hem.'

~

De parel, de parel, het leek alsof hij ervoor geboren was om mooie dingen te vinden onder rotsblokken, om handenvol Kerry-blauwtjes uit de natte aarde te plukken, en om het mulch onder een schelpdier te vinden at hij vruchtvlees van een oester, spuwde de parel uit en gaf die aan mij, de parel die ik in mijn sjaal heb ingenaaid, zoals ik beloofd had dat ik zou doen. Ik dacht aan het beetje zand dat door de rivier was aangevoerd en dat in dat hoornen omhulsel langzaam was aangegroeid; hoe lang doen parels erover om aan te groeien, vroeg ik me af, langer dan al het andere dat groeit. We voelden ons verloren zonder jullie tweeën, wij tweeën, Janie en ik, terwijl we nadachten over onze toekomst.

Ida Lennox haalde me naar Dublin, vroeg me om eens na te denken over een toekomst als actrice. In een concertzaal hoorde ik 'Hiawatha' voordragen, deed zelf ook een poging en droeg 'Francis Farrelly' van Percy French voor, maar dit kon natuurlijk niet, dit zou mijn moeder nooit goedkeuren. Onder de brug bij het douanekantoor kuste Ida Lennox me en gaf me haar kaartje – denk er alsjeblieft eens over na – en toen moest ik weer overgeven, in het bruine water van de Liffey deze keer; ik had liever gehad dat het de Boyne geweest was.

'Is alles wel in orde met je, kind, ben je ziek?'

'Nee hoor,' zei ik, 'het zakt alweer, geloof ik.' In de trein terug voelde ik me zwak en licht in mijn hoofd, tegelijkertijd lusteloos en uitgelaten. Mary Dagge was thuis de eerste die erachter kwam, doordat ik mijn ontbijt op de keukenvloer uitbraakte. Ze was plotseling heel stil, daardoor merkte ik dat er iets mis was, heel erg en onherstelbaar mis. Een oneindig lijkend ogenblik keek ze me vanonder haar dienstmeisjeskapje aan. Toen vloog er een zwaluw door de openstaande deur naar binnen, wat ze beschouwde als een welkome afleiding; ze pakte een zwabber en ging daarmee als een derwisj de keuken door, achter de zwaluw aan, of was het een mus, totdat het haar lukte om hem met volle kracht te raken en hij tegen het fornuis aan sloeg en op de plavuizen naast het braaksel viel. Kom, ik zal dat eens even opruimen, mompelde ze; ze pakte de emmer, doopte de zwabber in het vettige water en veegde het uitgebraakte ontbijt en de op apegapen liggende zwaluw of mus door de keukendeur naar buiten, het grind op.

'Hoe is het met je, Nina?' vroeg ze met afgewend hoofd, en dat was raar, want ze noemde me nooit Nina. Juffie of meisje of kind waren altijd haar koosnaampjes voor me.

'Uitstekend,' zei ik. 'Ik heb me nog nooit zo goed gevoeld.'

'Nee,' zei ze, 'Nina, ik ken je al vanaf je geboorte, ik heb je verpleegd toen je griep had, en de mazelen en rode hond, en ik weet genoeg om te weten dat je dit niet uitstekend noemt. Heeft iemand iets met je gedaan, kind?'

Ze hield haar hoofd schuin terwijl ze het vroeg, alsof ze het antwoord niet zou kunnen verdragen, en net op dat moment kwam mijn moeder binnen, redde me voor de verandering eens een keer, of redde me althans voor het moment. Ze snoof als een king Charles-spaniël. 'Ik ruik iets,' zei ze. 'Het stinkt hier, Mary. Heeft de hond overgegeven?'

'Ja, mevrouw,' zei Mary, 'hij heeft weer gras gegeten.' Als Mary Dagge een hond de schuld kon geven van het feit dat ik gebraakt had, waren hier verschrikkelijke, donkere krochten van de geest aan de orde, bedacht ik.

'Heb je zin om met mij het kruiswoordraadsel op te lossen, Nina?' vroeg ze, dat wil zeggen moeder. Ik ging bij haar zitten, en terwijl zij op haar potlood kauwde, schonk Mary haar thee in. 'Ring om een ton?' zei ze.

'Hoepel,' antwoordde ik.

~

'Het was poëzie,' zegt Gregory, en hij nipt aan de rand van het porseleinen kopje, voelt de hitte aan zijn lippen en blaast erin. 'Ik schreef het op alsof het pure poëzie was, en ik zie hem nu weer voor me aan dek die avond in de haven van Mudros, hij schommelde heen en weer terwijl hij dicteerde. Lieve Dada, lieve Janie. Maar toen de strijd nog niet begonnen was, waren we allemaal dichters, de jonge officieren bladerden al voor dag en dauw in hun schooluitgaven van de *Ilias* en vroegen zich af waar aan die kartelrand van bergen aan de horizon Thermopylae lag. Met geurige fantasievoorstellingen konden ze het stof, de hitte en de lucht van rottende drollen in de Egeïsche Zee vergeten.'

'En jij?' vraagt Janie. 'Schreef jij?'

'Voor mij was het terug naar af,' zegt hij. 'Terug naar de tijd voordat ik met mijn met touw dichtgebonden koffertje over het grind naar het huis liep. Ik leefde te midden van een massa mannen, als een van velen, en ik ontleende een zekere troost aan de gedachte dat ik er maar mee moest leren leven, dat de jaren in Baltray een aberratie waren. Dit isolement, dit ik, dit eenzame bewustzijn te midden van een menigte, dit was normaal. Trouwens, je komt elkaar nader, ik weet niet hoe ik het moet zeggen, je komt elkaar nader dan je ooit iemand na hebt gestaan, en het is een nabijheid die niets van je eist, die niets anders van het contact vraagt dan het bewustzijn dat je samen in die situatie zit, dat je mannetje aan mannetje staat en zit en ligt en dat jij een van hen bent – ja, hoe is het, jongen, zeg maar niks, ik weet het, ik weet. De meesten van hen zouden sterven, en ergens had ik het gevoel, of verwachtte ik dat ook hij zou sterven, maar om de een of andere reden dacht ik nooit dat ik een van de uitverkorenen zou zijn, hoewel het ironisch is dat ik uiteindelijk wel gestorven zou zijn als hij er niet geweest was. Ik was dus weg van huis, absoluut en definitief weg van huis, en als er niet zou zijn gebeurd wat er is gebeurd, zou ik nooit zijn teruggekomen, Janie.'

'Zij is toen ook veranderd,' zegt Janie, 'en misschien was dat de reden waarom het gebeurd is. Toen jullie allebei weg waren, is ze veranderd. Ik snapte het niet, maar ik had het rare gevoel dat het ene soort leven afgelopen en het andere nog niet begonnen was. Ik had gedacht dat wij daardoor dichter bij elkaar zouden komen – we hadden toen zoveel gemeenschappelijk, weet je: meisjes die op het punt staan vrouw te worden, vrouwen die hun meisjestijd vaarwel zeggen. Maar zij ging in haar eentje naar Dublin om die Ida Lennox te ontmoeten, die haar deed denken aan haar verdronken kindermeisje. Ik voelde me beledigd, herinner ik me, een gezamenlijk uitje naar Dublin zou fantastisch zijn geweest en zou hebben betekend dat haar toekomst en de mijne iets met elkaar van doen zouden hebben, of dat we in elk geval zouden kunnen praten over verschillen tussen de hare en de mijne. Want wat voor toekomst had ik? Mijn vader, die lieverd, had de havenmeester gevraagd of ik als leerling daar op kantoor kon komen, maar dat was niks voor een meisje, hoewel mijn fraaie handschrift minstens zo mooi was als dat van elke willekeurige jongen. Trouwen misschien, of anders een dienstje in een van de herenhuizen? Ik had een Mary Dagge kunnen worden, of althans mijn versie daarvan. Maar het was zomer, en ik had erop gehoopt en ernaar verlangd dat we die zomer samen zouden zijn, Nina en ik, ik had gedacht dat we zouden kletsen over onze gemeenschappelijke toekomst, zouden babbelen over gemeenschappelijke verwachtingen. Maar zij was dichtgeklapt als een oester, als de oester die George met zijn tanden open had gebeten. Maar haar openen was voor mij niet weggelegd; ze wilde me niet binnenlaten. En zo ben ik je zuster die zomer in zekere zin kwijtgeraakt.'

~

Ik liep langs de oever naar de fabriek, langs de andere oever, over een deken van dode schelpen aan de waterkant. Het gebouw stond nu bijna leeg. De markt was stilgevallen, de meeste jonge mannen hadden dienst genomen, en in de lucht van rottende schaaldieren stond mijn vader in een corduroy jasje met een pijp in zijn mond achter zijn ezel te schilderen. Hij schilderde de bruine rivier met de paar bootjes en het Hollandse landschap aan de overkant en leek zich nergens druk over te maken.

'Ik ben geen echte schilder, dat weet ik,' zei hij, 'en ik weet dat ik het landschap dat ik zie nooit precies zo op het doek krijg zoals het in mijn ogen is, om zo te zeggen. Maar Nina, lieverd, eigenlijk vraag ik me af waarom mijn gebrek aan talent me niet stoort, waarom ik toch kan genieten van wat ik hier doe.'

'Misschien geeft het afleiding,' zei ik, en ik vlijde mezelf neer op de warme ronde stenen aan zijn voeten. 'Trouwens, ík vind het heel mooi wat je doet.'

'Afleiding waarvan?' vroeg hij.

'Van gedachten aan de oorlog,' zei ik, 'Aan Gregory die daar aan het vechten is, waar dan ook.'

'En aan George,' zei hij. 'Laten we George niet vergeten. Er zijn heel wat oorlogen geweest sinds deze rivier zichzelf in het leven heeft geroepen, maar de rivier trekt zich daar niks van aan en stroomt gewoon door.'

'Bedoel je dat de rivier zichzelf geschapen heeft?' Er voer een sleepboot voorbij, die als een mes door het water sneed en een kielzog achterliet. Janies vader wuifde vanachter het stuur.

'Dat is de vraag,' zei hij. 'Heeft Boinn de rivier geschapen, of heet de rivier Boinn geschapen?'

'Als de een er vóór de ander was, is het duidelijk wie wie geschapen heeft,' zei ik.

'De bron was er voordat het meisje naar haar spiegelbeeld keek.'

'Maar de bron was nog geen rivier.'

'Aha,' zei hij. 'Zie je wel? Nu hebben we een raadsel.' Hij penseelde een paar streken in de bruine strengen zeewier onder het wateroppervlak, die eruitzagen als het haar van een vrouw.

'Heb je me iets te vertellen, Nina?' vroeg hij.

'Nee,' loog ik. 'Wat zou ik je te vertellen hebben?'

'Iets over je leven nu, nu je broer weg is.'

'Mijn halfbroer,' verbeterde ik hem. 'Maar als ik je ooit iets zou opbiechten, zou je me dan straffen?'

'Nee,' zei hij, 'maar ik zou zeker luisteren.'

'Is het nou afgelopen met de fabriek?' vroeg ik.

'Het bedrijf is stilgelegd,' zei hij. 'De koning betaalt een beter loon dan je vader.'

'Hoe moeten we dan leven?'

'Zoals we steeds hebben geleefd,' zei hij. 'De fabriek heeft zijn geld allang opgebracht, ermee doorgaan was meer een kwestie van liefdadigheid. Dus als ze willen vechten, laat ze vechten. Dan ga ik schilderen.

Ga eens met je moeder praten,' zei hij toen ik me omdraaide en wegliep.

'Waarom?' vroeg ik. 'Waarom zeg je dat?'

'Omdat je wel met mij praat, en met haar niet zo vaak,' zei hij. En terwijl ik wegliep over de deken van dode schelpen, vroeg ik me af of hij iets voelde; voelde hij misschien het zaadje dat de rivier in me had geplant en dat zelf zou uitgroeien tot een vrouw? Al dat groeien, al dat geboren worden en doodgaan, dacht ik, waarom kunnen de dingen niet gewoon blijven zoals ze zijn op het moment dat we ze gewaarworden – volmaakt, begrijpelijk en onveranderlijk? Ik liep van hem weg, over de oesterschelpen, kokkelschelpen, mosselschelpen en jakobsschelpen die daar sinds eeuwen lagen, waar hij zijn fortuin mee had gemaakt en die zelf hun eigen parels hadden gevormd, parels waar niemand het bestaan van kende, die nog ergens onder het oppervlak van het bruine water groeiden. Dan bracht me terug, met de sjees met Garibaldi ervoor, die als enige van alle wezens zichzelf had moeten blijven, maar die nu, zag ik, allemaal grijze haartjes had, die me als kind nooit opgevallen waren. Hij veranderde dus ook, dacht ik, terwijl hij voortstapte en toen in draf overging, langzaam en hijgend van de inspanning.

'Hij heeft niet veel puf meer, het beest,' zei Dan.

'Is het echt waar, Dan?' zei ik.

'Ja,' zei hij, 'nog even en het is tijd voor paardenvilder.'

'Als híj dood zou gaan, zou alles om me heen dood zijn, weet je dat, Dan?' zei ik.

'Nee, dat denk je maar, Nina, meisje,' zei Dan. 'Een ander paard zal zijn plaats innemen, en dan wen je daar weer aan.'

29

'Ze noemden het geweren, maar de geweren waar we mee schoten waren eigenlijk machinegeweren. Ze noemden ons fuseliers, maar de fusillades kwamen van de schepen achter ons. Ze noemden ons infanteristen en stuurden ons een strand op waar lopen ondenkbaar was en waar de voortgang in centimeters werd gemeten,' zegt Gregory. 'Maar op de ochtend dat we ons inscheepten op dat oude Schotse kolenschip hadden ze bedacht dat ze het een heldhaftig aanzien konden geven door marsmuziek te laten spelen. Maar toen we wegvoeren, klonk de muziek steeds zwakker. De hoge omes voeren op luxueuze lijnschepen, en er waren meer oorlogsschepen, torpedobootjagers en kolenschepen dan ik kon tellen. We sleepten bootjes achter ons schip aan, en opzij van het kolenschip hingen loopplanken, zodat het eruitzag als een spin in een web. Er dreigde storm, maar die dreef bij zonsondergang over, en toen verscheen de maan en konden we onze weg over een steeds kalmer wordende zee vervolgen. Het was gewoon onmogelijk om niet te geloven dat zo'n gezamenlijk inspanning, zo'n massale verplaatsing van schepen en wapens niet iets glorierijks zou opleveren – wat glorie ook mocht betekenen. Wat glorie betekende zouden we pas later beseffen. Glorie was dat een ander doodging en jij bleef leven. Maar toen was dat nog een abstractie, toen de vage kustlijn waar we op afstevenden in het maanlicht opdook, een dun, donker potloodlijntje, een onduidelijke belofte, met op de berg achter het strand de omtrekken van een groot, gehavend fort.

Er was natuurlijk een stevige getijdenstroom, meer dan op een rivier maar minder, veel minder dan op zee. Aan de ene kant lag Azië, aan de andere Europa, en daartussenin deze stroom: een brede, woelige Boyne. We hoorden inmiddels geweervuur van de andere stranden en zagen lichtflitsen van de marineartillerie aan de hemel, maar dat alles droeg op ons schip alleen maar bij aan de stilte. We zaten in een cocon waar het vreemd stil was, waar het geknal en gedreun in de verte ons alleen nog meer isoleerden, waar de lichtflitsen in de verte afkomstig leken van een ver verwijderd onweer. We werden van elkaar gescheiden toen we in de bootjes klommen; ik zag George verderop in een ander bootje dat in het kielzog van het kolenschip werd voortgetrokken. Ik zag zijn hoofd te midden van een twintigtal andere hoofden oplichten in het maanlicht, dat ook de turbulentie van het kolkende water zichtbaar maakte. Toen dook het fort van Sedd el Bahr voor hem op, als een holle kies, en kon ik hem niet meer onderscheiden. Toen ik voor het kolenschip uit het strand weer kon zien, hield ik mijn blik gericht op de donkere uitstulping; toen werden op het schip de machines stilgezet en roeiden de matrozen ons naar het strand. Ik geloof niet dat ik ooit zo'n onnatuurlijk stilte heb gehoord of gevoeld als toen.'

~

Met twee stokken in haar handen liep mijn moeder de oprijlaan af. 'Kom Dan,' zei ze, 'en jij ook, Nina. We moeten een nieuw spel leren, het heet golf.'

'Is golf niet voor mannen, mevrouw?' zei Dan zachtjes, terwijl hij Garibaldi intoomde en tot staan bracht, wat haar misschien niet onwelkom was.

'Het is vandaag zaterdag,' zei ze, 'en ik weet uit betrouwbare bron dat het damesdag is.' Ze pakte Dans hand vast en stapte op, of liever gezegd: ze klauterde naar boven. 'Dit is een putter,' zei ze, terwijl ze een van de stokken ophield, 'en dit, heb ik me laten vertellen, is een niblick.'

Dan zette ons bij de eerste hole af, waar zij een houten pin in de grond stak en er een wit balletje op legde.

'Je concentreert je op de bal, Nina,' zei ze, 'je haalt uit naar achteren en je laat hem naar voren komen.'

En met ruisende rokken liet ze de club angstaanjagend zoevend naar voren komen, waarna een dof *plok* weerklonk. Ik zag een wit vlekje omhooggaan en over het grastapijt stuiteren, dat, zoals ze me vertelde, de fairway heette. Ik nam mijn plaats in, haalde uit en zag mijn balletje voorbij het hare stuiteren en in de met langer gras begroeide zoom van het grasveld terechtkomen, waarvan zij zei dat het de rough heette.

'Nu lopen we erachteraan,' zei ze. 'We volgen de ballen, daar is het allemaal om te doen.'

'Waar is het precies om te doen?' vroeg ik.

'Lichaamsbeweging,' zei ze, 'lekkere frisse lucht binnenkrijgen, armen en benen bewegen, het bloed sneller laten stromen, het hart laten werken. Je bent veel te bleek, Nina, en sinds hij weg is, zit je te piekeren, je komt nooit meer eens lekker buiten en je zit maar kniezen op je kamer. Je hebt nog een heel leven voor je, lieverd.'

'Hoe zie jij het dan voor je?'

'Hoe zie ik wat voor me?' vroeg ze, terwijl ze bij haar bal arriveerde en zich weer concentreerde. Driemaal moest ze deze keer slaan, voordat het kleine witte ding samen met een paar aardkluiten moeizaam een stuk verderop terechtkwam.

'Mijn toekomst,' zei ik.

'Nee,' zei ze, 'ik zie jouw toekomst net zomin voor me als die van mezelf. Toen ik zo oud was als jij, ging ik naar Italië om te studeren, en daar heb ik de man ontmoet met wie ik later zou trouwen. Misschien trouw jij op een goede dag ook, maar tot het zover is, moet je een eigen leven leiden.'

'Dus dat houdt op als je trouwt?'

'Het mijne hield toen op, ja,' zei ze, 'maar dat betekent niet dat het bij jou ook zo hoeft te gaan. Des te meer reden om daar nu over na te denken.'

Ik was inmiddels bij mijn balletje in het hoge gras aangekomen en maaide het gras eromheen weg met de niblick alsof het een zeis was. Toen haalde ik uit, de bal schoot door de lucht en stuiterde keurig netjes op een plateau van gemaaid gras dat zij de green noemde.

'Goed gedaan, Nina,' zei ze. 'Je hebt talent.' En terwijl ze verder liep in de richting van haar eigen bal, vervolgde ze: 'En heb je wel eens nagedacht over een verdere opleiding, over een beroep, de geneeskunde bijvoorbeeld, een opleiding als verpleegster, een tijdje kunstgeschiedenis studeren?'

'Toneelspelen,' zei ik. 'Ik heb wel eens gedacht aan toneelspelen.'

'Hoezo, toneelspelen?' zei ze.

'Gewoon, als actrice,' zei ik. 'Aan het toneel.'

'Nee Nina, geen sprake van.' Ze zei het zeer beslist en autoritair. 'Toneelspelen is iets voor oplichters en gevallen vrouwen. Mijn dochter gaat niet aan het toneel.'

We zullen zien, dacht ik, maar dat hield ik voor me, en ik keek hoe ze haar bal op de zogenoemde green sloeg.

'Zoals je weet zijn we niet armlastig,' zei ze, 'dus je hoeft je niet in het zweet te werken om in leven te blijven. Als het reizen nu niet zo gevaarlijk was, zou ik een reis door Italië in het gezelschap van een van de nonnen van Siena wel iets voor je hebben gevonden.

Goed,' zei ze even later, 'nu zijn we op een punt gekomen dat we de niblick inruilen voor de putter. Je houdt hem met beide handen vast,' zei ze, 'zo, op deze manier.' Ze kwam achter me staan en legde haar armen om me heen, zodat ik haar volle borsten op mijn rug voelde drukken, haar jurk hoorde ruisen en haar voelde ademen op de haartjes in mijn nek. 'Zachtjes laten neerkomen,' zei ze, 'in het vlak van de green.' Ze trok mijn armen naar achteren, de club raakte de bal, en de bal rolde aarzelend in de richting van de hole.

'Ik voel me zo flauw worden, moeder,' zei ik, en toen ik me omdraaide begon ik weer te kokhalzen. Ik probeerde het tegen te houden en viel naar links. Ze hield me vast, en toen gutste het braaksel uit mijn mond, haar verbaasde gezicht tegemoet, en werd alles donker.

~

'Ik hield mijn ogen gericht op de boot voor ons, vroeg me af wanneer het schieten zou beginnen en of ik dan dat van George zou kunnen onderscheiden. Maar er was niets te horen, behalve het doffe schuren van de scheepsrompen over de kiezels onder water, het geplas van laarzen in het water en het geluid van duizend wadende voeten. Tegen alle logica in dacht ik dus dat we zonder tegenstand aan land zouden kunnen gaan, omdat alle vuurkracht was ingezet in de buurt van die onzichtbare lichtflitsen en het verre gerommel ver weg links van ons. Ik zag ze naar het strand waden, de armen omhoog in V-vorm, hun geweren boven het water tussen hen in. Ik kon niet onderscheiden wie van hen George was.

Toen klonk het schuren van de boten over het strand; vol ongeduld gingen de mannen op het onduidelijke strand af, maar degenen die er aankwamen vielen om, alsof ze over een onzichtbare draad struikelden, en het water bij de mannen die daar met opgeheven armen liepen kwam in beroering alsof het hagelstenen regende. De geweren vlogen door de lucht en de mannen vielen, terwijl de boot voor ons, waaruit net een loopplank was neergelaten, achteroverhelde onder het gewicht van de stervenden. Toen pas weerklonk het geluid en hoorde ik het geweervuur en realiseerde ik me waarom wij de Dublin Fuseliers heetten. Wij voeren onder de dekking van de boot voor ons, maar die week uit naar stuurboord om zelf dekking te zoeken en stelde ons daardoor bloot aan het smerige metaal dat vanuit de duinen en uit het hoog boven ons uittorenende fort op ons werd afgevuurd.

Een muur van mannen wankelde zonder enig geluid, op een zucht van verbazing na, achteruit. Ik werd achterovergedrukt door het gewicht van de dode lichamen, die de boot deden overhellen. Ik probeerde boven hen uit te komen en voelde anderen over mij en over de lichamen van de gevallenen heen klauteren, waarna ze

zich in het water lieten vallen. De bodem van de boot was nat, omdat we water maakten, dacht ik, maar toen realiseerde ik me dat
het bloed was, en ik deed hetzelfde als zij: ik klauterde over die
steppe van kreunend vlees en liet me in zee vallen.

Mijn rugzak trok me natuurlijk naar beneden – het was me van
tevoren verteld dat dat zou gebeuren – en naarmate hij volstroomde met water trok hij me verder de diepte in. Ik probeerde hem los
te maken, ik raakte in paniek zoals me voorspeld was dat zou gebeuren, maar merkte toen tot mijn verbazing dat ik met mijn voeten op een bed van gebroken schelpen stond, bijna net zoals voor
de fabriek van mijn vader aan de Boyne. Dat dit zo was, verbaasde
me om de een of andere vreemde reden. Hoe vertrouwd en toch
ook vreemd was dit. Maar elke kust lijkt natuurlijk op alle andere
kusten. Door de schok van dit vertrouwde stond ik op, kwam ik
langzaam omhoog. En toen ik mijn hoofd boven water stak, realiseerde ik me dat het er niet dieper kon zijn dan ruim een meter.

De rugzak vol water trok me nog een keer bijna achterover,
maar ik boog me voorover totdat mijn neus bijna het water raakte
en begon te lopen in de enig mogelijke richting, naar het strand.
Om me heen zag ik lichamen, sommige kronkelden, andere waren dood, en de doden absorbeerden de kogels als zandzakken. Ik
duwde er een voor me uit, en bij elke kogelinslag voelde ik hoe hij
spastische bewegingen maakte en zag ik het water opspuiten, of
misschien was het bloed uit het lijk. In elk geval was hij mijn drij-
vende zandzak, mijn anonieme engelbewaarder, en naarmate het
water ondieper werd zakte ik verder door mijn knieën, waarna ik
hem ten slotte achterliet en het op een lopen zette. Ik rende naar
een duin dat zand opspuwde dat tot leven gekomen leek en waarachter twintig anderen schuilden, bij wie ik meeschuilde.'

~

Ik herinner me dat het afschuwelijk stil was op de green toen ik
bijkwam. Ik lag plat op de grond, en mijn haren lagen uitwaaie-
rend om mijn hoofd alsof ik Tennysons lady of Shalott was. Zij

stond naast me met de niblick in haar hand, de ijzeren golfclub, die ze wel in mijn hoofd leek te willen planten.

'Moeder,' zei ik, 'wat is er aan de hand?'

Het leek alsof ze niet wilde reageren, en haar zwijgen was veelzeggend: een afschuwelijke stilte was het, waarin een leeuwerik zong en ik haar adem op en neer hoorde gaan.

'Je vader mag dit nooit weten,' zei ze na verloop van tijd.

'Wat mag hij nooit weten?' vroeg ik.

'Hij mag nooit weten in welke toestand jij je bevindt,' zei ze. 'Wie was het?' vroeg ze, weer na zo'n eeuwigdurende stilte waarin de leeuwerik zong. 'Hij,' antwoordde ze voor mij, 'die halfbroer van je – o mijn god, o mijn god.'

Toen liet zelfs de leeuwerik het afweten en verbrak zij de stilte. 'Sta op, sloerie die je bent,' zei ze tegen me. Ik probeerde overeind te komen en stak mijn hand uit, zodat ze me zou kunnen helpen, maar ze reageerde niet, bleef onbeweeglijk staan in die verschrikkelijke stilte, dus pakte ik de putter en gebruikte die als stok om mezelf mee overeind te hijsen. Ik liep van haar weg als driebenige kreupele, en na nog eens zo'n periode van stilte kwam ze achter me aan.

~

'De dode lichamen lagen overal langs de waterlijn alsof het slapende zeeleeuwen waren, en in zee lag een heel karpet van lichamen, sommige nog bewegend, maar de meeste niet. De zee waarop het karpet lag golfde op en neer,' zegt Gregory, 'en het karpet rees en daalde mee en zag er dan minder uit als een karpet en meer als een deken van zeewier op het water, kaki van kleur, een beetje als de kleur van zeewier, en de zee onder het kaki was rood. Verderop, in de richting van de brandende oorlogsschepen, leek de bewegende zee van lichamen tot in het oneindige door te gaan, en ik herinner me nog dat ik dacht: er zijn op de hele wereld niet genoeg lichamen om die afstand te overbruggen. Toen realiseerde ik me dat wat ik aanzag voor menselijke lichamen in de verte, de karkassen van vissen waren die met elke onder water ontploffende granaat boven kwamen drijven. De granaten vlogen over ons heen met een geluid als van een scheurende jurk en sloegen bij het fort achter ons in, waardoor granaatscherven en een immense wolk stof de lucht in werden geblazen. Toen de wolk kleiner werd, zag je de duizenden kleine lichtflitsen weer glinsteren, het zand spuwde en danste, en elk van ons die uit nieuwsgierigheid of stompzinnigheid zijn hoofd boven het duin uitstak, ging neer. Ik kan me nog herinneren dat ik dacht: het is nog ochtend, het kan niet later zijn dan halfacht.'

~

Onder het lopen leek de stilte oneindig en steeds dieper te worden, en ten slotte werd die alleen nog onderbroken door geluiden die er een dramatisch accent aan gaven, het geluid van haar voeten in het gras achter me, dat van haar niblick die ze achter zich aan sleepte, van haar stem die in hetzelfde stramien maar doorging, in een door pauzes onderbroken monoloog, die neerkwam op: actrice, ja natuurlijk, dat beroep past precies bij je, actrice en hoer, maar hij mag het nooit weten, dat snap je wel, hij mag er zelfs geen vermoeden van hebben, dus ga je gang maar, alsjeblieft, ga maar naar zo'n goor zaaltje aan Montgomery Street of een variététheater in Brighton, verdwijn hier snel en zonder ophef, geef geen verklaring voor je afwezigheid, en schrijf dan een brief, schrijf over negen maanden of hoe lang het ook duurt, je bent mijn dochter niet meer, maar ik zal niet toestaan dat je hem de engel afneemt die hij denkt dat je bent, neem hem nooit het beeld af dat hij van je heeft, want daar leeft hij voor...

~

'Ik moet mijn gehoor zijn kwijtgeraakt,' zegt Gregory, 'want in mijn herinnering gebeurde vanaf dat moment alles in stilte. Een gigantisch oud kolenschip baande zich een weg tussen de brandende boten en dobberende lichamen in de richting van een soort pier van schuiten die ze aan elkaar hadden gebonden, vanaf het roze gekleurde zand aan de waterlijn tot ver in het bloederig rode water. De loopplanken werden neergelaten, de mannen dromden naar beneden, en wij hadden even respijt, want het zand boven mijn hoofd hield op met spuwen, en het water schuimde op de boten af alsof er een of andere god op piste, alle vuurkracht concentreerde zich daar, en ze hadden maar een paar seconden nodig. Op de boten vielen de lichamen naar links de zee in, op de loopplanken vielen ze achterover en vormden een karpet waar degenen die na hen kwamen overheen moesten klauteren. Toen begreep ik dat ik een lafaard was, want wat zij deden, zou ik nooit gekund hebben. Maar uiteindelijk bleken zij het ook niet te kunnen, want ze gaven hun pogingen op. Het kolenschip begon sissend stoom af te blazen en ging achteruit als een enorme, nutteloze draak, de loopplanken met zich meeslepend, waar de lichamen vanaf vielen toen het een bloederige halve cirkel beschreef om weg te varen. Maar ik zag het zoals zij het niet zagen, dekking zoekend, van achteren, een verschrikking. Maar als ik hen was geweest, zou ik hetzelfde gedaan hebben, besefte ik, een uur daarvoor hád ik hetzelfde gedaan, had ik me op de enig mogelijke manier een weg tussen de lichamen door gebaand, voorwaarts, want een terugweg was er niet. Maar ik was een lafaard, allemaal waren we heldhaftige lafaards, die als lemmingen de enige kant op gingen die toegestaan was: in de richting van het geweervuur dat in golven over ons heen kwam.'

~

Ze gaf me één klap, vlak voor het clubhuis, en ik viel in een zandkuil waarvan ze me had verteld dat het een bunker heette. Ik kwam overeind met in mijn mond een mengeling van speeksel en zand en de smaak van braaksel. 'Moeder,' zei ik.

'Noem me alsjeblieft geen moeder,' zei ze. 'Ik heb geen dochter.'

Toen we bij het huis kwamen was de stilte nog dieper, hoewel het inmiddels was gaan waaien en de wind aan de luiken rammelde. Een harde wind was het, die de indruk wekte dagenlang te zullen aanhouden. Ik ging naar mijn kamer, waar de wind de stilte nog leek te intensiveren, en nadat er voor mijn gevoel uren waren verstreken kwam Mary Dagge naar boven met een dienblad met een glas melk en een boterham.

'Wat een toestand,' zei ze. 'Wat een afschuwelijke toestand, Nina. Maar nu moet je iets eten, dus drink deze melk en eet deze boterham op, en als ze allemaal slapen, ga je met mij mee. Ik neem je mee, ik ken een vrouw, een kamper, die er wel wat aan kan doen.'

'Wat doen?' vroeg ik.

'Wat nodig is,' zei ze. 'Denk niet dat je de eerste bent die dit overkomt. Het gebeurt overal, en er is wel iets aan te doen. Leuk is het niet, maar het is niet anders.'

30

'We zijn gaan graven,' zegt Gregory, 'dat was het beste wat we konden doen. Achter onze rug voeren de schepen zigzaggend en in cirkels heen en weer, en daarachter zag je boten vol mannen die leken te knielen om dekking te zoeken tegen het geweervuur, maar ineens drong het tot je door dat ze dood waren, dat ze half overeind op hun knieën tegen elkaar aan leunden, alsof ze aan het bidden waren op de plek waar ze gevallen waren. Ook wij knielden neer, staken de spades uit onze uitrusting in de grond en maakten wat ik thuis in de duinen altijd graag had willen maken: een loopgraaf. We groeven zo diep dat we er rechtop in konden staan, we stampten de wanden van zand aan totdat ze hard waren en verstevigden ze met wrakhout, we groeven naar opzij totdat we op de rotsen stuitten, rotsen die tot onder het zand doorliepen, we groeven naar voren, maakten een tunnel de Turkse kant op. We stopten het zand dat we uitgroeven in zandzakken en stapelden die aan de bovenkant op elkaar ter bescherming tegen hun kogels. We groeven als mollen, nestelden ons in het zand om zo veilig mogelijk te zijn, en toen we niet verder konden graven, gingen we slapen in het zandbed dat we voor onszelf hadden gegraven.'

~

Ik moet in slaap gevallen zijn. Mary Dagge wekte me en zei: kom stilletjes mee nu, maar stil hoor. Ze leidde me door het verduister-

de huis, dat nu zo stil geworden is, de trap af, de hal door, de bijkeuken in, door de keukendeur naar buiten, waar ze Garibaldi
met de sjees klaar had staan, met de teugels aan de laarzenreini-
ger gebonden. 'Stap in, Nina,' zei ze, en ze praatte boerser dan ik
van haar gewend was, viel me op, ik had het gevoel dat ze zich helemaal instelde op de mensen van het platteland en op een manier
praatte zoals ze zelden tegen ons sprak. Ik stapte in. Ze hield de
teugels kort, gaf het paard behendig een klapje met de zweep,
waarop het oude dier, dat gewend was met zachtheid behandeld
te worden, net als ik met een schrikbeweging reageerde. Waarom
al die harde slagen, leek ze te vragen met haar oren, die ze tegen
haar vlakke, gerimpelde schedel legde. Het woei hard, zodat ze boven, als ze al iets hoorden, alleen de storm zouden horen, en geen
knerpende wielen op het grind. Waarom was er storm? Het leek
toepasselijk, te toepasselijk voor iemand in mijn stemming, belachelijk toepasselijk zelfs – ik herinner me dat ik alles wat er gebeurde beschouwde als een moraliteit, zodat het wel passend was
dat de zomerbladeren van de bomen vlogen en om Garibaldi's
naar achteren gestoken oren dwarrelden. En toen de maan zijn
opwachting maakte, was dat alsof hij het verplicht was, alsof dat
zo hoorde in dit verhaal, een moraliteit bestemd voor alle maagden jong en schoon.

'Waar gaan we naartoe?' vroeg ik aan Mary Dagge, en ze antwoordde: 'Naar Mabel Hatch.'

'Je zei dat we naar een kamper zouden gaan,' herinner ik me
dat ik gezegd heb. 'Mabel Hatch is geen kamper.'

'Ze wordt ook wel Mabel Cash genoemd,' zei ze. 'Ze is een van
die zeldzame kampers die ergens wortel schieten. Ze is er een van
de familie Cash uit Clare,' zei ze. 'Haar vader heette Klusser Cash,
en hij had vrouwen van hier tot Lisdoonvarna, hij wist op al hun
kwalen raad, en maak jij je nou maar heen zorgen, Nina, Mabel
helpt je wel.'

~

'Ik werd wakker doordat een fijne motregen als een gordijn over mijn gezicht streek en het zand waarop ik was gaan liggen tot natte klei had gemaakt,' zegt Gregory. 'Het was nacht, en de vuren die op de boten hadden gebrand waren allemaal allang geblust. In de verte gaf de Queen Elizabeth een lichte gloed, en de zee maakte vreemde bewegingen, alsof met elke golfslag een kralengordijn meedeinde in de branding, en die kralen waren natuurlijk de lichamen die nog niet weggehaald waren. In de dagen daarna zouden ze gaan opzetten, en bij afgaand tij zouden ze op het strand achterblijven en geblakerd worden in de hete zon, het opkomend tij zou ze vervolgens weer meevoeren en de opgedroogde kaki uniformen en de droge huid daaronder weer nat maken, totdat ze op den duur zouden verschrompelen tot iets onbetekenends als gedroogde vis.'

~

Mabel Hatch had in haar huis – een heel eind van haar schuur, wie zou dat gedacht hebben? – een kom met dampend water, in mosterd gedoopte handdoeken en een fietspomp die ze in een pot stak en die, als ze eraan trok, een zuigend geluid maakte dat ik me nog steeds herinner. Ze maakte mijn jurk los en legde hete handdoeken op mijn buik, een kompres noemde ze het. Ze gaf me een kopje van een of ander goedje te drinken dat zout smaakte, zurig zout, waarna ik doezelig achteroverleunde op de stromatras.

'Goed zo,' zei Mary Dagge. 'Ga maar slapen als je daar zin in hebt.' Maar wat ik voelde was helemaal geen slaperigheid, meer alsof je droomt terwijl je klaarwakker bent. Ik voelde iets kouds tussen mijn benen, en dat was de pomp. Ik probeerde overeind te komen, maar Mary Dagge streek over mijn hoofd en zei: 'Rustig nou maar, Nina, rustig maar', en toen hoorde ik het zuigende geluid van de pomp, alleen zoog die nu niet maar blies, braakte iets over me uit. Ik schreeuwde het uit, en toen zei ze weer: 'Rustig maar.' Ik draaide me van hen beiden af, maar mijn benen waren nat.

'Weet mijn moeder hiervan?' riep ik, en ze zeiden allebei: 'Ik

dacht het niet, meid', zo plat, en door de manier waarop ze het zeiden, begreep ik dat ze het wist.

'Breng me naar huis,' zei ik tegen Mary Dagge.

'Ja, lieverd,' zei ze. 'Het is gebeurd, en morgen zien we of het gewerkt heeft.'

'Of wat gewerkt heeft?' vroeg ik, maar een antwoord hoefde ze
niet te geven. Ik wist het.

31

'Ik lag me daar in die zachte motregen af te vragen wie van hen George was; het leek me onmogelijk dat hij erdoor was gekomen, maar ja, alles wat buiten de sfeer lag van de door ons gedolven loopgraven en het twintigtal lichamen dat om me heen lag te slapen ging mijn begripsvermogen te boven. Wist ik veel, misschien zwierven er wel aërofagen rond op het strand, of monsters die zich te goed deden aan het vlees van dode pelotons. Het mijne was uit elkaar geslagen, en ik herkende geen van de gezichten om me heen. Ik dacht aan de parel die George in de rivier had gevonden, die hij met behulp van zijn tanden uit de oesterschelp had gehaald, en ik hoopte dat Nina hem had bewaard, want dat zou voor ons drieën misschien nog de enige herinnering aan hem zijn. Hij was me op dat moment liever dan het leven zelf, toen ik uitkeek over het karpet van met water verzadigde lichamen, die het beste wat er in het leven was symboliseerden en die waren weggevaagd. Ik had het overleefd, maar ik was er niet zeker van of ik dat wel wilde; ik voelde me als het krabbetje dat om mijn laarzen heen dribbelde, als de dikke wormen die door de zachte regen in het vochtige zand naar boven werden gelokt. Er lag vlees voor ze klaar, overbodig geworden ingewanden om in te zwemmen, dode aarsgaten om in naar binnen te dringen, lijken waarin en waarop het wekenlang zou wemelen van maden, wormen, teken, luizen, en van die enorme, opgeblazen aasvliegen die blijkbaar zo kenmerkend waren voor die stranden. Maar het eigene van George, en dat van al die anderen, was dood. Ik zag weer voor me hoe hij als jongen op school in de hoek moest staan, hoe Nina geplette zuringbladeren om zijn kapotte handen bond, hoe zijn gezicht eruitzag toen hij achter de uitgedroogde tomatenplanten Toetssteen las: edele heer, ik verdien mijn kost, ik kan me kleden, ik draag niemand een kwaad hart toe en ik benijd niemand zijn geluk.'

~

Op de terugweg zong Mary Dagge zachtjes voor het paard, niet voor mij. Ze zong een slaapliedje over een winderig kasteel in Dromore, over het feit dat het daarbinnen zo veilig als een huis was, of als een kasteel, zoals ik dacht dat de regel zou moeten luiden. De wind was inmiddels gaan liggen, alsof zijn rol erop zat, wat die ook geweest mocht zijn, en de maan scheen boven een langgerekte wolk uit, zoals de maan doet na slecht weer – je vraagt je af hoe het kan dat de maan op de wolken staat en niet erachter, maar zo is het. Ze hielp me de trap op, op haar boerse manier weer heel vriendelijk. 'Waar is je broer nu, kind? Op weg naar de Dardanellen?' En ik probeerde me hen beiden voor te stellen op een groot ijzeren schip zoals die schepen die de zandbank raakten bij de Lady's Finger, maar dan op een andere zee, met misschien wel dezelfde maan boven hun hoofd.

Het leek alsof het huis me niet in zich wilde hebben, voelde ik – zo'n beetje het omgekeerde van hoe het nu is, nu laat het me niet los – en ik wist ook niet zeker of ik er nog wilde blijven. Ik weet niet waarom ik, als ik dit vertel, weer dat meisje word dat ik toen was, dat meisje dat in de stroom van gebeurtenissen maar doorademde. Het is net alsof alle afstand weg is, en alle verdriet misschien ook, en het is zo sterk dat ik me er niet los van kan maken. 'Slaap, kind,' zei ze, als een bezwering. Ze deed de deur van mijn kamer open, de kamer die mij niet in zich leek te willen hebben, en door het raam zag ik dat de zon de maanwolken boven de kronkelende rivier en Mozambique al wit begon te kleuren. Ik trok mijn kleren uit, en merkte dat ze nat waren van onderen. Ik had

al deze uit elkaar geslagen groepjes weer een leger vormen, vroeg ik me af. Maar een leger was het, een infanterie van duizenden die op de wolk af ging waar twintig minuten daarvoor nog het kasteel had gestaan. Zo goed en zo kwaad als het ging beklommen we de heuvel en de rokende puinhopen van het oude metselwerk. Te midden van het puin zag je kapotgeschoten lichamen onder het stof liggen, stukken bot en kaki uniformen en brokken baksteen door elkaar, maar weerstand werd er niet geboden.

Door de rooksluiers baanden we ons toen een weg naar het dorp daarachter, en daar ging het weer heel anders. Ze lieten ons de straat uit lopen en kwamen toen uit de ingeslagen voordeuren te voorschijn om ons van achteren te beschieten. Ik vuurde in het wilde weg en doorstak met mijn bajonet vier keer iemand. Het vlees bood weerstand, en weer was ik verbaasd, deze keer over het feit dat het zo makkelijk was om wreed te zijn en dat de slacht- offers er zo lang over deden om te sterven. Toen voelde ik een har- de klap op mijn arm; ik kroop naar een openstaande deur, ging naar binnen en zag toen, in een kamer waar verder niemand was, een borrelende pot staan met een houtvuurtje eronder. Ik rook een geur van groenten en kruiden, voelde ineens een honger zoals ik nog nooit had gevoeld en realiseerde me dat het al een dag gele- den was dat ik voor het laatst iets had gegeten. Buiten op straat werd opruiming gehouden, hoorde ik, er klonken gesmoorde uit- roepen en geknal van geweren, ik zag de nog nagloeiende sintels onder de borrelende pot en begreep dat iemand gestoord was bij de bereiding van zijn maaltijd en was weggegaan. Leunend op mijn goede arm kroop ik verder door, en met een beroet stuk hout dat ik als lepel gebruikte, begon ik te eten. Het gloeiend hete vocht droop lang mijn kin, maar het smaakte zo goed dat ik dat niet erg vond. *Taajin* heette het gerecht, zou ik later horen, een zware soep van groenten en lamsvlees. En mijn ogen moeten gewend zijn ge- raakt aan het donker, want toen zag ik een ineengedoken meisje zitten, dat bijna helemaal opging in de schaduwen, alsof ze daar altijd geweest was en nooit meer zou bewegen. Ze had het haar in een vlecht en droeg een kettinkje met medaillons om haar zwetende hoofd. Ze keek me aan. Ik at door en probeerde te glimlachen om haar duidelijk te maken dat ik geen kwaad in de zin had. Toen glimlachte zij ook, en een rij witte tanden lichtte op vanuit de schaduw.

Ik ging op mijn knieën zitten en voelde in mijn zakken naar een muntje, een snuisterij, het maakte niet uit wat, als vergoeding voor wat ik gegeten had. Ik vond een penny, overdekt met mijn eigen warme bloed. Ik schoof de munt over de vloer naar haar toe, ze stak haar hand razendsnel uit en ving hem keurig op. Ze beet er even op, waarschijnlijk in de hoop dat het goud was.'

~

Ik herinner me dat ik droomde van een parel die zo groot was als de maan, midden in het concentrisch lillende vlees van een oester, ik zat in de schelp, en de parel was zo groot als hij maar kon zijn. Als ik mijn hoofd bewoog, bewogen ook de gekleurde banen van roze en teer paars en wit. Het vlees van de oester zat om me heen als nat zeewier, dat heen en weer slingerde zoals zeewier doet bij het wisselen van het getij, en toen ik mijn hand uitstak naar de brij, week die uiteen en zag ik het gezicht van Isobel Shawcross, met parels op de plaats van haar ogen.

Toen zag ik mezelf ineens als dromer, met buiten voor het raam de gigantische parel, die in alle rust aan de paars wordende hemel stond. Ik zag mijn gezicht, mijn naakte lichaam onder dekens die rood werden, en ik besefte dat mijn lichaam een bepaald soort schoonheid had, hoewel het me nog steeds niet in zich wilde hebben. Ik zou het lichaam kunnen achterlaten, bedacht ik, het lichaam aan zichzelf overlaten, maar aangezien het die schoonheid bezat, kon ik het net zo goed gebruiken, besloot ik, alsof het ineens niet meer mijn lichaam was maar dat van een ander. En zo ging het door, ik droomde van een dromende ik, terwijl de parel buiten voor het raam langzaam verdween in de steeds roder wordende hemel.

Ik werd pas goed wakker toen de zon onderging. De lakens waren aan mijn lichaam vastgekoekt door het zweet, of liever gezegd met iets wat stroperiger was dan zweet. Ik had het gevoel dat ik me moest wassen, maar ik kon het niet opbrengen om de gang op te gaan en geconfronteerd te worden met de stilte die nu voor altijd in het huis zou heersen, dus bleef ik stil liggen en dacht aan dit lichaam dat niet langer het mijne was en aan wat ik er eventueel mee zou kunnen doen. Ik hoorde de geluiden van het huis, dat in de stilte deed wat het altijd al had gedaan, en toen de stilte ondraaglijk werd, trok ik de kleren aan die ik de vorige avond aan had gehad, de kleren die stijf en van onderen vies geworden waren. Ik wachtte totdat de stilte om me heen volkomen was geworden, sloeg toen de sjaal om me heen en liep de trap af en naar buiten.

~

'De kogel was langs mijn schouder geschampt. De wond was niet echt ernstig, maar bloedde hevig, en terwijl ik achteroverleunde en de besmeurde knopen probeerde los te maken, hoorde ik achter me schuifelen. Toen ik me omdraaide, zag ik haar met de munt tussen haar tanden naar me toe kruipen. Ik moet haar met die munt gerust hebben gesteld, want ze hielp me met het verbinden van de wond, maakte mijn knopen los, en terwijl ze maar bleef glimlachen, fluisterde ze me toe in een taal waarvan ze leek te veronderstellen dat ik die verstond. Ik scheurde repen van mijn overhemd en bond die eromheen, zij drukte haar hennakleurige vingers op de knoop terwijl ik hem strikte. De taal die ze sprak had veel keelklanken en weinig klinkers, maar klonk wel vriendelijk uit een kindermond.

"Dank je wel," zei ik, wat me de enige toepasselijke woorden leken. Toen wurmde ik me achteruit weer de straat op en zag haar in de kamer terugkruipen in die donkere schaduwen, alsof ze daar voor altijd zou blijven.

De razernij kwam tot bedaren. Overal waar we kwamen lagen de straten bezaaid met lijken, alsof het ritueel uitgestrooide bloemblaadjes waren. Voornamelijk Turken deze keer, zonder schoeisel en met enorme windsels om hun ellendig gehavende voeten. Gezichten met een vaalgele huid, door de wind bedekt met een laagje fijn stof. Sommigen leefden nog, waren helemaal geen lijk, en kreunden. Een officier liep tussen hen door en doorstak de nog levenden met zijn bajonet.

Ik werd aan het opruimen van de Turkse loopgraven buiten het dorp gezet, terwijl het strijdtoneel zich verplaatste naar een heuvel verderop, waar je rijen kleine figuurtjes op het prikkeldraad in de verte af zag rennen, rijen die naarmate ze vorderden steeds meer leemten vertoonden. Ik was ongelooflijk moe, en hoe het ook verder zou gaan, mij maakte het niet meer uit. De doden hier waren in hun dagelijks leven overvallen. Het kookgerei dat hier naast lege munitiekisten, oudbakken brood en olijven lag, had een afschuwelijke huiselijkheid. We sleepten alle lijken naar een van de buitenste loopgraven, waar we ze in wierpen en er dan zand overheen gooiden. We groeven latrines en ruimden de hopen uitwerpselen op – kennelijk hadden ze nooit ver willen lopen om te poepen. En toen de maan opkwam, een kale, witte schijf, lagen de loopgraven klaar voor weer een nieuwe lading Britse lijken. Ik keek hoe ze volstroomden met levenden die wisten dat ze morgen dood konden zijn.

Toen werd ik teruggestuurd, terug naar het strand waar ik vandaan was gekomen, met de opdracht me weer bij mijn eenheid Dubliners te voegen, een opdracht die geen zin bleek te hebben, want die eenheid was al in de eerste tien minuten weggevaagd. Wat nog over was van het door de maan verlichte fort stond vol met ezels, bootjes en enorme stapels kratten, die almaar nog hoger werden. Op het strand verderop zag ik hoe er boten werden uitgeladen en steigers werden aangelegd; er ontstond op het strandje een heel krakkemikkige stad, met mannen die zich naakt in het water wasten. De kust werd ontdaan van lijken, die op bootjes hoog opgetast naar de hospitaalschepen werden gebracht. Waar ben je, George, vroeg ik me af, waar ben je?'

33

De maan kwam weer op, en de hooischelven stonden op de velden alsof ze er altijd zouden blijven staan, maar ik wist natuurlijk dat ze weg zouden zijn als het september werd. Ik liep over de weg langs de rivier in de richting van Janies huis. Haar zou ik het vertellen, haar zou ik alles vertellen wat ik had bedacht. Maar toen leek het alsof alles, alles wat ik haar zou gaan vertellen, ineens een oplawaai kreeg en door elkaar begon te lopen. Ik ging in het gras op de oever zitten, bij de slikken van Mozambique, en voelde mijn jurk weer nat worden. Toen er een paard en wagen voorbijklepperden, sloeg ik mijn sjaal om me heen alsof ik een kamper was, en toen de man met de hoge hoed op de wagen 'prachtige nacht' zei, zei ik dat terug op de manier zoals Mary Dagge het gedaan zou hebben: prachtige nacht, wat u zegt.

Ik stond op en wankelde naar het huis van Janie. Ik had het gevoel dat ik het haar moest vertellen. Maar voor de schuur van Mabel Hatch kreeg ik weer een oplawaai te verwerken, en in plaats van als een dier ter plaatse neer te vallen, zocht ik het donker binnen op. Terwijl ik het donker in ging, hoorde ik de uil krassen en weer stil worden, en toen het donker voor mijn ogen opklaarde, zag ik de hooiberg met de ongelijkmatige treden naar boven toe, naar het gat in de muur. Ik bedacht dat ik niet onder aan de hooiberg moest gaan liggen, omdat ik dan zichtbaar zou zijn voor een voorbijganger op de weg bij de rivier. Ik klom dus naar boven, waar ik van de weg af niet te zien zou zijn, maar deed het heel langzaam. Elke stap was weer een trage oplawaai.

~

'Ik vond mijn loopgraaf terug, de loopgraaf die we op de ochtend van die dag gegraven hadden, en schoof de slapenden opzij om ruimte te maken. Ik zette mijn rugzak, mijn spade en mijn geweer neer en voelde dat mijn linkermouw stijf was van het geronnen bloed. Ik klom er weer uit en ging op weg naar de bloederige waterlijn, en toen ik het water in waadde, zag ik verderop te midden van een groepje iemand die, naakt net als de anderen, zich met een tropenhelm in zijn reusachtige handen vooroverboog, die met zeewater vulde en dat over zijn broskuif uitgoot. Ik herkende hem aan zijn handen, er was geen vergissing mogelijk.

"George!" riep ik, hij draaide zich om – ik zag hem daar staan met de maan en de oorlogsschepen achter zich, het water droop van zijn naakte lijf – en hij liep op me af, hield de tropenhelm voor zijn geslacht, liet hem weer zakken om mij te omhelzen en zei, met die verpletterende eenvoud van hem: "Geen dikke pret hier, Pip." Als tranen liep het zoute water over zijn gezicht.'

~

Ik ging helemaal bovenaan in het hooi liggen en wachtte totdat de uil nog een keer zou krassen. Met nog één keer moest het genoeg zijn, meende ik, nog één keer krassen zou het uitdrijven, en dan zou het bevuilen van de sjaal onder mijn knieën en de hooibaal daar weer onder ophouden. Het gele hooi zag er in het maanlicht zilverig uit, maar bij mijn onderlijf ontstond een doffe, zeegroene vlek, die zich verder uitbreidde. Toen hoorde ik een zacht geklapwiek, het bruine dier vloog nog één keer over me heen en ging vervolgens naar buiten via het gat in de muur, waardoorheen de maan te zien was. Daarmee was het klaar, voelde ik. Wat voor dierlijks het ook was wat zich had voltrokken, het was nu voorbij, en ik moest denken aan de vrouw van steen in die ronde gang die met haar handen haar knieën uit elkaar trok, en aan mezelf, hoe ik zelf de hand van George naar de mijne had geleid. Daarom had ze natuurlijk haar knieën gespreid, bedacht ik. Niet voor de geboorte van de rivier, maar voor de geboorte hiervan.

Dat wat in me was geweest, lag nu in mijn vochtige sjaal. Het had een vorm die ik niet wilde zien, het was iets kleins wat ik niet wilde voelen, dus sloeg ik mijn sjaal eromheen. Maar zelfs toen wist ik dat ik het me, door het op dat moment niet te willen zien, later des te beter zou weten te herinneren.

Langzaam kwam ik overeind, ik ging op mijn knieën zitten en voelde de hooibaal onder me in beweging komen en wegglijden. Ik liet me mee naar beneden glijden, op de balen eronder. Ik viel op mijn rug, en mijn natte sjaal en datgene wat in me had gezeten vielen op mij. Een parel was het, hield ik mezelf voor, een kostbare, bloederige, dode parel, en ik pakte hem in, voelde hem steeds natter worden. Ik liet me op mijn natte billen naar beneden glijden, van baal tot baal, tot op het hooi op de grond. Ik wilde weer op een plek zijn waar ik gelukkiger was geweest, bij de kastanjeboom of in de buurt van de plantenkas. Daarom liep ik terug over de verlaten weg, langs de rivier, door het bomenbosje, en verder langs de plantenkas naar de muur van de boomgaard.

Daar in de boomgaard, bij het roestige hek, had Dan zijn spade laten staan. Ik pakte de spade en liep naar de plek waar de aarde zacht was en begon te graven. Ik groef zo diep als ik in mijn verzwakte toestand kon, legde het bundeltje met mijn sjaal erom in de kuil en gooide hem dicht, voorgoed. Toen liep ik het gazon af naar de rivier, en onder de kastanjeboom ging ik het water in en begon te zwemmen. Of eigenlijk was het meer drijven dan zwemmen. Ik zou het prima hebben gevonden als ik daar de volgende ochtend met het merkteken van de dood gevonden zou zijn, maar het water deed iets met me – de rivier doet altijd iets met me, zoals ik in de loop der jaren had gemerkt; hij waste me schoon, en door de getijstroom eindigde ik op den duur op dezelfde plek als waar ik begonnen was: onder de kastanjeboom met de schommel.

Toen klom ik weer op de kant en liep naar het huis, en als ik iemand was tegengekomen die me had gevraagd hoe ik zo nat was geworden, zou ik natuurlijk hebben gezegd dat ik was wezen zwemmen, en als er dan gevraagd was: maar waarom met je kleren aan?, zou ik hebben gezegd: hoezo, vind je dan dat je als meisje naakt moet zwemmen?

~

'Terwijl George zijn kleren aantrok, kleedde ik me op het ranzige strand uit.

"Ik pas er wel op voor je, Greg," zei hij, alsof we op het strand van Bettystown waren.

Ik waadde de warme zee in en waste in het roze schuim het vuil van het roze lijf dat ik vroeger was geweest. Met een blik op die grote stukken zwart metaal aan de horizon, die erop wachtten dat ze weer vuur konden spuwen, besefte ik dat het leven nooit meer zou zijn als vroeger. Toen het zout in het verband trok en de wond in mijn arm bereikte, voelde ik een doffe pijn.

"Ben jij gewond?" vroeg ik.

"Nee," zei hij, "het doet niet veel pijn."

"Wat doet geen pijn?" vroeg ik, en ik draaide me om en zag dat er aan de hand die hij naar zijn gezicht bracht een vinger ontbrak.

"Lach niet," zei hij.

"Waarom zou ik lachen, George?" zei ik.

"Ik weet niet waarom," zei hij, "maar op de een of andere manier is het grappig." Hij stak zijn hand in de zak van zijn uniformjasje en haalde er iets uit, iets dat klein en geel was als een potloodstompje. "Mijn pink," zei hij, enigszins verbijsterd. "We gingen tegen die rotswand omhoog, ik stak mijn hand uit om een richel vast te pakken, en toen werd hij eraf geschoten. Hij viel voor mijn voeten neer."

"Je hebt slaap nodig, George," zei ik.

"Weet ik," zei hij, "en mijn pink ook." Hij lachte, en ik lachte ook, want ik wist dat hij dat graag wilde.

"Zullen we hem begraven?" zei hij terwijl ik weer naar hem toe liep en de druppels van mijn blote lijf schudde.

"Waarom niet?" zei ik. Ik kleedde me aan, trok mijn ranzige

broek over mijn natte benen en knoopte mijn hemd dat stijf was van bloed en zweet dicht. George vond een achtergelaten bajonet, poerde er met zijn goede hand mee in het zand en maakte een kuiltje, waar hij het gele potloodstompje zorgvuldig in legde, waarna hij het kuiltje dichtgooide, het zand aanstampte en er de bajonet naast in de grond stak, als een kruis.

"Hier ligt mijn pink," zei hij, "die het leven verloor ergens in de buurt van dit strand, aan de voet van een fort waarvan ik de naam niet kan uitspreken. Dat hij moge rusten in vrede." Hij bekruiste zich met zijn gewonde hand, en het leek alsof hij er geen last van had dat zich op de plaats van de pink alleen nog een stompje met geronnen bloed bevond. Hij keek me aan met een speciale uitdrukking in zijn ogen, en ik kon niet zeggen of hij lachte of huilde. "Heb jij daar nog iets aan toe te voegen Gregory?"

"Ja," zei ik, en ik boog mijn hoofd. "Alle hulde aan de pink van George, die in dienst van koning en vaderland daden van grote en onschatbare waarde heeft verricht, een pink die bij de verdediging van het arme katholieke België gevallen is op een strand in Turkije. Deze pink heeft de hoogste prijs betaald en zal voortleven te midden van de heldhaftige doden die op dit strand gevallen zijn, van Achilles tot aan de duizenden arme zielen die hier om ons heen nog boven de grond liggen. Amen."'

~

Ik verkleedde me op mijn kamer en liep met mijn bundeltje natte kleren de trap af, de oprijlaan met het knerpende grind uit, het hek door en langs de zilverachtige rivier. Ik gooide de kleren in het water en liep door, zonder doel, gewoon om te lopen, om maar te kunnen voelen hoe mijn nutteloze lichaam zich uit zichzelf langs deze meedogenloze weg voortbewoog. Ik wist dat de weg geen mededogen kende, zoals het huis het niet kende, zoals mijn moeder het niet kende, en zoals ook Mary Dagge het niet kende, en dat ik het nooit zou kunnen vertellen aan de enige die wel mededogen zou kennen: mijn vader.

Dus liep ik van hem weg, schiep zo'n afstand tussen hem en mij dat ik het breken van zijn hart niet zou hoeven horen. Ik liep door totdat het huis verdwenen was achter de heggen, de hooischelven en de loofbomen, en bleef doorlopen, met de rivier links van me en de begraafplaats van Mornington aan de overzijde. En toen de torenspitsen van Drogheda in zicht kwamen en de masten van de boten, die ook op torenspitsen leken, zag ik ineens een rond geel licht van een patrijspoort. Ik ging voor de patrijspoort staan, keek omlaag en zag hoe het gele licht de klotsende golfjes daar beneden nog zwarter leek te maken. Ik had een stap naar voren kunnen doen, en dan had ik in dat stukje water daar beneden tegen de romp van het schip aan kunnen kijken. Maar ik hoorde een geluid, het geloei van vee uit het schip daarboven, en ik besloot daarheen te gaan waar dat vee naartoe ging. Ik liep de met mest overdekte loopplank op. Aan dek hoorde ik niets anders dan het kraken van het schip en het loeien van het vee in het ruim. Onder de schoorsteen lagen balen hooi, en ik klom erop zoals ik in de schuur van Mabel Hatch op het hooi was geklommen, omhulde me met los hooi en viel in slaap.

~

'De loopgraaf lag vol slapende mannen, dus groeven we ons daar boven in het zand in als krabben. Of eerder als wormen misschien,' zegt Gregory. 'Wormen zoals die op het strand van Baltray hun vorm in het zand achterlaten, zeepieren, regenwormen... We krasten in de grond met onze messen en wurmden ons erin, lieten het uitgegraven zand als een gietvorm boven ons uit steken, zichtbaar voor de Turkse linies, klaar om de kogels op te vangen die met zonsopgang op ons afgevuurd zouden worden. Het gaf een gevoel alsof de aarde onze enige troosteres was, alsof het zoet was om zo dicht bij haar te mogen zijn, met niet eens een stuk oliedoek tussen haar en ons in. Wij behoorden haar toe en alleen haar, zij zou ons beschermen, ons begraven als het nodig was, ons omarmen, ons weer deel maken van zichzelf, door middel van wormen – althans, zo leek het. Binnen enkele minuten sliep ik, en toen ik wakker werd was het warm en stond de zon hoog aan de hemel op mijn linkerarm te branden.'

~

Toen ik wakker werd, braakte de schoorsteen boven me rook uit waar de zon doorheen scheen. Bij de stapel klinknagels die daar lag stond een meisje met de armen over elkaar op me neer te kijken. Door alle rook kon ik haar gezicht niet zien, maar haar stem hoorde ik wel.

'Wie hebben we hier?' zei ze. 'Een verstekeling? O nee, het is het meisje van de paardenrennen in Laytown.'

Ik herkende de stem van Colleen Bawn. 'Varen we al?' vroeg ik.

'Nee,' zei ze. 'We wachten totdat de motoren opgewarmd zijn. Je had je naam niet gezegd.'

'Rosalinde,' zei ik.

'Waarvoor ben je op de vlucht, Rosalinde?'

'Nergens voor.'

'Dan slaap je zeker graag op een stapel veevoer?'

'Nee,' zei ik. 'Maar ik heb geen alternatief.'

'Je kunt er maar beter af komen en wat ontbijten,' zei ze, 'voordat ze je terugsturen naar wat je niet hebt.'

~

'Om een uur of acht begonnen de kanonnen op zee achter ons weer, en wij kropen uit onze legers en gingen de loopgraaf in, waar onze spullen nog lagen. George maakte een blikje open, en samen aten we brokjes vlees in een soort warme prut van water en niervet die nergens naar smaakten. We kregen te horen dat we moesten inpakken en oprukken, wat we deden, hoewel ik niet weet wat ze gedaan zouden hebben als we geweigerd hadden, want het bevel kwam niet van een ons bekende officier, en trouwens, we kenden elkaar maar nauwelijks. We rukten alleen op omdat we daarvoor daarnaartoe waren gegaan: we hadden een vage herinnering aan onze opdracht en de reden waarvoor we daar waren, blindelings een onbekend strand op gaan, heuvels met schelpen en bosjes oversteken en door niet van tevoren aangekondigde velden met rode klaprozen lopen, een vijand tegemoet wiens aanwezigheid slechts bleek uit rookwolkjes in de verte. Misschien waren ze weggegaan vanwege het bombardement, misschien waren ze gevlucht, want we ontmoetten nu geen tegenstand en liepen heuveltjes vol met stenen op die nauwelijks de moeite waard leken.

Langzaam kwamen we hogerop, en uiteindelijk kwamen we op een bergkam van waaraf ik het hele schiereiland kon overzien – rijen soldaten strekten zich naar links en naar rechts uit, duizenden, met vóór ons een eindeloze vlakte met daarvoor vier of vijf half ingestorte stenen zuilen die de lucht in staken en daarachter een dorp, werd gezegd. Ver naar rechts zag ik de heldere kleuren, rood en blauw – of was het goud? – van de Franse troepen, kilometers ver weg, als speelgoedsoldaatjes, zoals ik me vroeger altijd had voorgesteld dat soldaten eruitzagen: kleine, met wapens uitgedoste mieren, die naar voren oprukten en van wie er af en toe een omviel en uit het zicht verdween.

Er werd beneden dus geschoten, begrepen we, maar het enige dat ons in onze positie kon tegenhouden was vermoeidheid en onze dorst. En de dorst speelde een grotere rol dan de vermoeidheid, trouwens. We zouden hebben kunnen slaapwandelen, met halfgesloten ogen ons een weg banen alsof we bezig waren de halfvergeten activiteit van het lopen na te bootsen, maar de dorst maakte ons blind voor alles behalve onze behoefte aan het beetje water dat we achter ons lieten. Ze lieten runners heen en weer lopen naar de stranden, maar hoe verder we oprukten, hoe minder vaak ze ons wisten te bereiken, totdat we rond het middaguur gewoon bleven staan, als stomme ezels die niet meer voor- of achteruit konden, maar alleen nog stil konden staan en in die afschuwelijke hitte naar adem happen.

En toen kwamen ze op ons af, vanuit de ontbladerde bosjes achter ons, één zwaaide nota bene met een zwaard. We zouden ons waarschijnlijk gewoon door hen onder de voet hebben laten lopen als er niet een granaat fluitend aan was komen vliegen en vlak boven hen was ontploft, waardoor vijftig of meer mannen uit elkaar werden gereten, waarna slechts een rooksluier achterbleef, de echo die in de vallei naast ons weerkaatste en gekreun in een voor ons onverstaanbare taal van de mannen die nog leefden. We begrepen het echter maar al te goed: ze waren aan het doodgaan, en dat klinkt in elke taal hetzelfde.'

~

Ze bracht me benedendeks, voorbij de ontwakende matrozen, naar de plek waar het vee in de hokken stond en haar metgezellen voor de patrijspoorten in hun opgerolde tentdoek lagen te slapen. Ze schonk een kan koud water voor me in, zodat ik me kon wassen, en toen de anderen vervolgens een voor een wakker werden, kwamen de vragen los.

'Zit je in moeilijkheden, Rosalinde, het soort moeilijkheden waar zij in zit?'

'In wat voor moeilijkheden zit zij dan?' vroeg ik, waarop het oudere meisje met het stroblonde haar over haar buik wreef en lachte.

'Het soort moeilijkheden dat je niet verborgen kunt houden,' zei ze. 'Het soort moeilijkheden waardoor zij over een maand niet meer op de planken zal kunnen staan.'

'Nee,' zei ik, 'dat soort moeilijkheden heb ik niet, ik heb helemaal geen moeilijkheden, maar ik wil doen wat zij doet.'

'Wat wil je doen dat ik doe?' vroeg ze, me aankijkend met haar heldere blauwe ogen.

'Toneelspelen,' zei ik.

34

'We hoorden kreunen toen we verder kropen naar een lege loopgraaf waar zij in moeten hebben gezeten. Daar richtten we ons in, en onze meer avontuurlijk aangelegde metgezellen namen posities in als sluipschutters en vuurden op alles wat bewoog. Georges hand was inmiddels één pusmassa, alsof hij hem in vla had gedoopt. Mijn schouder was er trouwens niet veel beter aan toe: in de hitte bubbelde de wond in zijn eigen sappen. Geen van ons beiden kon een geweer vasthouden, maar samen beschikten we over twee goede armen, zijn linker en mijn rechter, en daarmee lieten ze ons zandzakken van achter in de loopgraaf naar voren sjouwen.

Toen de zon onderging, kwamen de brancardiers; twee van hen werden getroffen door een ontploffing; de een stierf onmiddellijk, en de ander kroop met een groot gat in zijn borst kreunend boven langs onze loopgraaf. Wij kregen opdracht om hun plaatsen in te nemen, en wij, eenarmige brancardiers, tilden hem op en haastten ons, gebukt en als krabben zijwaarts lopend, terug via de route waar we de hele dag over hadden gedaan. Aan het strand lagen nu vlotten met de talloze gewonden erop, die zouden worden voortgetrokken door boten waarop nog meer gewonden lagen. We tilden hem op het dichtstbijzijnde vlot, gingen niet in op zijn gevloek, in een overigens prachtig Birminghams accent, en terwijl het vlot wegvoer, kreeg ik ineens een idee.

"Jij bent gewond, George," zei ik.

"Als ik gewond ben, Gregory, dan ben jij het ook," zei hij.

"We zijn allebei gewond," zei ik, en ik trok mijn jas naar beneden om mijn verbonden arm te tonen, waarna we door het water naar het vlot toe liepen en erop kropen. We constateerden dat de man die we ernaartoe hadden gedragen niet meer vloekte en er nu stil bij lag. Hij was dood. De boot trok ons het water op in de richting van de oorlogsschepen die nog rookwolken uitbraakten, maar die daarmee ophielden toen de maan opkwam. Langzaam voeren we erlangs, we meerden aan tegen een oud veeschip, en toen begon de krachttoer om de gewonden een voor een naar boven te hijsen. De ene na de andere bloederige draagbaar ging omhoog, totdat op het laatst degenen die nog konden lopen maar moesten zien hoe ze via de touwladder omhoogkwamen.

Boven op het dek lag iets wat eruitzag als een deken van geel stro, maar toen ik was gaan liggen op de enige plek die ik kon vinden, realiseerde ik me dat het gedroogde paarden– en ezelsmest was. We bevonden ons op een veetransportschip dat voor de gelegenheid was ingericht als hospitaalschip. De improvisatie was echter minimaal, de mannen lagen als wormen uitgestrekt op de opgedroogde stront, en het enige plezierige was dat er voortdurend hospitaalsoldaten heen en weer liepen met kommen water. Toen ik aan de beurt was, opende ik mijn lippen en dronk zoveel als ik kon, waarna ik ging liggen en in slaap viel.'

~

Ik kreeg thee en bonen en een ei dat ze gebakken hadden op een paraffinebrandertje.

'Misschien kunnen we je wel gebruiken,' zei de blonde die Ethel heette terwijl ze een sigaret opstak. Hoe ze me zouden kunnen gebruiken zou ik spoedig ontdekken, toen het andere meisje, in het bed naast me, steeds dikker werd. Ik promoveerde van wasvrouw en naaister tot haar invalster op de planken; ik bleef immers klein, omdat er in mij niets groeide waardoor ik dikker werd. Ik dronk dus thee en at het ei en de bonen op, terwijl het schip in al zijn voegen begon te trillen en het vee onder de loopplank loeide en aan zijn kettingen rukte.

'Waar gaan we heen?' vroeg ik aan Ethel terwijl de havenarbeiders buiten in de patrijspoorten kleiner werden.

'Liverpool,' zei Ethel, 'wat had je dan gedacht?'

'Mag ik dan even weg?' zei ik. 'Want ik wil het land zien dat ik ga verlaten.'

~

'Wat me nog steeds verbaast,' zegt Gregory, 'is dat elke logica ontbrak. Vanaf het dek van het schip zag ik de hospitaaltenten op het eiland staan, ik zag zelfs de verpleegsters in hun witte uniformen en met hoofdkapjes als miniatuurtenten, maar we voeren er gewoon voorbij, met aasvliegen en al die zich zoemend verdrongen om de ontstoken wonden van de mannen die in de blakende zon aan dek lagen.

"Waarom gaan we niet aan land?" vroeg ik aan de hospik die het pus van mijn schouder waste en er een kinine-injectie in gaf.

"Orders," zei hij. "We hebben opdracht om jullie allemaal naar Egypte te brengen," zei hij.

We konden alleen maar toekijken hoe de lege hospitaaltenten en de verpleegsters die er werkeloos bij stonden langzaam kleiner werden.'

~

Ik ging naar boven, de ochtendlucht in, om te zien hoe de stad langzaam voorbij de rokende schoorsteen wegschoof en hoe het sleepbootje met daarop de vader van Janie als loods aan het roer voor ons uit ging. Ik zag hoe de rook uit zijn schoorsteen boven zijn hoofd een vraagteken vormde, en de vraag die de rook leek te stellen, was of ik hen beiden ooit weer zou zien. De silo's in de haven schoven langs me heen, en vervolgens de kazerne van de RIC met de glooiende gazons ervoor en hier en daar een boerderijtje, dan de zijstroompjes van de rivier waar we op voeren, waarvan er een om het grijze kalkstenen gebouw liep dat ik voorgoed had verlaten. De zon glinsterde in de plantenkas, en de kastanjeboom zag er van hieraf klein uit, als de paraplu van een popje, zo klein dat ik de schommel die eraan hing niet eens kon zien.

Zouden ze me zoeken, vroeg ik me af, zochten ze alle kamers en het hele terrein af? Natuurlijk deden ze dat, misschien riepen ze er zelfs de politie bij om te helpen zoeken. Ik zou ze schrijven als ik in Liverpool was, had ik besloten, en dan zou ik niets uitleggen maar alleen melden dat alles goed met me was. Toen kwamen Mozambique en de schuur van Mabel Hatch voorbij en het rode dak van Janies huisje. De Lady's Finger schoof voorbij, en de granieten welving bovenin was zo dichtbij dat ik hem bijna aan kon raken. De Maiden's Tower lag rechts van me, daarachter strekte zich het strand van Bettystown uit, en ik vroeg me af of zij er nog zou zijn. Zou haar geest nog toekijken hoe in een ander tijdperk de schepen kwamen en gingen? Toen was daar de Ierse Zee, zo kalm als thee in een theekopje, en het enige vreemde was het loeien van het vee beneden.

~

'Ze brachten ons terug naar Alexandrië, waar we vandaan waren gekomen, naar een geïmproviseerd hospitaal in een voormalig bordeel. Ik lag op de grond in een hoge kamer met één raam hoog boven me in de bijna taps toelopende muren. Ik luisterde er naar de mannen die om me heen zachtjes kreunden van de pijn, wat naar ik veronderstel niet erg verschilde van het kreunen van genot dat hier zo vaak te horen moet zijn geweest. Mijn arm genas binnen een week, en het bleef George bespaard dat zijn hand geamputeerd zou moeten worden. Met maar drie vingers en een duim kon hij hem nog heel goed gebruiken.

Toen kregen we een week verlof, waarin we over de soek en de markten dwaalden en langs de bordelen die nog wel als zodanig fungeerden en waar horden soldaten zich te goed deden aan warm bier terwijl ze op hun beurt wachtten. Wijzelf waren verlegen en gingen ons daar niet aan te buiten, waarmee we blijk gaven van een vreemde onschuld, gezien alles wat we hadden meegemaakt. Toen werden we teruggestuurd op weer een ander veetransportschip, dat vol zat met vrijwilligers van de Tiende Divisie, allemaal Ieren die Ali de Turk graag met hun bajonet wilden doorsteken. We luisterden alleen, en zeiden niets. Weer een landing, nu in andere baai. We hielden ons gedekt deze keer, wisten hoe het in het zand toeging en zagen ze om ons heen weer weggemaaid worden alsof ze grassprietjes waren, voelden weer de drukkende hitte en de vliegen, en we zorgden ervoor dat onze veldflessen vol bleven.

Toen leek het een routineklus te worden. Zij kwamen niet in beweging, en wij ook niet, en de nieuwe gezichten om ons heen verdwenen – hoewel, het kon ook zijn dat er bij hen inwendig iets verdween waardoor hun gezichten niet nieuw meer waren. Overdag probeerden we te slapen en de vliegen van ons af te slaan, en 's nachts probeerden we het leven zo goed en zo kwaad als het ging voort te zetten, we haastten ons langs de stranden om water te halen, en liepen dan als pakezels terug met alles wat ze ons hadden meegegeven. Met tussenpozen moesten we oprukken, dan werd er weer bevel gegeven en gingen we bij zonsopgang de heuvels over met de zon in ons gezicht of als we geluk hadden de mist, en als het zonlicht dan verstrooid raakte nadat we ons voordeel ervan hadden gehad, begon het allemaal weer opnieuw: het geweervuur met de droge knallen, het suizen als van een vleugelslag of een verscheurend geluid boven ons, dan de stilte, en dan de klap en het gekreun van degenen die erdoor getroffen waren. We zorgden dat we bij elkaar bleven, wij tweeën, en we leerden accepteren dat ons pad niet over rozen ging. Op een keer hoorde ik iets door de lucht klieven, en toen de ontploffing kwam, kreeg ik een douw alsof een muilezel me in mijn rug schopte, waardoor ik twee meter verderop neergekwakt werd en toen helemaal niets meer voelde. Toen ik wakker werd, was de zon alweer weg, de maan scheen en het was heerlijk rustig, en over alle toppen hingen bleke slierten mist. Ik wreef over mijn rug en schouder en voelde overal onder mijn uniform de wondjes van granaatscherven. Ik ging op mijn rug liggen en zag door de dunne nachtelijke

35

*Lieve Janie, ik ben in Liverpool en ga nu richting Wales. Wil je alsje-
blieft de hierbij ingesloten brief aan mijn vader geven. Zuster Catherine zei dat acteren echt helemaal niets was voor een meisje van Siena,
maar dat is wel wat ik nu doe: ik speel de rol van Eily O'Connor in Colleen Bawn. Heel wat anders dan Rosalinde, maar het kwaad speelt
in dit stuk net zo'n grote rol. Men denkt dat Eily door toedoen van de
gebochelde Danny Mann in een meer verdronken is, maar ze komt
weer tot leven dankzij de goede zorgen van Myles na gCopaleen, ofwel
Myles van de pony's, als je je Iers misschien vergeten bent, wat bij mij
in elk geval niet zo is. Ik hoop je een keer terug te zien, in Engeland, als
je ooit hiernaartoe komt, of in Ierland, als ik daar ooit weer naar te-
rugga. Ondertussen denk ik aan jou en je broer en ook aan mijn broer.
Je liefhebbende vriendin, Nina.*

~

'Er was daar een heuvel die we hadden ingenomen en vervolgens
weer hadden opgegeven,' zegt Gregory. 'Nu moest hij opnieuw ingenomen worden. We zagen het lage land langs het opgedroogde
zoutmeer achter ons liggen, als een parelsnoer liep het af naar het
strand en de zee. We wisten niet waarom we in beweging moesten
komen, we wisten niet waar we op af gingen, en soms wisten we
niet eens waar we waren. Maar bij bevel dat we moesten gaan, gingen we. Er stond gras of tarwe of gerst op, dat tot ons middel reikte, met steekbrem ertussendoor, en ze bestookten ons zo hevig dat

de boel vlamvatte en het gras en de brem in brand vlogen; de vlammen lekten langzaam over de keien, we roken de geur van brandend vlees van degenen die gevallen waren en we hoorden de kreten van wie levend verbrand werden. De rook trok op als een gordijn. Ik was in een loopgraaf gevallen waar de vlammen overheen sloegen en die vol rook kwam te staan. Het scheelde niet veel of ik zou er de dood hebben gevonden, ik zou geroosterd zijn of gestikt. George was ik kwijtgeraakt, hij was ergens verderop. Ik pakte een spade die zo heet was dat ik mijn handen eraan brandde, kroop uit de loopgraaf, baande me een weg door de rook en de vlammen, en toen vond ik hem. George was de grootste die erbij lag. Hij brandde, brandde over zijn hele reusachtige lichaam. Ik trok hem in een kuil waar de vegetatie al helemaal was weggebrand. Waar de vlammen doofden en de rook verminderde, werd iedereen die zich in het zicht van de vijand probeerde te redden weer met kogels bestookt en gedood, en misschien was het wel beter zo.

Toen, eindelijk, ging de zon onder en werd het stil op de heuvel, afgezien van het gekreun van degenen die daar levend achtergebleven waren, onder wie George, wiens gezicht onherkenbaar was geworden. Ik wurmde me door de verkoolde resten naar voren om de veldflessen van de overledenen te verzamelen en liep ermee terug naar George, goot wat ik had kunnen vinden tussen zijn verbrande lippen. Toen zag ik zijn ogen, zonder wimpers, zonder wenkbrauwen. Hij keek me smekend aan, en ik wist dat hij me smeekte om een einde aan zijn lijden te maken. Maar dat kon ik niet, hoewel ik een knoop in mijn maag had van medelijden. Toen deed ik iets waarvan ik meteen al besefte dat het me zou blijven achtervolgen, iets waar hij me nooit dankbaar voor zou zijn. Ik pakte de spade, draaide hem om, zodat hij met zijn zitvlak op het brede, platte gedeelte van de spade lag, pakte het handvat en sleepte hem als op een slee achter me aan, de heuvel af.

Toen we de rook achter ons hadden gelaten, was de maan opgekomen. George moet bewusteloos zijn geweest; ik hoorde hem alleen moeizaam ademhalen door zijn geschroeide neusgaten. Toen ik bij het drooggevallen zoutmeer kwam, trok ik hem over de vlakte, zodat ik een spoor door het zout trok. De zoutvlakte met de barsten erin waar ik op liep deed me denken aan de opgedroogde modder van Mozambique bij laagwater, alleen was de vlakte hier vaalwit, alsof mijn geheugen werkte als het negatief van een foto – wat donker was geweest werd nu licht, wat licht was geweest werd nu donker. Ik wist de overkant te bereiken en sleepte hem naar het water. Ik keek of ik een boot zag. Ik zag er inderdaad een liggen, maar die voer net weg. Ik nam hem in mijn armen, wist onder zijn gewicht overeind te blijven en liep met hem het water in, en ik zweer je dat het waar is: toen hij het water raakte, siste en stoomde het op zijn lichaam. Hij kreunde van de pijn, het gekreun van een stervende zwaan was het, of liever gezegd van een zwaan die wenste dat hij kon sterven. Op de boot hoorden ze hem, ze hielden op met roeien en wachtten tot we bij hen waren. Twee hospikken staken hun handen uit en trokken hem zonder veel plichtplegingen in de boot. Daar stond ik dan, tot mijn middel in het water, terwijl de boot wegvoer, en ik vroeg me af welk kwaad gesternte ervoor verantwoordelijk was dat ik daar achterbleef, blijkbaar nog in leven, en blijkbaar zonder verwondingen.'

'Ze hebben de hele streek afgezocht naar haar,' zegt Janie, 'en een week of zo dachten ze dat ze dood was, totdat die brief kwam. Ik ben naar het huis gelopen – het zag er zo leeg uit zonder haar en zonder jou – en ik trof haar vader in zijn eentje in de plantenkas, waar hij met gebogen hoofd en met zijn leren handschoenen aan bezig was met de tomatenplanten. Ik heb hem de brief gegeven.

"Zeg me alles wat je weet, Janie, alsjeblieft," zei hij.

"Ze is in Liverpool met een theatergezelschap en daar gaat ze mee naar Wales," zei ik. "Ik weet alleen wat ze mij geschreven heeft, maar misschien staat er meer in uw brief."

Hij maakte de brief open waar ik bij was. Ik hoorde de tuinslang druppelen, het openscheuren van de brief en het geluid waarmee hij zijn bril uit zijn borstzakje haalde. Hij was zo vreemd kalm toen hij de brief las dat ik dacht dat ze dood was of zo, en misschien was dat voor hem ook wel zo. Het leek wel alsof hij tijdens het lezen jaren ouder werd, twee velletjes waren het, in dat keurige handschrift van haar, ze schreef altijd al beter dan ik.

"Dank je wel, Janie," zei hij ten slotte, en hij vouwde de brief netjes op en stopte hem met zijn bril in het borstzakje van zijn gerafelde tuinjasje. "Nu ben ik ze allebei kwijt," zei hij, en toen draaide hij zich weer om naar zijn tomatenplanten.

Toen ik om het oude huis heen terugliep, de oprijlaan op, zag ik haar moeder op me toe komen, met twee golfclubs in haar hand. Ze droeg een winterjas, herinner ik me, hoewel het nog zomer was, nazomer weliswaar, maar nog wel warm. Ze moet geweten hebben dat ik nieuws van haar had, maar ze liep me zonder een woord te zeggen voorbij, en daaruit kon ik alleen maar concluderen dat ze het niet wilde horen, wat voor nieuws ik ook had.'

'Doodgaan vond ik moeilijk, wat wel ironisch was omdat ik door dood omringd was. Er kwamen geen bevelen meer om op te rukken. De hitte nam af, de zomer was bijna voorbij. Ik verlangde naar een krankzinnig bevel, ik wilde blindelings de kogel tegemoet lopen die mijn einde zou betekenen, maar dat bevel kwam niet. De Tiende Divisie vertrok, ging naar Saloniki, zeiden ze, maar wat er nog over was van mijn divisie bleef daar, we waren als eerste gekomen, en we zouden er als laatste weggaan. De zwaluwen doken met grote bogen over onze hoofden, de stank werd minder, de vliegen werden minder talrijk, het leek er bijna op dat het mooi zou worden. Allerlei geruchten deden de ronde, maar we waren door uitputting in een toestand van apathie geraakt. Een verschrikkelijk fraaie herfst daalde neer over het hele schiereiland en maakte de gedachte aan doodgaan belachelijk. Generaals kwamen en gingen, inspecteerden de paar mannen die nog resteerden van onze eerste landing. Vanaf de Lord Nelson arriveerde een motorboot, en het gerucht ging dat lord Kitchener, de oude zeerob in eigen persoon, aan boord was. Van boven de baai van Anzac ving ik een glimp op van een verrekijker die van hem zou zijn. Ik richtte mijn geweer erop, stelde me voor dat ik in de warme, heiige atmosfeer die befaamde snor van hem zag, bedacht hoe makkelijk het zou zijn om de trekker over te halen en vroeg me af of ik dan het gevoel zou hebben dat ik wraak had genomen. Maar ik had de moed niet en besefte dat wraakzucht in elk geval een gevoel was dat ik nooit ten volle zou kennen.'

~

Toen ze dikker werd, bleef ze de rol van Eily spelen, met mij als Grace naast haar, totdat ze te dik werd om überhaupt nog te kunnen spelen en ik de rol van Eily van haar overnam. De rol van Grace werd toen maar helemaal geschrapt, en het stuk werd verder zonder haar gespeeld. Niemand trok zich er iets van aan dat dat hier en daar onzin opleverde, aangezien er toch niet veel mensen luisterden. Overal aan de kust van Lancashire waren wel zalen waar we terechtkonden, dus lieten we de tent achter in een opslagplaats in Liverpool, de grootste haven die ik ooit had gezien. De pier die zich tot ver in het woelige groene zeewater uitstrekte met het keerpunt aan het eind, de houten promenade als een kathedraal van licht – zoiets had ik nog nooit gezien, zo'n verfijning, zo'n vulgariteit, zo'n teveel, zeg maar. Overal massa's mensen die van de nazomer genoten, meisjes van mijn leeftijd arm in arm met mannen in uniform, en het licht van de elektrische lampen speelde op hun gezicht alsof het in het water weerkaatste. Ik liep gearmd met Eily – Maggie was haar naam – en voelde aan mijn elleboog haar stevige, steeds harder wordende buik. In Margate probeerde een grappenmaker me tussen de coulissen te grijpen. Hij legde zijn hand op mijn buik en liet die naar beneden glijden. Ik beet hem in zijn oor totdat hij begon te bloeden. Hij durfde natuurlijk geen kik te geven.

'Au, au, dame,' zei hij. 'Zo erg is dat toch niet?'

'O nee?' zei ik.

In het licht van de schijnwerpers zag ik Maggie staan met haar wijdvallende jurk die moest verbergen in welke toestand ze verkeerde. De vader heette Samuel. Samuel en Margaret, zei ze, alsof ze een zegen afsmeekte, Maggie en Sam. Hij was bijenhouder in Somerset en wachtte daar op haar. Ze zou de tournee onderbreken en de baby baren, terwijl het gezelschap doorging naar Brighton. We ontmoetten twee soldaten op de pier en vonden het goed dat ze twee keer met ons de pier op en neer liepen en onderweg stilhielden om ijsjes te kopen.

'Bij Passendale kon je de kanonnen nog horen bulderen toen die er allang mee opgehouden waren,' zei de man met de donkere ogen.

'Ik hoor ze zelfs nu nog,' zei de blauwogige tegen ons.

'En hoe is dat?' vroeg ik.

'Het geluid?' vroeg de blauwogige.

'Hoor ik hier een accent?' vroeg de ander. 'Iers?'

'Iers,' zei ik, 'maar vertel eens hoe dat is. Ik heb een broer die daar is.'

'Alsof je aan het einde van de wereld bent,' zei de man met de bruine ogen – hij deed me denken aan de grappenmaker die zijn hand op mijn buik had gelegd, want op de terugweg hield hij mijn hand vast en onder een van de luifels langs de promenade probeerde hij me te kussen. Ik draaide mijn gezicht heen en weer, liet me toen toch door hem kussen en dacht aan Gregory.

'Waar is je broer?' vroeg hij om het gesprek gaande te houden.

'Hij zit bij de Dubliners,' zei ik.

'Die zitten niet in Frankrijk,' zei hij. 'Die zitten in de Dardanellen.'

'En waar zijn de Dardanellen?' vroeg ik, en ik voegde er, om de conversatie een lichte toets te geven, aan toe: 'Als ze thuis zijn.'

'Bij Constantinopel,' ze hij. 'En daar gaat het tegen de Turk.'

36

'Er kwamen stormen, die de geïmproviseerde pieren op de stranden wegsloegen en de loopgraven onder water zetten. We kropen eruit om onszelf voor de verdrinkingsdood te behoeden en zagen de Turken aan de andere kant hetzelfde doen. We hadden elkaar als halfverzopen ratten kunnen afschieten, maar we hadden andere zaken aan ons hoofd. Toen kwamen de sneeuwbuien; in het begin waren ze licht en werd het hele schiereiland bedekt met een dun laagje wit, maar toen volgden er echte sneeuwstormen en daalde de temperatuur flink, zodat onze handen blauw zagen van de kou en we alles wat we konden vinden stookten om onze ijskoude vingers te verwarmen. We begonnen de hitte en zelfs de vliegen te missen.'

~

We reisden verder naar het zuiden, richting Wales, de plaatsen waar we stilhielden werden kleiner en de zalen waarin we optraden waren nu kerkzaaltjes, waar op zondagen ernstige evangelisatiebijeenkomsten werden gehouden en waar een zwangere hoofdrolspeelster een heus schandaal kon ontketenen, dus viel ik in voor Maggie en kreeg de rol van Eily. Maggie vermaakte haar kostuums voor mij, nam ze in bij de taille, en complimenteerde me met wat ze mijn 'houding' noemde.

'Je kunt een eind komen met zo'n houding,' zei ze, 'met zo'n uiterlijk.'

'Wat bedoel je met "houding"?' vroeg ik, en ze antwoordde: 'Je manier van lopen, bedoel ik. Je hebt iets over je wat de echte diva's ook hebben.'

'En hoe moet het nu verder met jou?' vroeg ik. 'Moet je ver weg?'

'Naar Somerset, zo ver is dat niet,' zei ze. 'Daar krijg ik mijn baby, Sam zal met me trouwen, we gaan in een boerderijtje wonen en honing verkopen aan de appelboeren.'

Ze wist niet wat mij was overkomen, en elke keer als ik vroeg of ik mijn hand op haar buik mocht leggen om het leven daarbinnen te voelen, wekten mijn tranen haar verbazing.

'Waarom huil je?' vroeg ze dan. 'Eigenlijk zou ík moeten huilen, de gevallen vrouw, het misleide meisje.'

'Je kunt ook op andere manieren vallen,' zei ik. 'Ik ben min of meer een expert op dat gebied.'

's Nachts voelde ik soms de voetjes schoppen in het in een diepe slaap verzonken lijf naast me. Hoe kon ze slapen, vroeg ik me af, met zoveel leven in haar? Ze vatte het makkelijk op, Maggie, om dingen die anderen gestoord zouden hebben maakte ze zich helemaal niet druk: ze liet het gras groeien waar het groeide en de wereld draaide toch wel door. Elke ochtend werd ze wakker alsof het voor het eerst was. Alsof de wereld volstrekt nieuw voor haar was. Als we in bed lagen stak ik in het donker mijn hand naar haar uit en legde die op haar buik, en dan voelde ik het bewegen onder die flanellen nachtpon, dan tilde zij haar hand op en drukte die op de mijne, schoof haar vingers tussen de mijne, en samen wreven we dan met onze handen zachtjes over haar buik, zij slapend, ik bijna slapend, want de sensatie van haar huid was het enige waar ik slaperig van werd.

De slaap was voor mij een onbereikbare vertroosting als zij niet naast me lag, als die grote cocon waarin de vrucht langzaam rijpte er niet was. Ik voelde me leger dan het leegste wat ik me kon voorstellen, leger dan een zeebedding waaruit de oceaan zich had teruggetrokken, leger dan de opgedroogde slikken van Mozambique bij het laagste eb. Achter mijn ogen zaten droge tranen, opgedroogd in die leegte, maar soms troostte haar hand op de mijne me zo dat ze begonnen te vloeien. Dan huilde ik, en dan voelde ik het fluwelen gordijn van slaap en vergetelheid over me neerdalen.

~

'In december werd het zachter en ging het gerucht dat we eindelijk zouden vertrekken. Wij hielden de schijn op dat we in hinderlaag lagen en af en toe uitvallen in de richting van de vijand deden, en zij hielden de schijn op dat ze die afsloegen. Als het donker was, slopen er groepjes naar de stranden beneden die in stilte wegvoeren op de bootjes. Enkelen van ons bleven achter om de leemten te vullen, en wij kropen dan van loopgraf naar loopgraaf, van verdedigingswal naar verdedigingswal, en stelden geweren op die we op afstand konden bedienen. Als het verschil al bemerkt werd, namen ze in elk geval niet de moeite om in actie te komen.'

~

In die mijnstadjes zag je alleen oude mannen en jonge vrouwen, alle jonge mannen waren weg, de kolenmijnen lagen stil, de mijnwerkers waren ergens in Vlaamse grond aan het graven. Als er loopgraven gegraven moesten worden, zei een oude weduwe tegen me, wie konden dat dan beter doen dan mijnwerkers uit Wales? Het publiek dat naar onze optredens kwam kijken was oud en grijs. Het brede strand van Llandudno deed me aan thuis denken, en een vissersman die zijn lange, zwarte hengel in het zand had gestoken, vertelde me dat je op een heldere dag de Mourne-bergen kon zien. Het stemde me droevig, ik voelde niets anders dan droefheid, en ik besefte dat de leegheid die ik steeds had gevoeld aan het veranderen was in iets wat concreter was. Ik zag de aanvaarroute naar de Boyne voor me, de Maiden's Tower en de Lady's Finger en de fabriek van mijn vader aan de oever. En ik kreeg een ingeving die me veertig jaar lang bij zou blijven, veertig jaar lang zou ik een ander zijn dan wie ik was. Die avond, daar in dat kleine, overvolle zaaltje van de mijnwerkersbond, zette ik mijn droefheid op het toneel in. De droefheid stond me onder een laag stof achter de decors in het halfdonker op te wachten, een ineengedoken duiveltje van het verlies, kronkelend als een bedroefd kind, de geest van een ander. Ik heb geen bestaan, leek hij te willen zeggen, geef me leven. Ik nam hem mee, liep het toneel op en zette de pijn die ik voelde aan het werk. Ik was Colleen Bawn, die pijn voelde, en met alle smart van het verlies dat ikzelf had geleden zette ik het arme, beklagenswaardige leven dat ik speelde neer. Ik besefte dat ik mijn eigen wonden als rekwisieten kon gebruiken, als hulpmiddelen, als spuigaten voor de emoties, en ik zag de uitwerking die dit had op de vrouwen voor me, die in vervoering raakten. En als mijn rol en de emoties die ik moest verbeelden erom vroegen, kon ik zelf naar believen wonden creëren. Ik maakte er wonden bij, voor elke rol een nieuwe: wonden van boosheid, van verbittering, van jaloezie, van berusting en van woede, want met droefenis en verlies was niet alles gezegd. Ik werd een Sint-Sebastiaan, vol wonden, totdat ik door de grootst denkbare wond een soort einde zou vinden. En toen het stuk afgelopen was en het applaus om me heen aanzwol, wist ik dat ik nooit echte liefde zou kennen en nooit kinderen zou hebben.

~

'We legden bommen in de latrines en monteerden er ontstekingen met vertraging op. Op de laatste avond hing er een grondnevel over het land, en we zagen de maan erdoorheen schijnen als een steeds groter wordende munt. We verwijderden onze beenwindsels en bonden die om onze laarzen, maakten alles kapot wat we niet mee konden nemen, en baanden ons een weg naar het strand, waar kleine, flakkerende rode fakkels ons de weg wezen naar de waterlijn. We waadden zo stil als we konden door het water en klauterden op de boten. Achter ons voltrok zich een soort fictieve veldslag, door een ontploffing in een beerput werden alle lege loopgraven met stront overdekt, en slechts af en toe viel er een schot van de andere kant. Het was alsof de hele strijd niet echt had plaatsgevonden, alsof het maar schijngevechten waren geweest tegen een denkbeeldige vijand, met denkbeeldig geschut en denkbeeldige doden. Alsof de botten die we overal in het heuvelland achterlieten alleen bestonden in een droom, een nachtmerrie waaraan nu een einde kwam. Het leek alsof alles wat bij daglicht op dat schiereiland was gebeurd gedroomd was, en alsof deze kalme nacht met het zachte geklots van het water, af en toe verlicht door lichtflitsen van de oorlogsschepen, ons wakende leven was.'

~

We waren in een plaatsje aan de monding van de Severn, en nog voordat zij het zelf in de gaten had, wist ik dat de baby eraan kwam: een kind van de riviermonding, net als ik. We hadden nog laat gebakken haring gegeten en toen de rest van het gezelschap achtergelaten met hun flessen Guinness en cider. Toen ik haar de trap op hielp, zei ik: 'Vannacht komt het, voel je het?'

'Nee,' zei Maggie. 'Ik voel alleen hoe zwaar ik ben, wanstaltig zwaar, als een zeug. Wanneer ben ik een zeug geworden, Nina? En waar is die kerel, die bijenhouder die me in deze toestand in de steek heeft gelaten?'

'Hij heeft jou niet in de steek gelaten, jij hebt hem in de steek gelaten,' zei ik. 'En je zei toch dat hij in Somerset op je wacht? Kom op, darling,' zei ik – ik had me het Engelse taalgebruik al eigen gemaakt – 'ga lekker slapen, dan zien we wel wat er morgenochtend gebeurt.'

Maar het gebeurde niet de volgende morgen. Het wachtte de ochtend niet af. Het gebeurde die nacht, om ongeveer halfdrie werd ik wakker in een nat bed. 'Mijn vliezen zijn gebroken,' zei ze, en haar buik ging op en neer. Ik legde mijn hand erop en voelde het beven, alsof daarbinnen een machtige spier werd aangespannen. Ik rende naar beneden, trof Ethel daar aan, die zich met talloze lege flessen en sigarettenpeuken om zich heen te buiten ging aan Myles na gCopaleen. 'Haal een dokter, Ethel,' zei ik. 'Het is zover.' 'Eindelijk,' zei ze, wat ik vreemd vond, en ik ging op weg naar de deur.

Ik rende met twee treden tegelijk weer naar boven en trof Maggie rechtop in bed aan, met achter zich het kleine glas-in-loodraam.

'Hou me vast,' zei ze. Ik ging achter haar zitten en legde mijn beide handen om haar buik. Ze spreidde haar knieën zoals de vrouw van steen en groef haar vingers in de mijne. 'O god,' zei ze, weer huiverde ze. Toen vertraagde de tijd, de deken werd steeds roder, de rillingen waren nog het enige dat de tijd bepaalde, haar harde buik ging er gelijk mee op en neer, als een grote klok die elke keer als hij sloeg een echo in haar lichaam veroorzaakte, een serie rillingen, om haar even op adem te laten komen, totdat de klok weer sloeg. Maar het was een vreemde klok, zonder regelmaat. De slagen leken elkaar in te halen, volgden elkaar steeds sneller op, totdat er alleen nog maar slagen te horen waren. Toen kwam ze overeind, ging op haar knieën zitten en gaf terwijl ze leegstroomde een schreeuw die uit dezelfde bron afkomstig was als de klok, haar buik ging nog één keer op en neer, en toen was het voorbij.

Ik hoorde een kreetje, en daar op de dekens, tussen de kliederboel van het bloed en de rest, lag een klein wezentje, een in elkaar gedoken geestje in de vorm van mijn verdriet. Het verschil was dat dit bewoog, dit was een kind, een jongetje, zag ik. Ik tilde hem op, hij zat nog aan haar ingewanden vast en maakte groot misbaar. Ze nam hem van me over, en toen kwam Ethel binnen met achter zich aan een dokter met een hoge hoed en een leren tas.

'Geef hem maar aan mij,' zei hij, maar Maggie zei: 'Nee, nee, geef hem niet aan hem, ik wil dat zij het doet, Nina.'

'Haal dan een kom voor me, Nina,' zei hij. 'Heet je zo?'

Ik stond op van het bed, ging naar de badkamer, waste mijn bebloede handen en vulde een aardewerken kom met vers water.

Toen ik weer binnenkwam deed Ethel wat ze in elke denkbare situatie deed: ze stak een sigaret op. De rook kringelde omhoog, het kind huilde en de dokter was bezig hem van haar los te maken. Ik zette de kom neer, hij gaf de baby aan mij en zei: 'Was hem.' Ik waste alle bloed en vuil van hem af, terwijl hij zijn instrumenten uit zijn tas pakte en zich over Maggie heen boog. Ze begon opnieuw te bloeden, wat ze echter niet leek te voelen. Ze draaide haar hoofd naar mij en keek naar mij, naar Ethel die achter me stond en naar het kind in de kom dat ik in mijn handen had. 'Samuel,' zei ze.

~

'Van de bootjes stapten we over op een stoomboot. Een laatste explosie liet de hele baai trillen. Een vonkenregen als van een uitbarstende vulkaan spoot boven de nevels uit, en ik dacht aan de mannen die daaronder het leven lieten, aan de verspreide ledematen en al het kreunen, in die ene, universele taal. Het oorlogsschip achter ons vuurde nog toen het omkeerde en wegvoer twee salvo's af, en weer zag ik de dode vissen bovendrijven, net als bij onze aankomst. Ik dwaalde over het dek, overal werd gejuicht, ze sloegen de armen om elkaar heen en omhelsden elkaar alsof er iets gewonnen was, god mag weten wat. Ook ik juichte, het zou niet kies zijn geweest om het niet te doen. Tenslotte hadden we het allemaal overleefd, het onzekere dat leven heet was in ons bewaard gebleven. In het donkerpaarse gebied dat zich achter ons schip van ons verwijderde lagen de botten, onder de grond ofwel nog erboven, van degenen die bij ons hadden moeten zijn, en onder die ontelbare botten bevonden zich die van de vinger van George.'

~

Gaandeweg kwamen we in de buurt van Somerset, en de kleine Samuel groeide snel, het leek wel of hij elke dag groter werd. We traden nog wel op, maar eigenlijk waren we meer een familie rond die twee. En op een dag was het natuurlijk zover. Toen we bij een plaatsje aan een rommelige baai kwamen passeerden we een veld waarop een woud van miniatuurhuisjes met overhangende daken stond.

'Wat zijn dat in godsnaam?' vroeg Ethel, maar ik hoefde er geen seconde over na te denken.

'Bijenkorven,' zei ik, en ik begreep dat de kleine Samuel me ging verlaten.

De paarden hielden halt, en Maggie stapte met het kind in haar armen uit, kuste me op de wang en zei: 'Dag Nina, lieverd, vergeten zal ik het nooit.'

'Wat zul je nooit vergeten?' vroeg ik.

'Jou, lieverd,' zei ze.

Ze liep naar de bijenkorven toe alsof ze wist dat ze daar thuishoorde, en van over de heuvel, met op de achtergrond de zee, verscheen haar andere Samuel, met over zijn hoofd en schouders een middeleeuws aandoende kap en sjaal en om zich heen een zachtjes meedeinend gordijn van – begreep ik – bijen. Ze bleef voor hem staan met haar kind, en de bijen vormden een wolk om zijn hoofd; hij bewoog zich niet, kon het misschien niet vanwege de zwerm bijen om hem heen. De paarden kwamen weer in beweging, en voordat we de bocht in de weg in gingen keek ik nog een laatste keer achterom. Het leek alsof ze daar voor altijd zouden blijven staan, zwijgend en zonder elkaar te omhelzen.

~

'Op het eiland stonden de tenten in rijen tegen de heuvel op, en in de haven lagen meer dan zevenentwintig oorlogsschepen; ik had ze geteld. Het viel niet mee om gewoon te lopen en je niet steeds automatisch te bukken om dekking te zoeken, niet als een krab zijwaarts voort te schuifelen omdat je elk ogenblik een kogel in je hoofd verwachtte te krijgen. Ik kocht sinaasappels en citroenen van de Griekse kinderen die zich om ons heen verdrongen en vroeg voortdurend of er iets bekend was van George. Ik dwaalde tussen de hospitaaltenten door en bekeek iedere gewonde die me onder ogen kwam. Het gebeurde nogal eens dat iemand omkeek als ik de naam George riep: Georges met een andere achternaam en verwondingen van allerlei aard, Georges die een arm of een been misten, of die helemaal geen armen of benen meer hadden, Georges zonder ogen of zelfs zonder stem, maar telkens was hij het niet. Ik stopte stukjes sinaasappel tussen hun lippen en zoog de schillen dan zelf uit, en binnen een week had ik alle tenten gehad, had ik alle Georges gezien, en ook alle sinaasappels, leek het wel. Toen nam ik de boot naar Alexandrië.'

37

Er waren twee pieren in Brighton, een oostelijke en een westelijke, en wij trokken in de Cadogan Music-Hall onder de boulevard met alle hotels die eruitzagen als ijssalons. 's Avonds trad ik op in *Colleen Bawn*, en overdag liep ik over het met schelpen bezaaide strand tussen de pieren heen en weer, onder de promenade die met reusachtige steunberen overeind werd gehouden en waar je de muziek en de geluiden van winterse vrolijkheid van bovenaf hoorde. Het gevoel van leegheid was er weer, maar het was nu een leegheid die ver van me af stond en als een nevel over het slinkende publiek hing, waar ik als beschouwer buiten stond. Het was een publiek van dames met een mager, spichtig voorkomen en oudere heren, die uit de wind in de beschutting van de muur langs de boulevard de *Times* lazen.

Ik zonderde me af, want ik voelde me niet meer zo thuis in het gezelschap nu Maggie weg was. Ik dacht steeds aan haar en de kleine Samuel in hun huisje bij de bijenkorven, vroeg me af of ze gelukkig waren, of haar verwachtingen waren uitgekomen. Diep in mijn hart wist ik dat dat waarschijnlijk niet het geval was, dat de brave bijenhouder wel niet verwacht zou hebben dat dit meisje uit Somerset met haar kindje bij hem terug zou komen. Maar ik wist niet wat voor normen er in Somerset golden, en van die in Brighton wist ik ook niets. Ik kende alleen de normen van Eily O'Connor en Myles na gCopaleen, en wist alleen dat haar onverwachte terugkeer iedereen gelukkig maakte. Het publiek bij de voorstellingen werd nu almaar kleiner, we leken wel circusdieren die op het punt stond opgesloten te worden in de winterverblijven.

'Met november is het allemaal voorbij,' zei Ethel. 'Waar ga jij naartoe, meid? Naar Londen? Terug naar Ierland? Drogheda? Dublin?'

Ik dacht over de vraag na, realiseerde me dat mijn nieuwe familie nu uit elkaar ging vallen en vroeg me af wat ik verder moest, toen de man met de cinematograaf zich aandiende.

Hij had de voorstelling van *De waar gebeurde tragedie van Colleen Bawn* gezien en wilde er een – zoals hij het noemde – eenspoelsrolprent van maken. Hij bewonderde mijn acteerstijl, vond die zeer geschikt om er opnamen van te maken voor wat hij zijn speelfilm noemde. En na de laatste avond met publiek, toen het aantal toeschouwers minder was dan het aantal acteurs, nam hij bezit van het toneel en ging aan het werk. We repeteerden in de kale, koude hal, en hij bracht elke scène terug tot een serie stilzwijgende tableaus, waarin we gebaren maakten tegen een achtergrond van geschilderde decors, die hij steeds liet overschilderen. Hij halveerde het stuk, haalde de komische elementen eruit en behield de tragische, omdat tragische gevoelens makkelijker te vangen waren in een serie gebaren die wel iets weg had van een dans. Hij liet alle lampen van het plafond halen en liet ze van opzij in onze gezichten schijnen, manipuleerde ermee door ze aan en uit te zetten. Met schaduwen creëerde hij hele landschappen. Toen stelde hij zijn houten kist met de slinger eraan op en toog aan het werk.

Wij speelden elke scène net zo lang totdat hij tevreden was, dan zette hij de kist ergens anders neer en speelden we de scène opnieuw. Ik vond de spiegelende aanblik van de lens een makkelijker publiek dan de honderd gezichten die iedere avond naar me hadden zitten kijken. Ik kon me iemand daarachter voorstellen, een oog dat me bekeek, maar het enige oog dat ik er ooit in zag was mijn eigen oog. Wat een volmaakt narcisme, dacht ik, wat een weldadige spiegel, en ik dacht terug – hoe kon het anders? – aan het verhaal dat mijn vader me had verteld van het meisje dat naar haar spiegelbeeld in het water keek, totdat het water omhoog was gekomen en de Boyne was geworden.

Voor de verdrinkingsscène gebruikten we het enige water dat beschikbaar was, de klotsende zee onder de westelijke pier. De pier boven ons wierp een schaduw waaruit het zonlicht was buitengesloten. Hij zat in een andere boot aan de slinger op zijn kist te draaien, terwijl twee roeiers zijn boot vóór ons in positie hielden, en terwijl in de verte boven ons ratelende muziek klonk, sloeg ik me op de borst en rukte aan mijn lange lokken, waarna ik ten slotte in het ijskoude water wegzonk. Ik stierf, en dan kwam ik weer tot leven op een strandstoel, met een beker warme chocolademelk en een deken om me warm te houden.

'Je moet naar Londen komen,' zei hij, terwijl hij een pijp opstak en zijn colbertje dichtknoopte – hij leek meer op een wetenschapsman of een ontdekkingsreiziger, en helemaal niet op een theaterman. 'Er liggen daar voor jou mogelijkheden om iets op te bouwen, veel mogelijkheden. In de Bush-studio's maken ze vier– en vijfspoelsfilms.'

'Graag,' zei ik. 'Ik wil overal naartoe, behalve naar huis.'

~

'Alle lijnboten ter wereld, alle kolenschepen, al het ijzer dat kon drijven had zich in de haven van Alexandrië verzameld, leek het wel, en daartussendoor schoten de Arabische dhows met zeilen als kromzwaarden heen en weer, tot aan de rand gevuld met wat maar te verkopen was. Bij een van hen kocht ik een meloen, die ik in vier parten sneed terwijl ik de loopplank af liep. Het sap liep van mijn kin in mijn overhemd, maar in de zon droogde het vrijwel onmiddellijk weer op. De schillen gooide ik voor de honden die op de kade in het afval liepen te wroeten, en ik ging op weg naar de medina, waar de tenen overdekking tussen de muren van de smalle straatjes voor een beetje schaduw zorgde. Overal liepen soldaten, en de meeste waren op een of andere manier gewond geraakt. Ik informeerde bij hen hoe het in de hospitalen was en begon een driedaagse trektocht langs de tot ziekenhuis omgebouwde scholen, kazernes en bordelen, waar ik tussen de bedden langs de zwetende muren en de verpleegsters met hun witte gesteven kapjes door liep in de hoop iets over George te weten te komen. Iedere avond keerde ik terug naar het schip, waar ik dan tussen duizenden anderen in een hangmat lag en probeerde te slapen, wat meestal niet lukte.

Toen ik op de derde dag door de soek liep, zag ik voor me uit, tussen de langzaam voortsjokkende ezels, hoog beladen met alle mogelijke landbouwproducten, een gestalte lopen. Zijn beide armen zaten in het verband, en hij had een soort sjaal om zijn hoofd geslagen, maar zijn postuur, zijn manier van lopen, die lange, soepele gang, waren onmiskenbaar de zijne. Ik riep zijn naam, maar hij reageerde niet en versnelde zijn pas, waaruit ik concludeerde dat hij me had gehoord en aan me probeerde te ontsnappen. Maar ontsnappen was er niet bij in die drukte. Ik zag hem een zijsteegje in duiken en liep achter hem aan, een straatje met goudbewerkers in, kleine, gerimpelde mannetjes met hamers en goudplaten die ze op blokken naast hen hadden liggen. Hij sloeg nog een keer links af, een zo mogelijk nog smaller steegje in, zo smal dat er geen twee mensen naast elkaar konden lopen. Het steegje liep dood op een open deurtje waar een groepje bedelaars voor zat, die allemaal een pokdalige huid en verschrompelde ledematen hadden, die ze naar me uitstaken om me vast te pakken. Ledematen zonder handen.

"Geef ze geld," zei hij zonder zich om te draaien, zonder zijn sjaal af te doen. "Geef zoveel als je kunt, want dat verwachten ze. En kom dan achter me aan, als je wilt. In dit huis woon ik nu."

Ik ledigde mijn zakken, gaf ze alle muntgeld dat ik had, en zag ze erom vechten. Met hun bedelnappen tussen hun tanden schraapten ze de munten bij elkaar. Hij liep naar binnen, en ik ging achter hem aan.

Hij verbleef in een armenhuis, een soort gesticht, en naarmate we verder de trappen op liepen, zag ik er misvormingen die de mensen steeds minder als zodanig herkenbaar maakten.

"Lepra," zei hij. "En vraag me niet waarom ik hier ben, ik ben hier alleen omdat ik hier kan denken dat ik geluk heb gehad." Hij dook een klein kamertje met getraliede ramen in waar hij nauwelijks in paste. Er lag een mat op de vloer, en overal stonk het naar uitwerpselen. Ik bukte me en ging naar binnen, waarop hij zijn sjaal afdeed. Zijn gezicht was vertrokken en gerimpeld als een kippennek. De huid op zijn handen zag eruit als een afgeworpen huid van een slang, bijna doorzichtig, je zag de botten erdoorheen.

"Ze wilden me samen met de anderen op de boot terug naar Engeland zetten," zei hij. "Maar daar had ik geen zin in. Ik ben in het ziekenhuis gebleven totdat ze het bed nodig hadden en toen ben ik over de markten gaan zwerven en hier terechtgekomen. Hier kan ik Toetssteen zijn en niemand zijn geluk benijden. Greg, je moet het me niet kwalijk nemen, maar soms denk ik dat je me bij die brandende struiken had moeten achterlaten. Dan had ik daar kunnen sterven. Niet dat ik dat blijmoedig gedaan zou hebben, maar dood zijn zou beter zijn geweest dan dit. En andere keren denk ik weer, nee, ik moet leven, want alleen dan heb ik de kans om het gezicht van je zus Nina weer te zien. Maar als ik haar zie, dan moet zij mij zien, en die gedachte kan ik niet verdragen, en dan denk ik weer dat je me op die heuvel met die struiken had moeten laten verbranden. Al die struiken zijn nu dood, dat had ik ook moeten zijn. Ik zwalk heen en weer tussen die twee gedachten, van de ene naar de andere, en dan ga ik die deur door en de trap af en dan zie ik dat ik te midden van hen tenminste wel iemand ben die geluk heeft gehad. Dan kan ik weer eens aan iets anders denken, en dat is dan een opluchting, een soort zegen, de enige zegen die tegenwoordig nog voor me is weggelegd. Dus blijf ik maar hier. Ik denk dat ik hier mijn einde wel zal vinden. Wat denk jij, Greg?"'

~

In de Bush-studio's brandden dag en nacht grote booglampen, die alles in een fel licht zetten, en in de vonken die van de koolstofstaven oversprongen zag ik flitsen van herinneringen aan degene die ik vroeger was geweest, zag ik de boze geest die mij had achtergelaten in het donker en in het stof, tussen de lampen en de zwarte studiomuur. Ik begon de mensen van primitieve stammen te begrijpen die denken dat de camera de ziel opeet. Ik wilde dat hij de mijne in zijn geheel zou verzwelgen en me een andere zou geven, een kunstmatige ziel, een die opgegeten kon worden door iedereen die me zou zien, zomaar op een middag, in zo'n verduisterde zaal met een zoemende projector en een flakkerend beeld op een wit laken dat dienstdoet als scherm. Ik wilde dat hij het geheel van mijn herinneringen in zich op zou nemen, van de rivier, van het huis, van de schommel aan de kastanjeboom, van Gregory's aankomst met zijn dichtgebonden koffer, van George die achter de dode tomatenplanten Toetssteen speelde, van Janie die uit de rivier oprijst met haar natte jurkje om haar borstjes, van de geest die ons alle vier in spanning hield, Hester die tot poeder vermalen werd door de oogstmachine, van de uil die in de schuur van Mabel Hatch kraste, en van de parel, vooral van de parel. En de camera nam ze blijmoedig in zich op, betrok ze in zijn beeldvorming en vroeg me om nog andere herinneringen, waardoor ik me volkomen onbezwaard ging voelen, als een mechanisch danseresje dat op gezette tijden een dansje uitvoert, in alle vrijheid, alleen gebonden aan het mechanisme dat haar aandrijft, en leeg, helemaal leeg.

Hij droeg een colbertje, liep met een stok, en hij rookte een pijp terwijl hij aan de slinger van zijn camera draaide, en als de rol op was, liep hij naar voren en legde hij zijn hand op mijn billen, maar op den duur raakte ik ook daaraan gewend. Ik raakte aan van alles gewend: aan de zinnelijke atmosfeer die blijkbaar bij film hoorde, dat ik in de kleedkamer mijn kousen moest aantrekken terwijl mijn minnaar in de film zich met zijn gezicht naar de muur omkleedde, maar ondertussen wel keek hoe ik de zijden stof om mijn dunne knieën optrok en dacht: vooruit dan maar, ook in hem heb ik me vergist. Ik was ver van huis en zou ver van huis blijven, en als ik er zou terugkeren, zou het een andere versie van mijn persoon zijn, de versie die op de acetaatrol was vastgelegd. Mozambique, zou je kunnen zeggen.

~

'Ik heb je brief ontvangen,' zegt Gregory. 'De brief waarin je me schreef hoe Nina haar debuut had gemaakt, in de film nota bene. Waarin je vroeg of je broer nog wel leefde, en schreef dat hij, als hij nog leefde, moest weten dat zijn vader was verdronken toen hij tijdens een septemberstorm de Kathleen Mavourneen probeerde binnen te loodsen. Hij was met zijn boot voorbij de Lady's Finger ten onder gegaan. Hij had de aanvaarroute verkeerd beoordeeld; het stormde zo en het opspattende water belemmerde hem het zicht zo dat hij de Maiden's Tower niet had gezien en verkeerd positie innam. Hij zou begraven worden, en als George nog leefde zouden ze die uitstellen tot na zijn terugkeer. En dat laatste sloeg aan bij hem.

Ik haalde hem uit dat leprozenhuis in Alexandrië en bracht hem weer een beetje tot leven. We voeren mee op de laatste tocht terug naar huis, vanuit Saloniki, vanwaar de restanten van de Tiende Divisie naar huis werden vervoerd en vandaar weer naar een ander front. Hij droeg een Arabische djellaba met een capuchon en hield ook de sjaal om zijn gezicht, maar zijn huid was weer aangegroeid, zodat hij er weer een beetje als vroeger uitzag. Aan boord waren er trouwens velen zoals hij, zodat hij zich er thuis begon te voelen. Hij deed de sjaal af, toonde dat vreemde, ontroerende gezicht van hem aan anderen en liet het door de zon koesteren tijdens die lange tocht door de Middellandse Zee, om Gibraltar heen en vandaar in de richting van de Golf van Biskaje.

Toen we aanlegden kreeg ik je laatste brief, de brief met dat krantenknipsel uit de *Times*, een advertentie van Scala Cinematograph, waarin aangekondigd werd dat daar dagelijks tien voorstellingen zouden zijn van een zevenspoelsfilm met de titel *Sherlock Holmes and the Scarlet Lady*, met in de hoofdrollen Adrian Penrose (als magiër) en Nina Hardy. De hele treinreis naar Londen heeft hij het knipsel in zijn kapotte hand gehouden. Ik liep met hem van de trein door het gigantisch grote station met al die etalages, waar het licht door de rookwolken heen prikte, die daar net zo perma-

nent aanwezig leken als de pilaren, maar hij keurde de zee van kaki petten die aan hem voorbijtrokken geen blik waardig. En daar
in die enorme, beroete, uit rood baksteen opgetrokken kathedraal
van St. Pancras besefte ik dat hij daar nooit thuis zou zijn.

"Is dit de stad Londen?" vroeg hij me.

"Nee, George," zei ik. "Dit is het St. Pancras-station. Londen is
buiten." Ik pakte hem bij de hand met daarin nog steeds het krantenknipsel over het filmdebuut van mijn zus en leidde hem door
het tourniquet het station uit en de krioelende massa van King's
Cross in, en toen leek hij te beseffen dat het woord "stad" tekort-
schoot om de uitgestrektheid die hij om zich heen zag adequaat te
beschrijven. Tijdens de treinreis vanaf Dover had hij vele hectaren
huizen met rokende schoorstenen gezien, maar dat was alsof er
een bewegend plaatjesboek langs zijn treinraampje was gescho-
ven. Dit was echt, dit bewoog, dit maakte herrie, hier werd hij
opzijgedrongen, hier werden rookwolken uitgebraakt, dit was be-
dreigender voor hem dan de brandende heuvel bij de Dardanellen. Hij trok de sjaal weer over zijn gezicht en zei tegen me dat hij
een pijn voelde alsof er een druppel gesmolten metaal langs zijn
slaap rolde en dat hij niet wist of het gebulder afkomstig was van
zijn eigen trommelvliezen of van de storm van het chaotische
leven om hem heen. Hij verlangde naar een stukje herkenbare
natuur, maar het enige dat hij zag waren een paar beroete plukjes
gras tussen de sporen beneden en een spreeuw die zat te zingen
op een tak van een bladloze plataan, met daarvoor een politieman
die zijn hand opstak, waardoor het verkeer als bij toverslag stilhield en de enorme menigte van het trottoir aan zijn kant naar de
overkant liep. Hij wist niet beter dan erachteraan te lopen, en ik
liep met hem mee. En toen zag hij, boven de op en neer deinende
hoofden, door het raam van een stilstaande bus, ineens een glimp
van Nina's gezicht, op een schildering met het woord HOLMES op
haar voorhoofd. Ik pakte zijn hand en liep met hem naar de
afbeelding van haar toe, die naarmate ze loskwam van de bus
steeds groter werd. Ten slotte stond ze daar ten voeten uit boven
ons, in haar geheel, om het pand heen gevouwen, boven de trap

en boven de in Italiaanse stijl uitgevoerde ingang van de Scala Cinematograph.

Van de filmvoorstelling op zich kan ik me maar weinig herinneren, maar ik herinner me nog wel hoe George reageerde. Hij zat naast een Egyptische zuil, blij dat zijn gezicht in het donker was gehuld, te kijken naar haar gezicht op het scherm. Hij zag hoe het schitterde en hoe het zich bevallig naar hem vooroverboog alsof ze hem wilde zegenen.

"Ik zie haar wel," herinner ik me dat hij zei, "terwijl zij mij niet kan zien."

Maar waarom nu? Waarom nu? was op dat moment de ondertiteling. Een heer met een geklede jas en een glanzende hoed liet zijn stok ronddraaien, met verachting, dacht George, want hij vroeg aan mij waarom hij haar blijkbaar niet aardig vond.

"Hij is de schurk, George," zei ik. 'Hij mag haar niet aardig vinden."

Toen liep ze weg, een beschaduwde straat in. Ze sloeg een hoek om, liep de mist in en kwam bij een rivier. Wat is die breed, die rivier, fluisterde George me toe, wel drie keer zo breed als die bij ons thuis. Er lagen schuiten en zeilboten, en aan een vreemd heldere hemel hing een maansikkel. En toen was ze daar weer, schrikbarend groot, ogen en mondhoeken naar beneden, het gezicht omgeven door een massa zwarte krullen. Ze viel voorover, onze kant op, kwam zo dichtbij dat George zijn handen uitstak om haar op te vangen. Maar hij kon niets uitrichten, want ze lag al in de rivier en dreef naar een van de schuiten, met naast haar in het water de weerkaatsing van de maansikkel.

"Is ze nu dood, Greg?" vroeg George me met een soort sprookjesboekenangst in zijn stem.

"Nee, ze is niet dood, George," zei ik. "Het is maar een illusie."

Na afloop liep ik in het daglicht met hem naar weer een ander treinstation. Euston deze keer.

"Dus ik kan haar zien zonder dat zij mij hoeft te zien," zei hij.

"Ja," zei ik, "elke keer als deze film gedraaid wordt kun je lekker in het donker naar haar kijken zonder dat ze jou ziet."

"Hebben ze deze films thuis ook, Greg?" vroeg hij.

"Die komen," verzekerde ik hem. "Die komen beslist."

Ik kocht een kaartje voor hem en doorkruiste met hem weer een andere kathedraal vol rook en vuiligheid, zette hem op de trein en vroeg een paar in kaki geklede Ieren naast hem om een beetje op hem te letten en hem mee te nemen naar Dublin, waar zijn zus Janie hem zou opwachten. Het laatste wat ik van hem zag was zijn grote hoofd, dat hij toen de trein wegreed door het raampje naar buiten stak om achterom te kijken en dat af en toe aan het gezicht werd onttrokken door stroomwolken, stoomwolken die hem goedgezind moeten zijn geweest, want ze verzachtten zijn trekken, zodat hij er weer een beetje uitzag zoals vroeger.'

~

Toen ze klaar waren met mijn make-up, een dikke laag witte cake en een paars potloodlijntje op mijn lippen, brachten ze me naar de helverlichte plek waar de zon door de glazen wand scheen en waar de camera snorde en werd ik een decor van Harley Street in geduwd, waar de goochelaar me de ene kant op trok terwijl ikzelf de andere kant op ging. Ik realiseerde me ineens dat ik me altijd bewust was van de mensen om me heen. Hoe verblindend het licht ook was, hoe erg de herrie, ik was me te allen tijde bewust van wie er toekeken, en als daar een nieuw gezicht bij was, zou ik dat ogenblikkelijk kunnen aanwijzen. En dan ging het om de ogen: ik werd bekeken, en onder de vertrouwde ogen was een nieuw paar opgedoken. Terwijl ik heen en weer werd getrokken, terwijl mijn hand naar mijn voorhoofd ging en weer ervan weg, keek ik of ik dit nieuwe paar ogen zag, en uiteindelijk zag ik de kaki pet afgetekend tegen de kale bakstenen muur.

Er kwamen vaak gedemobiliseerde officieren kijken – we waren een kermisattractie, het mechanische wonder, en een uitnodiging om een kijkje te nemen in de Bush-studio's werd zelfs door ministers op prijs gesteld, godbetert –, maar ik wist meteen dat hij het was, hoewel ik zoals gewoonlijk door de lichten verblind was en zijn gezicht niet zag, geen enkel gezicht zag. Evengoed wist ik mijn verdriet en mijn angsten een bijbelse intensiteit te geven, totdat het gezelschap tevreden was en de slinger aan de camera werd stopgezet.

Toen liep ik in mijn kostuum uit de vorige eeuw naar voren, in alle opzichten een geestverschijning behalve fysiek, ik liep langs de lichten, en mijn ogen raakten gewend aan het halfduister daarachter. Ze zeiden me dat de garderobebeheerster had gevraagd om een kostuumwisseling, maar ik liep door naar de magere gestalte in uniform die daar bij de studiodeur stond te roken.

'Gregory,' zei ik, 'ben jij dat? Ja, hè?'

'Ja,' zei hij, 'wie anders?'

Ik rende naar hem toe, en hij ving me op en maakte een rondedansje met me en zei – het was zo vertrouwd, zo onnodig dat het overdreven leek: 'Dikke pret, zusje.'

38

Lieve vader, ik kom nooit meer terug. Dat is niet omdat ik niet van jou hou, want dat doe ik wel, en niet omdat ik niet van moeder hou, want dat ben ik waarschijnlijk wel verplicht. Het is de plicht van een dochter om van haar moeder te houden, dus daar ga ik mee door, ik zal het in elk geval proberen. Nee, ik kom nooit meer terug omdat me dat gevraagd is. Mijn broer is zo laat in mijn leven gekomen dat ik hem niet als mijn broer kan beschouwen. Daarom zal ik mezelf veranderen, mijn leven veranderen, een ander thuis kiezen, en zal ik iemand anders worden dan jouw kleine Nina. Ik zal Rosalinde worden, Cordelia, lady Macbeth, wie weet. Ik heb het beste van mijzelf daar achtergelaten, dus in zekere zin blijf ik altijd de jouwe. Nina.

Hoe kan ik me de pijn van een ander voorstellen? Je eigen pijn is het enige dat bestaat. Maar daar is hij, hij staat voor me. Hij staat met Janie tussen de tomatenplanten in de kas en vouwt mijn brief netjes op, stopte hem samen met zijn bril in zijn borstzakje en zegt: 'Dank je wel, Janie', en richt zijn aandacht weer op de tomatenplanten. 'Nu ben ik ze allebei kwijt.'

Er kleeft een groenige schimmel op de bladeren van de tomatenplanten, en gaandeweg raakt hij er die middag mee bedekt. Als Janie weg is, loopt hij langzaam tussen de planten door, bindt zorgvuldig elke twijg waar een vrucht aan groeit vast, en als hij de hele kas heeft gedaan, begint hij opnieuw, bindt ze weer vast op het houten latwerk, maar dan net iets anders. De zomerzon brandt, en omdat het een broeikas is, is het nog heter. Zijn gerafelde jasje en het kraagloze hemd maken het voor hem nog warmer, zodat het zweet tappelings over zijn gezicht loopt, maar dat heeft geen enkel effect op het laagje groen dat zich op zijn huid heeft afgezet. Als de zon ondergaat, gaat hij naar buiten, waar een hemel met roze schapenwolkjes de hele omgeving bedekt, te beginnen bij de riviermonding. Zijn gezicht lijkt in de groenige avondschemering schuil te gaan achter een dodenmasker, en als hij bij het huis komt, treft hij haar daar aan met haar armen vol rozen, die ze net heeft geplukt.

'We zijn onze dochter kwijt,' zegt hij.

'Nee,' zegt ze, 'we hebben geen dochter. En ook geen zoon.'

Hij gaat naar boven en laat het bad vollopen. Ik zie hem liggen, in die oude ijzeren kuip met kranen waaruit lauwwarm water stroomt. Hij is naakt, zoals ik hem nog nooit heb gezien, hij heeft knokige schouders en midden op zijn ingevallen ribbenkast zit een plukje grijzend haar, terwijl de aderen op zijn knieën en bovenbenen opgezwollen en blauw zijn, zodat ze bijna los lijken te komen van de huid. Misschien is dit het verhaal dat ik te vertellen heb, mijn verhaal waarin ik geen rol speel. Hij houdt zijn hoofd lang onder water, oneindig lang lijkt het wel, langer dan iemand het menselijkerwijs kan uithouden, steekt het dan weer boven water uit en noemt mijn naam.

'Nina.'

~

'Heb ik misbruik van haar gemaakt?' Gregory stelt een retorische vraag en geeft dan zelf het antwoord: 'Ik dacht het niet, ik hoop het niet. Maar we voelden ons in die gigantische metropool als wezen. Ik was werkloos en kon ook niet werken, ik was een van die vijfhonderdduizend gedemobiliseerde soldaten. Ik had een grootvader in Surrey, aan wie ik een brief schreef in de hoop dat hij me zou kunnen helpen of me in elk geval een hart onder de riem kon steken, maar ik kreeg geen antwoord. En toen we door de National Gallery aan Trafalgar Square liepen, zag ik ons spiegelbeeld in het glas voor een heel groot schilderij – ik weet niet meer welk – en toen zag ik haar voor het eerst zoals anderen haar zagen: een mooie, elegante vrouw met een natuurlijke gratie, echt wat je noemt een Ierse roos. Ik zag mezelf naast haar in mijn gehavende soldatenplunje en zag onmiddellijk wat anderen van me zouden denken. Toen heb ik haar gevraagd of ze me geld wilde lenen, en daarmee ben ik naar een kleermaker gegaan om mezelf zodanig presentabel te maken dat ik me kon presenteren als haar impresario – ja, het is echt waar.

Die eerste films waren chaotisch geproduceerd, en daar is verder niets dan chaos uit voortgekomen. Ik heb haar zaken een beetje op orde gebracht. Ik werd haar schaduw, een mooie schaduw, de vertolker van haar diepste wensen. Ik begon over haar in de derde persoon te spreken: Miss Hardy verzoekt... dat doet Miss Hardy niet... Miss Hardy zou graag willen... Dat gaf mij de illusie dat er afstand tussen ons bestond en het gaf anderen de illusie dat ze onbereikbaar was, en laten we wel wezen: het ging tenslotte alleen maar om een illusie, en ik zorgde ervoor dat we allebei voordeel hadden van die illusie.'

~

Gregory ging dus mijn zaken behartigen en werd mijn vertrouweling. We bouwden een eenheid op die onverbrekelijk, onwankelbaar, ongemakkelijk en ongezond was. Hij verwisselde zijn uniform voor een maatpak van Savile Row, en ik vond het angstig eenvoudig om maar niet te denken aan de ellende die hij had meegemaakt. We hebben er nog over gedacht om mijn naam te veranderen – ik veranderde alles, dus waarom niet mijn naam? – en zou dat ook hebben gedaan als ik geen bekendheid had gekregen met mijn rol als Colleen Bawn. De naam is dus dezelfde gebleven, Nina Hardy.

De studio's waren toen een soort kassen, de wanden en daken waren van glas, zodat de zon de kasplantjes daarbinnen in het licht kon zetten. We speelden weer Orlando en Rosalinde, zonder

George, zonder Janie, zonder tomatenplanten, met in die kathe-draal van glas alleen de zon, als hij tenminste scheen, en als hij niet scheen, maakten we met lampen zelf licht om de opname te kunnen maken. We zaten aan zee in een huis of een bungalow – sommige dingen waren helemaal anders, andere helemaal niet. We namen van Brighton de sneltrein naar onze nieuwe kas in Lon-den en bedachten verschillende versies van wat we achter ons hadden gelaten, voor jullie beiden kwam een hele serie anderen in de plaats. Ik stelde mijn minnaars aan hem voor – hij mocht zeggen of hij het ermee eens was – en hij stelde zijn liefjes aan mij voor. We hielden een erotische spanning in stand, dat was iets waar we ons niet meer van los konden maken, zoiets als roken. Zo-als een dokter de vinger aan de pols houdt bij een griepje, hield ik precies bij hoe lang zo'n jong ding uit de provincie hem bezig-hield, en ik kon precies voorspellen wanneer de temperatuur zou stijgen of dalen, wanneer het virus zou verdwijnen, zodat we weer van voren af aan konden beginnen. Ik hield het toezicht op zijn amourettes, en hij op de mijne.

'Windt ze je op?' informeerde ik bijvoorbeeld over een argeloos jong ding dat ook aan het toneel was.

'Hoe lang geef je haar, zusje?' vroeg hij.

'Twee maanden,' zei ik, en dan moest ik haar precies twee maanden later gaan troosten.

39

Als ik zou zeggen dat het huis in mijn afwezigheid verstilt, zou het zijn alsof het huis een mens is, en huizen zijn geen mensen, zoals we weten. Wel kunnen ze menselijke kwaliteiten hebben, en dit huis heeft tenslotte mij. Maar het wordt er stil, dat valt niet te ontkennen. De oorlog is afgelopen, en een ander soort oorlog is begonnen. De handel in vis kwijnt, en mijn vader houdt het ontevreden personeel in dienst. Het lijkt zinloos om nog te doen alsof er zaken worden gedaan, maar hij kan het niet opbrengen de fabriek te sluiten. Hij hoeft echter niet lang onder zijn besluiteloosheid te lijden, want op een nacht ziet hij vanuit zijn slaapkamer boven vlammen opflakkeren waarvan hij ogenblikkelijk weet waar ze vandaan komen. Het bureau van de Royal Irish Constabulary, vrijwel geheel Balbriggan en de helft van de andere herenhuizen in de buurt waren al door hen in de as gelegd. Als hij er samen met Dan Turnbull rondrijdt, ziet hij bij de vlammen een gestalte met een sjaal om zijn hoofd die met water uit de rivier tevergeefs probeert het vuur te doven. 'Laat maar branden, Georgie,' zegt hij, en met z'n drieën tot aan hun enkels in het water kijken ze toe hoe de muren instorten en de ijsmachine door de hitte smelt.

George is dus terug. Ik zie hem 's nachts bij de hooischelven ronddwalen als een hond die zijn baas kwijt is, altijd met een sjaal om zijn gezicht om de littekens van zijn brandwonden te verbergen. Hij is zich bewust van een aanwezigheid daar binnen, een geest die daar blijft rondhangen, en hij denkt terug aan de Hester van zijn kinderjaren. Of misschien wordt hij verteerd door herinneringen aan branden en vreest hij dat ze na de fabriek ook het huis in de as zullen komen leggen. Hij verblijft met tussenpozen in het huisje van zijn ouders, van waaruit Janie dagelijks de kweekschool bezoekt, hij krijgt van de Britse overheid een arbeidsongeschiktheidsuitkering, maar wordt daar in de buurt op aangekeken: de tijden zijn er niet naar dat je hier gewaardeerd wordt als je in dienst bent geweest, moeten we begrijpen. Wat vroeger in aanzien stond, wordt nu afgekeurd, en andersom. En als ze op een nacht aan komen zetten met oude lappen en blikken benzine, staat hij hen achter een hooiberg op te wachten met het geweer van zijn vader; hij vuurt twee schoten af, trekt zich terug en sluit de hekken achter zich, zodat ze zich tevreden moeten stellen met het in brand steken van de hooischelven. Janie, die er per fiets op weg van het station naar huis langs komt, ziet de oranje gloed en denkt dat het er nu toch van gekomen is en dat Baltray eindelijk hetzelfde lot beschoren is als alle andere herenhuizen. Maar dan ziet ze George op de oprijlaan staan, in een vonkenregen alsof het sneeuwt. Op zijn gezicht ziet ze zijn trots en het toenemende verlies van zijn verstandelijke vermogens, ze voert hem aan de hand mee naar huis, als een reuzenkind, zegt tegen hem dat hij hiermee moet ophouden, dat ze hem dat niet ongestraft zullen laten doen, dat hij dit soort dingen aan de politie moet overlaten. Maar ja, ook de politie was door brand verdreven.

~

'Het woord "minnaars" doet op de een of andere manier heel Frans aan, maar het is het natuurlijk niet. Ik kan me geen woord voorstellen dat middeleeuwser klinkt dan "minne", het woord waar "minnaars" van afgeleid is, zo hoofs en zo veelomvattend. Maar de meervoudsvorm "minnaars" roept associaties op aan een manier van leven die als typisch Frans wordt beschouwd. Goed, ze had dus minnaars, en ik hield het toezicht op die minnaars, dat beschouwde ik als mijn plicht als broer en als manager, en zelfs, als ik het zeggen mag, als dramaturg. En dat hield in dat ik er in de beginfase, als er gesmacht en geflirt werd, mijn goedkeuring aan hechtte. Soms koos ze mannen uit die werkelijk niet konden, moet ik zeggen. Potige toneelknechts of robuuste elektriciens die me aan George deden denken, wat misschien ook wel de reden was waarom ze met hen flirtte en waarom ik er, als een welmenende Iago, op toezag dat het niet meer werd dan flirten. Ik had namelijk ontdekt dat er maatschappelijke klassen bestonden, een systeem dat met een soort mathematische precisie functioneerde en dat bij ons thuis volkomen afwezig was, en die imitatie-Georges gebruikte ik dan vervolgens voor mijn eigen doeleinden. Nee, háár keuzes moesten bovenal nuttig zijn, moesten de Ierse Roos vooruit helpen, en ook haar schaduw, mijn persoon. In de eindfase kon ik interveniëren als ik zag dat er behoefte begon te ontstaan aan een diepere binding. Want verkering, verloving, huwelijk, al die dingen die niet pasten in het Franse karakter, moesten uitgesloten worden. Voor ons allebei.'

~

De regisseur met de droge huid wist dat hij die avond met me naar bed zou gaan. Hij droeg een korte broek omdat het in de kas waar we toen speelden zo warm was. Lime Grove was het, geloof ik, in Shepherd's Bush. Ik paste jurk na jurk om hem te gerieven, en elke keer als ik me uitkleedde, wist ik dat hij me in de spiegel van de kast kon zien, en ik wist ook dat hij wist dat ik dat wist. Ik liep die avond in een jurk van tafzijde met hem over Piccadilly, en toen ik onder het eten voelde hoe hij zijn schoen eronder stak, keek ik even naar Gregory aan de andere kant van de tafel en wist ik dat hij het ook wist. Later op de avond, in zijn vertrekken boven het visrestaurant, toen ik hem de jurk liet uittrekken, moest ik terugdenken aan de vislucht in mijn vaders fabriek aan de rivier, die leek op de geur van het zaad, dat al voordat hij mijn kousen had uitgetrokken aan mijn borst kleefde. Zie je nou wel, dacht ik, weer verkeerd ingeschat.

40

Soms komen ze naderhand 's nachts terug, niet voor het huis maar voor George, die dan buiten voor het hek nog de wacht houdt. Dan tuigen ze hem terdege af, zoals dat heet. Vanwege zijn postuur en zijn lichaamskracht moeten ze dan minstens met z'n zevenen zijn en uitgerust zijn met stokken en pikhouwelen. Als ze klaar zijn met hem zitten de bloedspatten op de hooischelven en cirkelen er uilen om hem heen. Dan kruipt hij achter het hek, waar mijn vader hem dan de volgende ochtend vindt en hem vervolgens naar hetzelfde ziekenhuis brengt waar wij beiden na onze val hebben gelegen. Ze verbinden hem en leggen hem een gipsverband aan, en dan ziet hij er net zo uit als het gewonde kind van destijds, alleen veel groter. Janie komt hem met haar moeder opzoeken en ziet in zijn ongerichte, starende blik dat hij zich inwendig al aan het terugtrekken is, dat hij een vreemd, chaotisch mens aan het worden is.

Zes maanden later komt hij eruit; hij loopt met een kromme rug en zijn door de brandwonden gehavende huid is weikleurig en bleek van de opsluiting in het gips. Mijn vader, die 's avonds in de keuken zit, hoort in de verte buiten een ritmisch gekraak, alsof er een boom heen en weer beweegt in een harde wind; hij loopt de binnenplaats op, maar constateert dat er geen wind staat; het is een windstille avond, en de maan gaat maar nauwelijks schuil achter de concentrische cirkels van een dunne, onbeweeglijk stilhangende wolk. Het ritmische geluid is er nog, als het kraken van een leren halster om de nek van een paard, en als hij op zoek gaat naar het geluid, onder de galerij door, langs de plantenkas, het gazon over, realiseert hij zich ineens, nog voordat hij de geluidsbron ziet, dat het afkomstig is van de schommel die hij jaren geleden heeft gemaakt. Hij loopt het grasveld over en ziet dan boven het water de omtrekken van een reusachtige gestalte die, ineengedoken op het plankje, langzaam heen en weer zwaait.

'George,' zegt hij zachtjes als hij bij hem is.

'Stil,' zegt George, 'anders gaat ze er weer vandoor.'

'Dat zou ik nooit willen,' zegt mijn vader zachtjes, en hij legt zijn hand op zijn schouder.

'Nee,' zegt George. 'Zoekt een hert een lieve hinde, o het zoeke Rosalinde.'

'Je moet naar huis, George,' zegt mijn vader. 'Je moet naar bed.'

'Ik kan haar niet hier achterlaten,' zegt George.

'Ja, dat kun je wel,' zegt mijn vader. 'Ze wil dat je gaat slapen.'

'Denkt u?' vraagt George met de onschuld van een kind, en hij legt zijn enorme hand op die van mijn vader.

'Ja,' zegt mijn vader. 'Alle jongens moeten slapen.'

Hij pakt zijn hand met maar vier vingers, helpt hem van de schommel en loopt met hem de heuvel over naar de weg bij de rivier, langs de schuur van Mabel Hatch naar het huisje met het ijzeren dak van zijn vader. Dan stort hij pas echt in, hij verblijft drie maanden in Sint-Ita in Portrane, en net in die tijd wordt de Ierse politie georganiseerd, die George na zijn vrijlating arresteert als hij op de kermis van Bettystown aan het vechten slaat met een agent. Nadat George drie nachten heeft doorgebracht in een politiecel in Drogheda, weet mijn vader hem voor zijn eigen veiligheid een baantje als matroos te bezorgen, aanvankelijk op de lijn van Drogheda naar Liverpool, en dan op iets langere reizen, naar Oostende en Rotterdam, maar elke verlofperiode van George eindigt met opsluiting. Hij gaat grotere reizen maken – naar Marseille, Constantinopel, Hongkong, Macau, Australië – en de tussenpozen tussen zijn verlofperioden worden groter. Janie krijgt een baan als onderwijzeres, en de kamer met het getralied raam in het gesticht in Portrane begint, elke keer als hij er weer is, zijn thuis te lijken.

~

'Ik had zo mijn eigen angsten en beweegredenen,' zegt Gregory. 'Als ze getrouwd was, weet ik niet wat ik gedaan zou hebben. Ik herinner me nog de avond dat ik de keuken binnenstapte met een koffer met een touw erom en dat zij – of was ik het? – het verhaal verzon dat ik per post uit Engeland was opgestuurd. Hoezo, per post? Als cadeau natuurlijk, als gave aan haar. Als ik van tevoren had geweten dat ik zo'n zus had, iemand die in alles zo mijn gelijke was, behalve geslachtelijk, zou het misschien anders zijn geweest. Maar er was toen voor mij een ander leven begonnen, en dat daar misschien een einde aan zou komen, betekende voor mij dat er aan mijn leven een einde zou komen.

Ik wist het graf van mijn moeder op te sporen, op een kerkhofje in Surrey, en toen ik daar was, zag ik haar naam op een bruine, al met mos bedekte grafsteen. Annabel Martin. In dat dorp, met de kerktoren en de omhoogkringelende rook in de septemberlucht – het was september, herinner ik me – stond een huis, een groot huis, dat wist ik al wel, maar het bleek zo groot dat sir Henry Martin haar en mij daar niet in had willen ontvangen. Even heb ik met de gedachte gespeeld dat dit mijn naam geweest zou zijn – Gregory Martin –, maar dat leek me onmogelijk: twee voornamen en geen achternaam. Ik besefte dat ik geworden was wie ik was op het moment dat ik die keuken binnenkwam en haar zag, Nina Hardy. Ik was Gregory Hardy, en ik wist niet wat ik geweest zou zijn zonder haar. Ik was haar gave, in beide betekenissen van het woord, zoals zij in zekere zin mijn gave was en altijd zou blijven.'

~

Wanneer ben ik er een afkeer van gaan krijgen, van die kunstmatige drama's, waarin iedereen achter iedereen aan zit, met de bravourestukjes, de dolkomische situaties, de ruches, de zweterige oude kostuums, het onnozele gelach, de opgelegde geheimzinnigheid en spanning, het licht en de schaduw? Ik denk omstreeks de tijd dat ze die glazen huizen afbraken en de scènes gingen opnemen in grote, geluiddichte studio's. Misschien hield ik helemaal niet van al dat zwart-wit dat door de camera's liep, maar waren het de kassen zelf waar ik van had gehouden, die kathedralen van licht waar de zon vanaf het dak tot aan de vloer doorheen schijnt. In die kassen had ik nooit het gevoel dat wat we deden erg veel verschilde van wat we tussen die zweterige tomatenplanten hadden bedacht terwijl wij met ons vieren sympathieën uitwisselden alsof het snoepjes waren. Toen ze het glas kapotsloegen, er muren voor in de plaats zetten en lampen met de vonkende koolstaven opstelden, begon ik een afkeer te krijgen van de arrogantie van al dat licht, van de duisternis achter die omfloerste gloed. Het was alsof ik mijn verloren vrucht tussen het stof achter de koolstofbogen zag zweven. Ik was het eens met die primitieve volkeren die denken dat de camera de essentie, het wezen, de ziel opslorpt. Ik was niet langer zelf degene die daar rondliep met een laag make-up op en in een kostuum met stijve oksels van het zweet van anderen. Het was iemand die ik niet kende, iemand die Nina Hardy heette.

Toen dacht ik dat ik toch een andere naam had moeten kiezen, een pretentieuze naam als Isolda Birtwhistle of zoiets, omdat dan de scheiding tussen ons beiden volkomen zou zijn geweest. Ik kreeg er een afkeer van dat alle betekenis teruggebracht leek te worden tot de manier waarop zij bij draaiende camera en in het licht van de lampen haar gezicht vertrok. Echte kunst moest het voor mij zijn, geen kunstmatigheid, de kunst van Rosalinde. En toen heb ik tegen Gregory gezegd dat ik ermee wilde ophouden, dat ik alleen nog op het toneel wilde staan. Maar het geld was goed, besefte ik, voor hem in elk geval, en mijn reputatie stoelde te veel op deze kermisattractie.

In diezelfde tijd begon het tot me door te dringen dat Gregory's genegenheid niet uitging – of althans niet uitsluitend – naar de jonge blonde ingénues, de grimeuses en costumières om mij heen, maar naar de potige decorsjouwers en de elektriciens die de lampen installeerden en bij wie de bicepsen als kabels op de armen lagen. 'Mis je George, Gregory?' vroeg ik een keer. 'Soms ver-

lang ik naar hem,' zei hij. En toen besefte ik dat het spel van verlangen dat we in onze Hof van Eden hadden gespeeld, in onze eerste kas, veel gecompliceerder was dan ik ooit had gedacht.

George Bernard Shaw hielp me ervan af. Hij kwam op een win-
terochtend naar de studio, de grote man wilde zogenaamd wel
eens meer weten over dit nieuwe medium, omdat het stormliep
op de bioscooptheaters. Hij beloofde een stuk voor me te schrijven
dat op die films leek, een stuk met alleen maar gesproken tekst. Ik
dronk thee met hem op zijn adres aan Adelphi Terrace, samen met
twee dames in rouwkledij, en alle drie keken ze goedkeurend naar
zijn nieuwe 'Ierse Roos'. We volgden ze naar Malvern, waar hij elke ochtend ging zwemmen en dan zijn baard voor zich uit liet drijven als een eendennest. Tot ieders tevredenheid, behalve die van
mevrouw Campbell, die naar het schijnt zijn oude Ierse Roos was
geweest, werd ik geëngageerd voor de rol van Orinthia in *The Apple
Cart*. De genegenheid van een man van in de zeventig bleek even
spannend te zijn als die van een jongen van negentien, en hij kon
ook zeker zo obsessief jaloers zijn als een jongen van negentien.
Toen we in Londen speelden kwam hij elke dag kijken, en achten-
vijftig dagen lang bestookte hij me met zijn adviezen betreffende
uitvoering, dictie, houding en stijl. Ik zou de laatste van zijn intel-
lectuele liefdes zijn, waarschuwde hij, dus ik moest zijn hartstocht stimuleren.

'Hoe zou ik die beter kunnen stimuleren dan ik al doe?' vroeg
ik.

'We zijn van plan om enige tijd door te brengen in Italië,' zei hij.
'Aan het Lago di Como. Jij moet erbij zijn.' Hij leek trots te zijn op
de manier waarop hij die langgerekte Italiaanse klinkers uitsprak.

'Mag mijn broer ook mee?' vroeg ik.

'*Il suo fratello*?' Weer diezelfde trots toen hij met zijn lippen een
O vormde, midden in die beigegrijze baard. '*Certissimo.*'

41

Mijn vader tekent en schildert stug door, de oever van de rivier, de Lady's Finger, de Maiden's Tower, het water ervoor, hij weet het vermoeden te wekken dat er een meisje onder het rimpelende water schuilgaat. Hij schildert zijn vrouw in de zomer en in de herfst als ze aan het tuinieren is, in de hoop dat ze even een blik zal werpen op wat hij maakt en er iets aardigs over zal zeggen, maar dat gebeurt niet. 's Winters is het de Meath Hunt die haar geheel en al in beslag neemt, 's zomers de golfsport, en tussen de seizoenen door werkt ze in de tuin en lost ze kruiswoordraadsels op. Hij maakt een serie tekeningen van oudheidkundige monumenten in het rivierenlandschap van de Boyne, te beginnen bij de bron aan de voet van de Carbury-heuvel, waar de Boyne in het opwellende water haar oorsprong vindt. Eerst tekent hij alle ruïnes, van het kasteel van Carbury tot aan Monasterboice, de Maiden's Tower en de Lady's Finger, en dan begint hij onverdroten aan het afbeelden van de megalithische monumenten, Newgrange, Knowth, Dowth, waarbij hij het interieur van de monumenten tot in detail weergeeft. Het project, dat in de winter begon, wordt tot de zomer verlengd, en dan tot het weer winter is geworden, en gaat steeds meer omvatten. Hij begint aan een serie dramatische afbeeldingen, te beginnen met mythische: de vlucht van Boinn voor het wassende water van de rivier, en eindigend met historische: het in de pan hakken van de troepen van koning Jacobus II door stadhouder-koning Willem van Oranje tijdens de Slag aan de Boyne. Hij speelt met het idee ze te laten afdrukken in het blad van de Meath Historical Society, maar bedenkt dat de serie bij zijn huidige tekentempo misschien nooit af zal komen.

~

Het meer was donker, donkerder dan ik dacht dat water zou kunnen zijn. Vanaf het terras van het oude hotel in een hoek van het meer kregen we een indruk van de uitgestrektheid ervan, en we hielden elkaar aangenaam bezig met het vertellen van verhalen.

'Ik zie voor me hoe een stel figuren hier in dit hotel opgesloten zit,' zegt GBS tegen ons. 'Ze kunnen niet onder ogen zien dat de wereld buiten steeds somberder wordt, en ze weten niets anders te doen dan verhalen te vertellen over elkaar. Elk verhaal eindigt met het overlijden van een van de deelnemers, dus het publiek wordt met elk verhaal kleiner, totdat er nog maar één persoon over is, die een monoloog houdt en die uiteraard beëindigt door de hand aan zichzelf te slaan.'

'Zit daar een metafoor in verborgen?' vroeg ik.

'Nee,' zei hij. 'Zo banaal is het niet. Want wat is fictie uiteindelijk anders dan tijdpassering? Jij eerst, Nina Hardy.'

'Mag ik de laatste zijn?' vroeg ik.

'Een monoloog die uitloopt op zelfmoord is niets voor jou,' zei hij.

'Nee, helemaal niet,' zei ik. 'Als ik in dat krankzinnig duistere water spring, vind ik daar niet de dood, maar vind ik een ander soort leven.'

'Wat voor ander soort leven?' zei hij met een verveelde, mokkende blik. 'Er is geen ander soort leven.'

'Ik zou een kloostertuin vinden met een paard zonder ruiter,' zei ik, en ik vertelde het hem alleen om hem ongerust te maken. 'Met een abt met pezige, in sandalen gestoken blote voeten en een baard die zo groot is dat de bijen er een bijenkorf in kunnen maken, die in slaap is gevallen onder een laatbloeiende kersenboom.'

'En wat doet die abt?' vraagt hij met een blik van herkenning in zijn fonkelende ogen.

'Hij droomt,' zei ik. 'Hij droomt van mij.'

Hij nam me mee op een roeitochtje op het meer, richting Bellagio, maar we waren nog niet vertrokken, of hij vroeg: 'Waarom een abt? Waarom die bijen in zijn baard?'

'Omdat de abt oud is, en omdat de bijen bij hem voor de bestuiving zorgen.'

'Wordt die abt ooit wakker?' vroeg hij.

'Als hij wakker zou worden, wat heb ik dan nog voor bestaan?' zei ik.

Hij tilde de riemen uit het water en legde ze op het dolboord, zodat water uit het meer op mijn gezicht en mijn jurk drupte. Wat raar, dacht ik, die waterdruppels zijn helemaal niet donker.

'Vergeef me dat ik zo spaarzaam met mijn energieën ben omgegaan dat die bron geheel is opgedroogd nu het tijd is om hem te laten vloeien.'

Toen knielde ik in de zachtjes deinende boot neer en boog me tussen zijn in tweed gestoken benen voorover, want dat was wat hij wilde, wist ik. Ik drukte mijn boezem tegen zijn baard en borst en drukte mijn mond op zijn toegeknepen, gelooide, literaire lippen.

'Zal ik je een geheim verklappen?' zei hij zachtjes, en hij sprak de zin zo Iers uit dat het vreemd klonk voor iemand met een stem als hij.

'Verklap maar,' zei ik, even zachtjes.

'Ik droom inderdaad van jou,' zei hij, 'en ik zou daar, met jouw permissie, graag mee doorgaan.'

'Ja, ga alsjeblieft door,' zei ik.

~

Een ander paard zonder ruiter komt op een zomermiddag met klepperende hoeven de oprijlaan op. Hij heeft schuim op zijn mond en zijn flanken gaan wild op en neer van het hijgen. Het paard waarop we door het gerstveld van het klooster reden moet allang tot paardenvlees zijn verwerkt, maar dit dier heeft dezelfde weg afgelegd en heeft ook zijn berijder voor de eindstreep afgegooid, heeft ook met zijn teugels achter zich aan op het brede strand gegaloppeerd en het zeewater doen opspatten, is over het afbrokkelende muurtje bij de Maiden's Tower in de rivier met zijn opspringende zalmen gesprongen. Mijn moeder komt overeind van haar bloembed, trekt haar tuinhandschoenen uit en loopt naar het paard toe, strijkt over zijn trillende flanken, brengt hem tot rust. Ze fluistert mysterieuze woordjes in zijn naar achteren stekende oren zoals George vroeger deed, en even denk ik dat ze hem zal bestijgen, haar man achterop zal nemen, en door de akkers met gerst naar de kloostertuin zal galopperen, waar de abt in de middaghitte onder de laatbloeiende kersenboom ligt te slapen en van ons allen droomt. Maar nee, dat doet ze natuurlijk niet, ze roept Dan Turnbull, en Dan leidt hem aan zijn natte leidsels naar het herbouwde politiebureau, waar de jonge Buttsy Flanagan van de Ierse nationale politie over zijn baardloze kin wrijft en zich afvraagt waar het paard vandaan kan zijn gekomen.

~

Hij had gedroomd dat ik in het Lyceumtheater in *Driekoningen-avond* speelde, zei hij, en ik begreep dat het niet zozeer een droom was geweest als wel een wensdroom, die hij bij de directie al had aangekaart, zodat ik op een gegeven moment met hem op de Strand liep te discussiëren over de rol van Viola. Viola was een nicht van Rosalinde, die beiden door een vreemde speling van het lot achternichten waren van de melancholieke Jacques. Toen ik dus met de repetities begon, vroeg ik me af waarom ik Viola altijd over het hoofd had gezien. Viola, die er een nog complexere voorliefde voor vermomming op na hield dan Rosalinde, hield van haar verloren broer Sebastiaan, die, toen ze hem voor het laatst zag, vastgebonden was aan een mast en in de golven voor de kust van Illyrië ten onder dreigde te gaan.

Dat het waar mocht zijn, o dat het waar mocht zijn dat ik, lieve broer, nu aangezien word voor jou

Hij had zelf de jongeman uitgekozen die Sebastiaan speelde, en zijn keuze was een goede geweest, hij was tenslotte mijn fictieve broer, een jongeling met lange, vrouwelijke wimpers, die als waaiers uitliepen naar angstwekkend fraai gebeeldhouwde jukbeenderen. Jonathan heette hij, Jonathan Cornfold; hij kuste me toen de zaal leeg was en hij dacht dat de spelers weg waren, en toen – wat krijgen we nu, dacht ik – voelde ik tussen zijn met lovertjes afgezette maillot zijn stijve pik.

'Wat is dit?' vroeg ik, terwijl ik mijn hand langs de speer liet gaan.

'Een uitroepteken,' zei hij.

'Staan er uitroeptekens bij Shakespeare?' vroeg ik.

'Ja,' zei hij, 'het staat er vol mee.'

'Voorlopig moet het toch maar een vraagteken blijven,' zei ik. 'Totdat ik behoefte heb aan uitroepen.'

Voor de première informeerde ik bij de man met de baard naar de functie van de interpunctie bij Shakespeare. 'Bij Shakespear,' zei hij – in de manier waarop hij de naam uitsprak viel de laatste 'e' weg – 'voorziet de jambe zelf in de interpunctie.'

'Dus geen uitroeptekens,' vroeg ik, 'laat staan vraagtekens?'

'Dat zijn toevoegingen uit de Victoriaanse tijd,' zei hij, 'aan een stortvloed van woorden die de lezers zou kunnen verpletteren.'

Maar met of zonder interpunctie, het was Viola die verpletterd dreigde te worden. 'Stel dat ik me liet gaan en van hem ging houden, Gregory?' vroeg ik in het huis aan Regent's Park, waar buiten de bladeren al bruin aan het worden waren.

'Zou het niet erger zijn als hij zich liet gaan en van jou ging houden?'

'Zou dat zo erg zijn?' vroeg ik. 'Zou het dan zo anders worden?'

'Nee,' zei hij. 'Een appel in tweeën gekliefd is evenmin een tweeling als deze twee schepselen.' Hij pakte mijn hand terwijl hij het citaat opzei en spreidde mijn vingers met de zijne.

'Laat me deze keer alleen, alsjeblieft,' zei ik.

'Geen dikke pret meer, zus?' vroeg hij.

'Nee,' zei ik, 'geen dikke pret meer.'

Op de avond van de première was ik ieders Viola, die van mijn be-
baarde abt in de zaal, die van mijn broer in zijn loge, die van Sebastiaan tussen de coulissen. Maar zoals een acteur dat moet doen,
stond ik mezelf de fantasie toe dat ik in de realiteit de Viola van
laatstgenoemde zou zijn. Wie ik het hof maak, diens vrouw zal ik
zijn. Ik bande alle interpunctie uit de tekst, liet de jamben spreken
en liet me door de woorden verpletteren.

En zo begon de korte dans met het verlangen, de schijnwerpers
waren me weer goedgezind, de voetlichten hulden zijn lichaam in
een wit laken. Zijn opkomst in het stuk valt laat, maar ik was vol
verwachting, terwijl Viola uitgedost als jongen de bruid het hof
maakt die aan het einde van het stuk de zijne zou zijn. Stormen
zijn ons welgezind, en zoute golven zijn weldadig in de liefde, en
de storm nam voortdurend toe in kracht. De wind die buiten het
theater in Catherine Street woei, in de richting van de Strand – het
was mei herinner ik me – blies mijn jurk en zijn overjas op, maar
hij duwde mijn jurk omlaag en kuste me. In het Savoy voegden we
ons bij Gregory voor de nazit – hun gebaren hadden een zekere
vrouwelijkheid, ik was natuurlijk gewaarschuwd, ik had het kunnen weten, maar hun gebaren waren een geheimtaal die alleen zij
kenden.

'Weet je zeker dat hij degene is die je wilt?' vroeg mijn halfbroer toen mijn toneelbroer weg was.

'Wat een vraag,' zei ik. 'Wat een verwaandheid, Greg.'

~

'Ik viel,' zegt Gregory, 'maar anders dan George, want ik viel zonder haar. Het was een omgekeerd vallen, een vallen *uit* een staat
van genade *in* een staat van genade, in de armen van haar Sebastiaan. Ik had mijn lotsbestemming jarenlang op afstand kunnen
houden. Ik had haar aanwezigheid gebruikt om mijn neiging aan
te zien voor wat ik hoopte dat het zou zijn: een zwakheid die me
soms overviel, een ontvankelijkheid voor de onervaren jongelin-
gen die de kostuums verzorgden, voor de ruwe bolsters die 'm er

bij mij ongeveer net zo in ramden zoals ze de lampjes in hun sokkels ramden. Maar bij hem voelde ik iets en ik wist dat het anders was.

Omdat hij op haar leek, misschien, met die lange wimpers en zijn ingevallen wangen: hij leek onwaarschijnlijk veel op de broer die ze gehad zou moeten hebben. En toen hij haar broer speelde, imiteerde hij haar. Zij had het niet zien aankomen, dat zag ik, hoe ik haar er ook voor had gewaarschuwd. Hij imiteerde haar voor mij en mij voor haar. Ik zat met haar in die zaal vol spiegels in het Savoy, en hij zat tussen ons in, als een spiegel voor ons beiden.

"Weet je het zeker dat hij degene is die je wilt?" vroeg ik haar toen hij zogenaamd iets moest doen en even weg was. Ze wees me vriendelijk terecht en ging toen ook weg. Vanuit de kamer die ik boven had besproken, hebben we toen samen naar haar staan kijken. We zagen haar onder de luifel vandaan komen en de Strand op lopen, waar de voorjaarswind haar jas om haar enkels deed wapperen. Ik voelde me niet bedroefd of schuldig. Het enige dat ik voelde, was dat het wonderbaarlijk juist en terecht was dat hij zich toen naar mij keerde en mij gaf wat voor haar bestemd had moeten zijn. O, die lange, trage middag van genot. Jij speelt met ons allebei, zei ik, en ja, gaf hij toe, dat heb ik gedaan, maar het spel is nu voorbij.'

42

Toen het theater tijdens de zomerse hitte gesloten was, maakten wij, de twee broers en de zus, een uitstapje naar Torquay, waar we tussen bomen uit Centraal-Afrika door liepen.

'Dit zou ons Zanzibar kunnen zijn,' zei Gregory, 'een pendant van Mozambique.'

'Mozambique?' zei Jonathan.

'Ja,' zei Gregory, 'mijn zus en ik kunnen hele continenten verzinnen zonder van onze plaats te komen.'

'Klinkt verontrustend,' zei Jonathan.

'Nee,' zei Gregory, terwijl hij ons allebei bij de arm nam, 'geen enkele reden tot ongerustheid.'

Op het oude, met reliëfpatronen versierde bed in het hotel dat zich in de metalige zee leek te willen storten, keek ik die middag na afloop hoe hij naast me lag te slapen. De slaap was ineens over hem gekomen, zoals dat gaat bij iemand die argeloos en onschuldig is, en ik bedacht dat ik me had vergist wat mijn broer betrof: we waren geen rivalen in de liefde, wij tweeën hoorden bij elkaar, en dit schuldeloos mirakel kon zich bij ons voegen. Ik zei het tegen Gregory terwijl hij piano zat te spelen in de lege balzaal. Mozart speelde hij, zo'n kinderlijke aaneenrijging van korte noten waaraan geen einde leek te komen en die je kon onderbreken om iets te zeggen, om vervolgens weer de draad op te nemen alsof er niets gebeurd was.

'Ik moet me bij je verontschuldigen, Gregory,' zei ik. 'Ik heb me vergist, er was geen sprake van... hoe noem je dat, moedwilligheid. Dus, Greg, het spijt me.'

'Je moet je nooit, nooit verontschuldigen,' zei hij.

Toen wandelde ik door ons Zanzibar, met esdoorns die er slap bij hingen in de on-Engelse hitte. Alsof ik weer een meisje was hield ik me bij het afdalen vast aan dunne boomtakken, en tussen het warme groen door ving ik een glimp op van het zilveren wateroppervlak, dat er stil bij lag, bijna tropisch, en baande me een weg naar beneden, boomstam na boomstam vastpakkend om mezelf in evenwicht te houden. Ik zag een boot naast een rotsblok dobberen, met niemand erin, en tussen de groene, met mos bedekte boomstammen door twee gestalten met een biscuitkleurige huid, afgetekend tegen het zilverige water. Ik groef met mijn vingers in het mos, en het was alsof ik de stam langs me heen trok – natuurlijk was ik het die langs de stam ging – en zag mijn twee broers tot aan hun knieën in het water staan, de een met zijn arm over de schouder van de ander, de ander met zijn hand tastend naar de stam van de een, om het uitroepteken te liefkozen. Wees jij zijn eunuch, dan zal ik zwijgen. Toen hoorde hij me en draaide zich om. Ze draaiden zich allebei om. En wat hij niet zei, was: dikke pret, zusje.

~

'Als Vrouwe Justitia ooit rechtspreekt in zaken van liefde, dan moet ze dat daar gedaan hebben, in die warme zee toen wij met ons drieën daar waren, Nina hoog boven ons tussen de bomen, en Jonathan en ik in het water naast de roeiboot. Op het moment dat Nina zich omdraaide en tussen het mos terug omhoogklauterde, sloeg haar weegschaal door ten nadele van mij. Als Vrouwe Justitia rechtspreekt in zaken van liefde, dan heeft ze het gezicht van mijn dode moeder en zit ze in een verstikkende hitte fluitend en piepend in een rotanstoel: de enige herinnering die ik van haar heb. Ze houdt onafgebroken zitting en weegt elke ademtocht, elke belofte, elke ontrouw en elke mogelijkheid. Ik zou daarna niet langer de zaken van mijn zuster behartigen. Ik vestigde me zelfstandig in Soho, Theaterimpresariaat Gregory Hardy & Co. Die compagnon was hij. Het is me uiteraard voor de wind gegaan. Net als mijn vader trok ik zonder er moeite voor te hoeven doen de zaken naar me toe. Jonathans carrière raakte in het slop, omdat zijn enige talent eigenlijk zijn homoseksualiteit was. Aan de andere kant bezat hij wel gevoel – als ik het zo noemen kan – voor boekhouden en voor gewone alledaagse gezelligheid. We hebben het met elkaar uitgehouden, kan ik alleen maar zeggen.'

~

Op het moment dat er een stoomtrein door het stationnetje met het blauw met rode dak reed, vroeg ik Gregory, die er ongemakkelijk bij stond, of het liefde was, omdat al het andere onvergeeflijk zou zijn.

'Dat is het,' zei hij. Ik kuste hem op zijn wang en hoopte voor hem dat het waar was. We hebben er lang over gedaan om volwassen te worden, zei ik tegen hem. Maar volwassenheid hoeft toch niet slecht te zijn? Ik stapte in de trein, en toen die wegreed, werd ik iemand anders. Het verschil was subtiel maar diepgaand en voor altijd. Gregory zwaaide; ik draaide mijn hoofd om, had geen zin om terug te zwaaien. Maar er was wel iemand anders die zwaaide, die haar hand opstak, alsof alles wat er gebeurd was maar een toneelstuk was geweest, een toneelstuk waarvan het einde er niet zoveel toe deed. Nina Hardy zwaaide. En de trein vervolgde zijn weg langs die zomerse, slaperige stationnetjes in Zuid-Engeland, een toekomst zonder hem tegemoet.

Zij en ik. We zijn absoluut niet dezelfde. Zij zwaaide alsof het er allemaal niet veel toe deed. Ik keerde mijn gezicht van het raam, zodat hij niet zou kunnen zien dat de tranen over mijn wangen stroomden.

~

'Je hebt je vergist wat de interpunctie betreft,' zei Nina Hardy tegen George Bernard Shaw.

Het was laat in het voorjaar, en hij zat in een driedelig tweed-pak in de ommuurde tuin van zijn huis op het platteland. Om de appelbloesems zoemden bijen – jazeker, bijen! 'Shakespeare was een en al uitroep,' zei ze.

'Het zal niet lang meer duren voor ik dood ben,' zei hij, 'en dan zal ik er vast en zeker achter komen dat ik me wat de meeste andere dingen betreft ook heb vergist.'

43

Als Dan Turnbull sterft realiseren ze zich dat ze echt alleen zijn. Het huis lijkt gigantisch zonder hem, de tuin en de overige terreinen zijn niet te onderhouden, in de schaduwen schuilt de geest van een kind dat nooit zal spreken. En als ze zich ten slotte realiseren dat ze nu echt alleen zijn, begint het tussen hen te ontdooien. Het gebeurt onverwacht: bij het uitgaan van de uitvaartmis voor Dan Turnbull pakt ze zijn hand, plotseling, terwijl de kist voorbijgaat op weg naar het kerkhof. Hij voelt de hand in de zijne, de trouwring, de huid dun als papier op de botjes, de huid die hij zo lang geleden troostend wilde strelen.

Die middag werken ze samen in de tuin, op hetzelfde landje, het groentetuintje van Dan. Als zij bij het aardbeienbed staat, kom hij achter haar staan, knielt neer en haalt het onkruid voor haar uit.

'Dank je wel, lieverd,' zegt ze, en het woord is net als de aanraking zo onverwacht dat hij er tranen van in zijn ogen krijgt.

'Ze komt niet meer terug, dat weet ik eigenlijk al jaren, besef ik nu.'

'Nee,' zegt zijn vrouw, 'en misschien is dat mijn schuld.'

'Wie zou hebben kunnen denken dat de geboorte van een kind zulke problemen kan geven?' zegt hij.

'Ze heeft ons verlaten omdat ze mij daarmee dacht te straffen,' zegt ze.

'En is dat het geval?' vraagt hij.

'Nu niet meer,' zegt ze. 'En vanmorgen realiseerde ik me dat ik altijd alleen maar jou heb gewild. Het moederen ging me niet goed af. Maar als minnares was ik wel goed, hè?'

Het geluk, hoe klein ook, begrenst hen nog verder. Zij trekt bij hem op de kamer in, de kleine kamer met het uitzicht over de riviermonding, en het huis lijkt tot die kamer in te krimpen, met nog de trap tussen de kamer en de keuken erbij.

De oude gewatteerde beddensprei waar ze onder liggen gaat 's nachts op en neer in een ritueel dat ze zo lang niet uitgevoerd hebben dat het hun als oeroud voorkomt. Hij is opnieuw een vreemdeling in een huis dat hij nauwelijks kent, bedenkt hij, maar nog vreemder is het lijf dat hij met zijn dooraderde handen betast.

'Morgen zullen we een wandeling maken over het kiezelstrand,' zegt hij. 'En op het strand van Baltray gaan we de scholeksters tellen.'

'Die zijn ontelbaar,' zegt ze.

Op een herfstdag valt hij in de tuin – waar anders? – in haar armen, en natuurlijk kan ze hem niet houden. Ze probeert het wel, maar verliest haar evenwicht en draait weg, waarop hij tussen de stokrozen valt, waarvan hij er een heel stel met zich meesleept. Hij doet vergeefse pogingen zich verstaanbaar te maken, maar slaagt er niet in het laatste woord dat hij tegen haar wil zeggen uit te spreken. De v en de s van de tweede lettergreep komen over zijn lippen, en zij maakt eruit op dat hij een Spaanse hofschilder van negen letters bedoelt. Ze weet de naam al, en ze weet ook dat hij stervende is.

Mary Dagge helpt haar het nog ademende lichaam het huis binnen te dragen. De kruiwagen stond dichtbij, en hoe zouden twee oude vrouwen het zonder hebben moeten redden? Maar het lukt. Ze weten hem aan de andere kant van de tuin te krijgen, waarmee ze twee diepe wielsporen in het pasgemaaide gras trekken, die uitlopen op de trap. Ze dragen hem naar binnen en leggen hem op een chaise longue, en dan belt Mary Dagge dokter Henry.

Het eerstvolgende uur blijft ze aan zijn zijde zitten en luistert naar zijn adem in de hoop dat hij nog iets zal zeggen. Maar dat doet hij niet, alleen de druk van zijn hand op de hare wordt geleidelijk minder. En even is het alsof het niet gebeurd is: dat alles, geboorte, verwijdering, vertrek. Ze zijn weer in de Accademia, kijken naar de marmeren David, en zij denkt aan hem, stelt zich zijn afwezigheid al voor, dezelfde afwezigheid die ze zich herinnert tussen de dagen in Florence en de middag in de National Gallery voor het schilderij van Velásquez. Als dokter Henry arriveert, is hij al dood, en zij weet dat die obscure gedeelten voor altijd haar deel zullen zijn.

~

Ze was in de Verenigde Staten toen ze het bericht kreeg, en kon er niet weg vanwege de oorlog. In het Ambassador Hotel in het centrum van Los Angeles kwam een piccolo langs die riep dat er telefoon was voor – en dat was raar – een *Mister* Hardy. Als vanzelf stond ze op en liep naar hem toe. Hij ging haar door de grote, luxueuze foyer voor naar de telefooncel, waar ze, aan het andere einde van de lijn, voor het eerst sinds anderhalf jaar weer de stem van Gregory hoorde. Toen hij haar het doodsbericht meldde was het niet alsof ze het al wist, maar alsof ze het verlies al had ervaren.

'Wat moeten we doen?' vroeg hij. 'Teruggaan? Naar huis gaan?'

'Ja,' zei ze, 'ik denk het wel. Maar hoe moeten we er komen?'

'We moeten erheen,' zei hij, geheel overbodig.

'Ja, dat weet ik. Maar hoe moet ik er komen?'

'Een van ons moet erheen,' zei hij, 'en dat zal ik dan wel moeten doen.'

'Jij?' zei ze, omdat ze van tevoren al wist dat hij het niet zou doen, wat hij ook beloofde.

In de zinderende hitte bracht ze een bezoek aan de kapel in La Brea en ze probeerde zich voor te stellen wat voor weer het thuis zou zijn. Winderig, dacht ze, met op open zee witte kappen op de golven, tot in de monding van de rivier, waar ze, ter hoogte van de plek waar de monding om het gazon voor het huis liep, geleidelijk overgingen in gebeeldhouwde, bijna zwarte kammen. Ze probeerde een woord te bedenken waarmee ze die zwarte kammen zou kunnen karakteriseren. Obsidiaan.

44

Toen ze uiteindelijk naar huis ging, was ook haar moeder al dood. De oorlog was afgelopen. Ze had die in Amerika doorgebracht, omdat dat eigenlijk niet anders kon en omdat ze ook helemaal geen zin had om de Atlantische Oceaan over te steken. Haar schip moest buitengaats voor de monding van de Boyne wachten totdat het tij geschikt was om de rivier op te varen, en ze moest bijna overgeven, zo opgetogen en tegelijkertijd bang was ze. Ze zag de Lady's Finger uit het blauw omhoogsteken, met daarachter het groen van het lage moerasland en de rokerige nevel van de stad daar weer achter. Toen weerklonk de misthoorn, al was er geen mist, en terwijl de veehandelaren een sigaretje rookten en tegen de reling leunden, kwam de Lady's Finger heel langzaam dichterbij. Toen de Maiden's Tower er pal achter lag, wist de kapitein, zoals haar vader haar jaren geleden had verteld, dat het moment daar was om de zandbank over te steken.

Aan de kade stond een zwarte Ford voor haar klaar, met een chauffeur met een smoezelige pet op, die hij afnam toen hij haar hand schudde en weer opzette toen hij haar koffers pakte en in de auto plaatste, terwijl de koeien werden opgepord om het schip af te lopen naar de wachtende veewagens. Door de bruine smurrie die ze hadden achtergelaten bracht hij haar naar Baltray House.

Aanvankelijk was ze geschokt bij de aanblik van alle huisjes die eromheen waren neergezet, rijen woningwetwoninkjes op plaatsen waar vroeger de landerijen met de hooischelven hadden gelegen. Maar het terrein om het huis was onveranderd, het gazon, de tuin, de kastanje en het plukje bomen links van de bocht in de rivier, en dit alles maakte zoveel indruk op haar dat ze vond dat ze er goed aan had gedaan om nu terug te gaan naar de omgeving waarin ze was opgegroeid.

Gregory's aandeel in deze erfenis – meer was hun niet nagelaten – had ze afgekocht, en de middag van de overdracht, die haar bijna fysiek pijn had gedaan, in Brown's Hotel aan Piccadilly, stond haar nog helder voor de geest. Ze had in tegenwoordigheid van een kleine, praatgrage vertegenwoordiger van notariskantoor Gill & Co de papieren getekend. Om rancuneuze gevoelens te voorkomen, had ze hem veel meer dan de marktwaarde betaald. Er werd thee geschonken in porseleinen kopjes, goede thee, die haar goed smaakte na vijf jaar alleen maar koffie in Amerika, en toen ze zag hoe Gregory met zijn lange, dunne vingers de vulpen van de notaris vasthield, bedacht ze hoe fijn ze het vond dat ook die vingers weer zo dichtbij waren. En terwijl ze daar in de met houten lambriseringen afgezette barruimte bij elkaar zaten, met als enige hoorbare geluiden het ritselen van de officiële papieren en het krassen van de dikke vulpenpunt, zag ze met pijnlijke zekerheid hoe hun beider toekomst eruitzag.

Ze spraken af dat ze elkaar zonder plichtplegingen zouden loslaten, als twee sleepboten die samen jarenlang aan elkaar gebonden dienst hebben gedaan. Hij zou zonder zich verder om haar te bekommeren de oceaan waar hij zich op bevond verder doorkruisen. Hij zou haar nooit komen opzoeken, had hij gezegd, en zij had geen reden om hem niet te geloven. Ze had een blik geworpen op zijn smetteloze pak en zijn met de hand gemaakte schoenen en had geprobeerd zich niet af te vragen hoe zijn leven nu zou zijn.

En toen ze weer op straat stonden en ze omgeven door het drukke verkeer en de mensenmassa's tussen de middag afscheid van elkaar hadden genomen, moest ze huilen. Dat kwam, loog ze, doordat ze op momenten als dit pas doordrongen raakte van de realiteit van de dood. Hij sloeg zijn armen om haar heen en zei: 'Weet ik, zusje. Maar we laten ons niet kennen, hè?'

En nu, zo'n dertig jaar nadat ze van huis was gegaan, weerklinkt op de binnenplaats het geluid van de stationair draaiende motor van de zwarte Ford, terwijl zij door de met glas bezaaide keuken loopt en met de punt van haar rijglaarsje kapotte melkflessen opzijschuift. Ze had het vliegtuig van Londen naar Dublin kunnen nemen, maar uit nostalgie heeft ze er de voorkeur aan gegeven per spoor maar Liverpool te reizen en daar de krakkemikkige pont te nemen. Ze wilde hier aankomen zoals haar vader hier ooit was aangekomen: over het bruine zilt van de rivier. Want als ze ooit een thuis had gehad, dan was dit het, wist ze. Neem me op, alsjeblieft.

Haar naam kende men nog wel, haar gezicht niet meer zo. Ze had heen en weer gefladderd tussen theater en film zoals een mot heen en weer fladdert tussen twee lampen. Ze had geluk gehad, dat erkende ze volmondig, ze had een vruchtbare en lucratieve carrière met maar weinig schandalen achter zich, waarin ze hoegenaamd niets van zichzelf had hoeven prijsgeven.

De echte Nina Hardy kenden maar weinig mensen. En de echte Nina Hardy liep nu rond in de bouwval van het huis waar ze haar kinderjaren had doorgebracht en begreep uit de stank van alcohol en urine dat het al geruime tijd een plek was waar 's avonds laat drankgelagen werden gehouden. Maar de schade was waarschijnlijk beperkt, dacht ze, en dit alles deed in elk geval minder pijn aan de ogen dan de veranderingen die haar moeder tijdens haar afwezigheid had aangebracht. Bolletjesbehang, felgele verf, namaakeiken fineer – kortom, de luimen, rages en grillen van drie decennia, en vloeren, ramen en muren waren afgebladderd, beschimmeld of gewoon vermolmd. Midden op de huiskamervloer stond om onverklaarbare redenen een kapotte radio, omgeven door net zulke spinnenwebben als er op de gehavende concertvleugel zaten.

Ze deed de klep open, drukte een paar ivoren toetsen in en was verrast dat het geluid nog zo vol klonk. Ook haar geheugen verbaasde haar. Ze speelde de eerste paar maten van de Mozart-sonate en merkte dat haar vingers automatisch de ontwikkeling van het thema volgden. Het kan niet, dacht ze, het kan niet dat ik het me allemaal herinner. Het was het huis dat het uit haar trok – wat was het huis toch slim! En terwijl de ruimte zich vulde met klanken – kinderlijk klinkende muziek, dat wel, als door een kind gespeeld – wist ze met een zekerheid die ze in de vijftig jaar dat ze nu leefde maar enkele keren had gevoeld dat ze eindelijk, eindelijk, het juiste had gedaan.

45

De chauffeur van de zwarte Ford hoorde de muziek en dacht even na over het contrast tussen de elegante vrouw die het bouwvallige huis was binnengegaan en de kinderlijk klinkende muziek die hij er nu vandaan hoorde komen. Hij had haar gezicht natuurlijk herkend, haar profiel was in zijn geheugen geëtst als een negentiende-eeuwse daguerrotypie, maar hij was beleefd genoeg om te doen alsof dat niet het geval was. Hij wist ook wat het doel van haar bezoek was, want hij herinnerde zich een artikel in de *Irish Times* met een portretfoto van haar en een vanaf de landerijen verderop genomen foto van het grijze gebouwencomplex rond de binnenplaats waar hij nu stond. En toen de muziek ophield en zij door de scheefhangende keukendeur weer te voorschijn kwam, sprong hij niet ineens op om vervolgens het achterportier voor haar te openen, want iets in haar manier van lopen, in het trage schrapen van haar brede hakken over het grind, gaf hem de indruk dat het bezoek nog niet afgelopen was. In het achteruitkijkspiegeltje bewonderde hij haar figuur, het bontkraagje om haar schouders, de charmante zwarte baret op het blonde, elegant grijzende haar. Zij was iemand wier leven heel anders was dan dat van jou of mij, iemand over wie je in societyrubrieken en roddelbladen leest. Hij had haar ooit halfnaakt in een film gezien, en hij herinnerde zich nog dat zij, toen hij zeventien was, voor hem de essentie van vrouwelijkheid had vertegenwoordigd. Daarom wendde hij zijn blik met een heimelijk gevoel van schaamte af toen ze op de ruit tikte en tegen hem zei dat ze nog een halfuur of zo nodig had. En toen ze hem de rug toekeerde, stond hij zichzelf toe om, door het met zijn adem beslagen zijraampje, een directe blik te werpen op die brede heupen die hij op zijn zeventiende in hun volle glorie in de Fairview-bioscoop had gezien, in een film waarvan hij zich de titel niet meer kon herinneren. Ze verwijderden zich van hem zonder merkbaar te wiegen, langs een paar bijgebouwen, een plantenkas met gebroken ruiten, en over een langgerekt gazon in de richting van een kastanjeboom die gebogen stond over – naar hij aannam – een rivier.

De bijgebouwen, die ooit witgekalkt waren, vormen een halve cirkel die een bocht maakt naar, of liever gezegd afloopt in een doorgang waar het grind, dat nog over een afstand van twaalf passen in de schaduw ligt, gaandeweg plaatsmaakt voor kinderkopjes, totdat een onverzorgde, met gras begroeide helling in zicht komt met aan de linkerhand de plantenkas, waarvan nu alle ruiten kapot zijn en wat al niet – wat zou het kosten om het te repareren?, nou ja, wat kan het schelen, het is maar geld. De omlaagbungelende takken van de tomatenplanten – zou het kunnen dat het nog dezelfde zijn waarachter ze haar rol van Rosalinde instudeerde, hert naar hinde, vol in het blad destijds, met een laagje schimmel erop dat haar wangen en vingers groen kleurde? De aarde waarop ze loopt is nu verhard door de zomerzon, gras doet vergeefse pogingen eroverheen te groeien, de slikken van wat ze Mozambique noemden en de kastanjeboom komen in het zicht, de scheve paraplu met de wirwar van takken die donker afsteekt tegen het zilverige water. Het gazon – of is het een weiland? – helt naar beneden en loopt dan vlak bij het water ineens steil af. Vaak liet ze zich daar vallen om ervan af te rollen, met haar schort tussen haar knieën. De boomstam die vanuit de donkere, gebarsten aarde oprijst, en de tak, zo dik dat hij onmerkbaar overgaat in de stam, buigen zich over het zilveren water, dat nu zo verstild is dat het een volmaakt spiegelbeeld geeft, in blauw en zilver van de hemel, in zwart en bruin van de takken. De touwen hangen er natuurlijk niet meer, die zijn allang vergaan en verdwenen, maar de schors is nooit helemaal teruggekomen op de ringvormig uitgesleten plekken die ze op de tak hebben achtergelaten, uitgesleten door het zwaaien van de touwen, heen en weer, op en neer.

In de wetenschap dat hij een halfuur zou moeten wachten heeft de chauffeur van de zwarte Ford de vrijheid genomen uit de auto te stappen en een sigaret op te steken. Hij zag haar door de galerij beneden bij de kastanje staan, scherp afgetekend tegen wat hij nu met zekerheid herkent als de rivier. Waarom zou iemand terugkeren naar zo'n huis, een vrouw alleen nog wel, zonder de steun van een man, zonder trouwring, en nu hij erover nadenkt: een vrouw over wie niet eens het gerucht gaat dat ze een man zou hebben, voorzover hij tenminste iets weet van het roddelcircuit?

Hij was een praktisch man zonder al te veel principes of fantasie, maar terwijl hij stond te roken en zijn ogen over de binnenplaats liet gaan, begreep hij het ineens. Hij zag ineens voor zich hoe de plantenkas eruit zou zien met alle ruiten er weer in en met de donkergroene schaduwen van weelderige tomatenplanten binnenin. Hij zag het nieuwe grind voor zich, zonder al het gras, de paardebloemen en de weegbree ertussen. Hij zag voor zich hoe de muren en ramen hoog boven zijn hoofd er met een nieuwe laag bleekgroene verf uit zouden zien. En onder de galerij door zag hij het weiland met het hoge gras dat naar de rivier beneden afhelde zoals het eruit zou zien als het bijgeknipt was tot een gazon, met aan de tak van de kastanjeboom boven het water een kinderschommel. Ja, dacht hij bij zichzelf, het zou hier mooi kunnen zijn, heel erg mooi.

Ze had inmiddels de lichtbron die de weerkaatsing van de zon in de rivier was achter zich gelaten en kwam op hem toe lopen. Af en toe verdween ze achter de heuvel, maar dan verscheen ze weer tegen de achtergrond van het zilveren schijnsel. Naarmate ze dichter bij hem kwam, leek ze meer een schaduw te worden, een speling van het licht die hij toeschreef aan een versluiering van de stralen van de ondergaande middagzon. Hij nam een trek van zijn sigaret en wendde zijn blik af, keek hoe het licht van de kapotte ruiten van de kas weerkaatste, en hoorde toen het zachte geschuifel van haar laarsjes op het gras overgaan in geklepper van hakken op de kinderhoofdjes.

'Tijd om te vertrekken, mevrouw?' vroeg hij, en toen ze knikte, drukte hij zijn sigaret uit op het muurtje van gestapelde stenen, rende naar de auto en opende het achterportier.

De zwarte Ford reed met een kalm gangetje langs de noordkant van de Boyne, waar de weg afgezet was met bungalowtjes als namaakjuwelen, waar bij de cementfabriek de bakken over de tankwagens heen werden getild en waar, als ze even moeite deed om het zich te herinneren, haar vader haar ooit had verteld dat de Graniauale binnen was gelopen. Tegen de gloeiende ondergaande zon in zag ze de silhouetten van jongens die vislijnen uitgooiden in het bruine water. Ze zag de ogen van de chauffeurs die op haar toe reden oplichten en weer uitdoven, en toen ze de cementfabriek voorbij waren en de drukte minder werd, reden ze verder langs de kades van Drogheda.

Toen klopte ze hem op zijn schouder en vroeg of hij links af wilde slaan en naar de zuidkant van de rivier rijden, om onder de margarinefabriek langs terug te rijden naar Mornington. De rivieroever was daar vlakker en vriendelijker – althans, zo was het in haar herinnering. Ze zag er een ijsvogel uit de modder op de oever omhoogkomen en als een bliksemschicht over het water schieten. Ze zag nog meer jongens, en donkere, schuin omhoogstekende lijnen van hengels. Toen benamen bomen haar het uitzicht, terwijl de weg zich van de rivieroever verwijderde en langs nog meer verspreid staande donkere vormen van bungalows liep, die daar opzettelijk of onopzettelijk neergezet leken te zijn om alle herinneringen die ze aan het dorp zelf gehad zou kunnen hebben teniet te doen. Ze zag de protestantse kerk op een heuvel tussen de kastanjes, waar de weg zich splitste en de treurige resten van het dorp begonnen. Ze zag het nieuwe, driehoekige gebouw van glas en beton op de plaats waar de katholieke kerk had gestaan. En toen ze weer nieuwe rijen bungalows zag staan, herkende ze niets meer van het oude dorp en leek het alsof alles haar vreemd was geworden. Ze nam alles in ogenschouw, maar aan haar ogen was geen enkele uitdrukking af te lezen, althans niet voorzover de chauffeur kon waarnemen in het achteruitkijkspiegeltje of in de buitenspiegel, die hij zo had gedraaid dat hij er meer dan alleen de achteruitwijkende weg achter zich in kon zien.

Toen hielden de bungalows ineens op, alsof het treurige, kale moerasland waar de weg doorheen leidde ze niet langer waard was. Hobbelend stak de zwarte Ford een kanaaltje over, passeerde een vuurtoren en het huisje van de vuurtorenwachter, dat met prikkeldraad gescheiden was van de baan van de twaalfde hole. Links daarvan lagen de zadelvlakken van de duinen, afgezet met dat harde, stekelige gras waarvan ze zich niet meer kon herinneren hoe het heette. Toen kwam er een toren op een steile, rotsachtige hoogte in zicht, waarop de weg zo te zien onvermijdelijk doodliep. Er stond een lage kalkstenen muur, waarlangs de brede riviermond de watermassa's naar de open zee leek te stuwen. En daarmiddenin, alsof hij de grens tussen zee en rivier aangaf, stond een kalkstenen pilaar, die als een grote stenen vinger naar de horizon wees.

De chauffeur hield stil op de plek waar de weg als zodanig ophield en overging in een vlakte van kiezelsteentjes en gebroken schelpen. Hij stopte en bleef zonder iets te zeggen zitten, totdat ze hem vanaf de achterbank toesprak met een stem die tegelijkertijd vreemd en vertrouwd klonk, of misschien vreemd juist omdat hij vertrouwd was.

'Het spijt me, mevrouw,' zei hij. 'Ik verstond u niet.'

'Laat maar,' zei ze. Maar toen, alsof ze het onwelvoeglijk vond om de stilte nog langer te laten duren, wees ze naar de horizon en zei: 'Kijk daar, de Lady's Finger.'

Het hek van prikkeldraad voorbij de twaalfde hole, vanaf de vuurtoren tot aan de weg naar Bettystown, was de begrenzing van de golfbaan, waar het met een scherpe bocht naar het zuiden afboog en tot aan de achttiende hole langs greens, fairways en roughs liep. Daar waar het hek ophield stond het complex van clubhuis en bijgebouwen. Ze liet de wagen doorrijden over het met zand bestoven plein van het dorpje, langs de houten huisjes en het dorp daarachter, en droeg de chauffeur toen op rechts af te slaan en verder te rijden langs een kleinere rivier, waar nog een ijsvogel in de overhangende braamstruiken dook, vandaar weer terug, de weg naar Dublin op, even later linksaf het dorp Portrane in, en ten slotte met nog een laatste omtrekkende beweging om het dorp heen naar de verspreid staande gebouwen van het psychiatrische ziekenhuis Sint-Ita.

De zwarte Ford kwam tot stilstand voor de gevel van rood baksteen met de getraliede ramen, met daarvoor een gazon dat wit was van de zandverstuivinkjes die er door de wind gedeponeerd waren en dat afliep naar een onopvallend strand met daarop een ronde stenen toren, die, de lijn van de horizon doorbrekend, uit het erlangs schurende water omhoogwees naar een hemel met voortjagende wolken. De chauffeur stapte uit, opende het achterportier, hield het met zijn heup tegen en stak zijn hand uit om haar eruit te helpen.

Ze streek met haar haar langs zijn wang toen ze uitstapte, en haar parfum trok aan hem voorbij als een dunne sluier. Toen keek hij hoe ze verder liep over de cirkel van gebarsten beton en het opwaaiende zand in de richting van de grote groene deuren in de kerkgevel van rood baksteen. Ze leek te netjes, te elegant voor deze troosteloze omgeving. De chauffeur probeerde zich haar weer voor te stellen zoals hij haar in zijn jonge jaren halfnaakt in de Fairview-bioscoop had gezien, maar hij kon nog steeds geen vat op het beeld krijgen. Toen herinnerde hij zich een frase, met een volmaakt Liverpools accent uitgesproken, die een enkele jaren geleden door iedereen te pas en te onpas gebruikt was: 'Sorry schat, maar ik ben naar Bradford.' En toen zag hij een Nina Hardy voor zich met gebleekt blond haar, een sigaret met lippenstift op het mondstuk in de ene hand, koffers in de deuropening van een huis van rood baksteen, in een straat met precies dat soort huizen, die zich achter haar rug tot in het oneindige leek uit te strekken.

'Tuinieren,' zei ze tegen de psychiater. 'Het zijn eenvoudige klusjes, die zelfs George kan doen, in welke toestand hij zich ook bevindt. Want,' vervolgde ze, en ze was even zijn naam kwijt, maar werd gered door het rechthoekige plastic bordje op zijn witte jas, 'dokter Hannon, ik ken George al sinds hij... Nou ja, sinds zijn kinderjaren.'

'U weet dus van zijn toestand?' informeerde de dokter. Hij had een breed gezicht dat iets vrouwelijks had, en wijduitstaand, grijzend haar. Hij zou wel geschikt zijn voor een goochelaarsrol, dacht ze, op een toneeltje met een kist met een dubbele bodem, in zijn hand een zaag en in de kist een meisje met naaldhakken en netkousen.

'Ja,' zei ze, 'dat wil zeggen, ik weet zo ongeveer wat er gebeurd is. Mijn broer was bij hem toen het gebeurde, hij heeft hem in veiligheid gebracht en heeft zich sindsdien altijd afgevraagd of hij dat wel had moeten doen. Maar George,' zei ze, 'was zoals de meeste mensen niet geschikt om volwassen te worden.'

'We hebben een regeling voor patiënten die buiten de deur werken,' zei de dokter. 'Ze werken op het land, in de tuinbouw hier in de omgeving, en 's avonds komen ze weer hier.'

'Ja,' zei ze, 'ik weet het. Vroeger zag je ze hier in de omgeving ook op het land. Onnozelen werden ze genoemd. Dokter, ik zie niet in wat dat voor therapeutische waarde heeft. Ik had een dienstverband van langere duur in gedachten. Hij heeft groene vingers, dokter, die had hij altijd al, hij kon muurbloemen laten groeien op een duin. Ik heb een tuin, ik heb een arbeidershuisje bij die tuin, ik zit dringend verlegen om hulp, dus wat zou er verkeerd aan kunnen zijn om...'

'George is hier opgenomen,' zei de dokter. 'Met tussenpozen is hij hier al twintig jaar een vaste patiënt, hij komt hier steeds terug.'

'En dat vindt u goed zo?'

'Nee, maar het is wel de realiteit. Wij zijn nu het enige thuis dat hij kent.'

'Waarom vragen we het hem zelf niet, dokter?'

'Wat moeten we hem vragen?'

'Of laat u het mij vragen. Zegt u maar tegen hem dat Nina er is.'

En zo kwam ze terecht in de lange wachtkamer met de hoge ramen met uitzicht op de ronde toren verderop op het strand van Portrane, waar ze even later de onzekere stappen hoorde die ze zich van haar kinderjaren herinnerde, en waar ze, toen ze zich omdraaide, de verpleegster de breedgeschouderde gestalte door de te lage deuropening naar binnen zag brengen.

'George,' zei ze. 'Ik ben het, Nina.'

Maar toen hij zich naar haar toe draaide, herkende ze zijn gezicht maar nauwelijks.

46

Ze logeerde een week in het Neptune Hotel in Bettystown, waar ze vanwege de stormachtige herfst een van de schaarse gasten was en van waaruit ze elke dag naar het huis ging, nu eens met een architect, dan weer met een aannemer. Ze praatte er met niemand, gebruikte de maaltijden in haar eentje, wandelde 's avonds over het brede strand naar de riviermonding en op sommige avonden in de tegenovergestelde richting, stak de houten brug over de Nanny over terwijl de trein naar Dublin daaroverheen denderde. Aan het einde van de week, op vrijdagochtend, kwam de chauffeur met de zwarte Ford haar nog één keer ophalen, zette de drie koffers in de lege kofferbak en reed via dezelfde weg terug langs de rivier, door het drukke verkeer van Drogheda, naar het nog steeds verlaten huis. Daar wachtte hij vijf oneindig lange uren, terwijl auto na auto er stilhield, waarvan de bestuurders door het huis liepen en met haar overlegden. De laatste auto die arriveerde was die van een dokter in een witte jas, die achter de zwarte Ford parkeerde, het achterportier van zijn auto opende en een grote, ineengedoken man die op de achterbank zat hielp uitstappen.

De man bleef op de kleine, stoffige binnenplaats staan, knipperde met zijn ogen in de oktoberzon, en keek naar het huis en de bijgebouwen erachter alsof hij het zich allemaal goed herinnerde. Zijn grijze overjas was te klein voor zijn forse gestalte, zijn schoenveters hingen er los bij en de huid op zijn brede, bleke hoofd zag eruit als verfrommeld en verkreukeld papier. Hij vertrok geen spier en bleef staan als een standbeeld dat daar al twintig jaar stond, totdat zij de keuken uit kwam, gevolgd door een architect die onder het lopen op een opengevouwen blauwdruk iets opschreef. Ze liet de architect staan en liep op hem af.

'George,' zei ze, 'ik zie aan je houding dat je het je herinnert.'

Hij richtte zijn blik omlaag om haar aan te kijken, maar deed het zo langzaam dat de chauffeur van de zwarte Ford dacht dat hij blind was.

'Hert naar hinde,' zei hij.

Ze voerde George aan de hand mee naar het lange groene gazon dat naar de rivier afliep. De psychiater liep achter hen aan, keek hoe het grote hoofd voor zich uit staarde en naar links en naar rechts keek, alsof hij een wonderland betrad dat hij zich van vroeger herinnerde.

'Wij hebben hier een groot deel van onze kinderjaren doorgebracht, dokter,' zei ze. 'Nietwaar, George?'

'Zeker, mevrouw,' zei George gehoorzaam.

'Ik ben geen mevrouw, hoor George, ik ben Nina,' zei ze, waar ze even later nog aan toevoegde: 'Als je wilt. George woonde in een van die huisjes daar. De rivier scheidde ons, nietwaar George?'

'Ja,' zei hij, 'de rivier.' Of hij haar wel of niet bij haar voornaam zou noemen, was kennelijk niet meer aan de orde.

'Er hing daar een schommel, nietwaar George, aan die kastanje.' George keek naar de tak en stak zijn hand omhoog om de tientallen jaren oude littekens in de schors te betasten. 'En als alles volgens plan verloopt en het verder niet uitmaakt, had ik zo gedacht dat George het huisje van Dan Turnbull kan gebruiken. Je herinnert je het huisje van Dan nog wel, hè George?'

'Reken maar,' zei George.

'Nou, misschien kun je ons er dan heen brengen.'

Hij liep, als een kind weer, over het maar nauwelijks zichtbare pad door het gras langs de oever van de rivier. In de bocht van de rivier was een wirwar van struiken, met daarachter het bosje essen en vlierstruiken. Het struikgewas leek ondoordringbaar, maar alsof hij nog een kind was, baande hij zich er een weg doorheen, waarbij hij een tak afbrak om het welig tierende gewas weg te kunnen duwen, als een Hernando Cortez die zich in de Mexicaanse jungle een weg baant naar een eldorado, dat, toen de struiken zich openden en ze op een open plek kwamen die bezaaid lag met lege ciderblikjes, bleek te bestaan uit een afbladderend witgekalkt huisje met twee kamers.

'Het huisje van Dan,' zei George.

'Ja,' zei Nina, 'dit was het huisje van Dan. Het kan het jouwe worden, George, als je dat wilt.'

'Laten we de zaken niet overhaasten,' zei de psychiater.

'Nee,' zei Nina, 'we zullen zeker niets overhaasten. Ik dacht dat hij zou kunnen beginnen met het op orde te brengen, er drie of vier uur per dag aan te besteden. Iemand zou hem hierheen kunnen brengen – uzelf misschien, dokter? – en hem dan 's avonds weer naar huis brengen. En als het een beetje gevorderd is, zou hij aan de tuin kunnen beginnen, en als het wonder gebeurt, kan hij van het huisje zijn thuis maken. Er zal hier gewerkt worden, er is een architect, een aannemer, hij zal nooit alleen zijn. En als het huis klaar is – als ik even zo ver vooruit mag kijken –, dan heb ik een tuinman, en George zal dan – hoe zeg je dat? – een bestaan hebben. Ja, dat is het: George zal een bestaan hebben.' Ze keek hem aan en pakte zijn hand weer vast. 'Wil jij een bestaan hebben, George?'

En George glimlachte, sloot zijn grote hand om de hare en zei: 'Dikke pret, Nina.' Het was voor het eerst dat hij haar weer bij haar naam noemde, constateerde ze blij.

Ze kwamen weer in het blikveld van de chauffeur zoals hij hen had zien verdwijnen, zij voorop, met haar rechterarm schuin achter zich, haar hand in de enorme knuist van George, die als een kind achter haar aan liep. Ter hoogte van de motorkap van de zwarte Ford hielden ze stil.

'Wilt u er alstublieft over nadenken?' zei ze tegen de dokter in zijn witte jas, terwijl haar hand nog in die van de reus rustte, van wie de chauffeur inmiddels had bedacht dat het zijn patiënt was.

Het viel hem op dat de huid op de hand er hetzelfde uitzag als die op het gezicht en dat hij een vinger miste. De pink.

'Mijn eerste indruk is beslist gunstig,' zei de dokter.

'Dan wacht ik uw tweede af,' zei ze. Ze maakte zich los van de patiënt en schudde de dokter de hand. Toen verhief ze haar elegante gestalte op de punten van haar laarsjes en drukte een kus op de linkerwang van de patiënt.

'Dag, George.'

Ze liep naar de auto toe. De chauffeur sprong achter het stuur vandaan en raakte haar bijna met het openslaande portier. En terwijl hij het achterportier opende, dacht hij tranen te zien in de korenblauwe ogen van de reus.

47

Ze investeerde in het huis, en het huis voegde zich ernaar, alsof het maar al te graag de vorm aan wilde nemen die haar het meeste genoegen deed. Binnen een maand werd het vanbinnen helemaal ontmanteld, de bedrading werd vernieuwd, de binnenplaats kwam vol te staan met sanitair, grenenhouten planken, vloerdelen, een complete keuken en raamkozijnen. Ten gerieve van architect en aannemer werd er een verplaatsbaar toilet neergezet, het struikgewas om het huisje van Dan Turnbull werd gefatsoeneerd, de rododendron en de es werden gesnoeid. Het huisje zelf was binnen een maand opgeruimd en opnieuw geschilderd, in de hoek tegenover de open haard werd een radio neergezet, met daarnaast een bank, geïmproviseerd van de achterbank van een oude Cortina. Toen ze in januari terugkwam, werd ze in de aankomsthal van de luchthaven van Dublin opgewacht door een andere chauffeur, die haar naar dezelfde zwarte Ford bracht. Weer verbleef ze een week in het Neptune Hotel, ze begroette George elke ochtend als hij uit Portrane arriveerde en nam aan het einde van de middag afscheid van hem als de dokter hem weer thuisbracht. Het woord 'thuis' was alleen niet acceptabel voor hem, omdat zijn ware thuis nu hier leek te zijn.

Ze bezocht met hem de winkel van Flanagan aan de weg naar Dublin en kocht er een maaimachine, spaden, schoffels en snoeischaren, en vroeg hem om te beginnen de plantenkas op te knappen. Ze gaf de aannemer opdracht om toezicht op hem te houden en ervoor te zorgen dat hij kon beschikken over alle gereedschap dat hij nodig had, en toen ze in maart terugkwam, was de kas klaar.

Terwijl het kwelen van de leeuweriken boven de verwilderde gazons verloren ging in het lage, monotone gebrom van de grondverzetmachines, het geluid van een kerende zandwagen en het geratel van drilboren, installeerden ze George in het huisje van Dan Turnbull, wat al met al veel weg had van een thuiskomst. Toen zocht hij de mannen met helmen op, de bestuurders van de zware machines, de loodgieters, elektriciens en timmerlieden, hij wierp zich op als archivaris van het huis, als conservator van het verleden, als beheerder van het herstel, als erfgenaam van de ziel van het huis. Hij was blij met elke nieuwe verantwoordelijkheid, omarmde die als een verloren gewaande neef, overlegde met de aannemer over de restauratie en herinnerde zich elk detail van hoe het geweest was en hoe het ooit weer zou kunnen worden.

Dokter Hannon zag het allemaal aan met het laconieke gevoel dat hij zelf gefaald had, en zei op een maandag, toen hij stond te kijken hoe George in de van nieuwe ruiten voorziene plantenkas tussen de tomatenplanten aan het werk was, tegen Nina dat hij het afschuwelijk vond dat twintig jaar verpleging in Sint-Ita zo weinig had uitgehaald.

'Is de psychiatrie dan zinloos?' vroeg hij aan Nina. 'Hij is hier in drie maanden meer vooruitgegaan dan bij ons in tien jaar ooit mogelijk zou zijn geweest.'

'Misschien is het eenvoudiger dan u denkt,' zei Nina.

'Hoe dan?'

'Misschien is hij gewoon gelukkig,' zei ze zachtjes.

Wat ze echter nalieten zich af te vragen, was of 'gelukkig' wel een goede kwalificatie was voor zo'n allesbeheersende concentratie, zo'n niet-aflatende, nauwgezette zorg voor wat absolute bijzaken waren. Het is waar, hij kon in alle tevredenheid urenlang bezig zijn met het splitsen van touwen, twee plankjes van een oude tuinstoel en twee schroeven en moeren.

'Waar dienen die voor, George?' vroeg ze, terwijl hij ze met dunne reepjes metaal aan elkaar klonk.

'Dat zul je wel zien,' zei hij.

En ze zag het inderdaad, op de ochtend dat ze, omdat ze allang genoeg had van de bedompte hotelkamer met de vochtige lucht en de avondwandelingen op het winderige strand, het Neptune Hotel verliet om weer naar Londen te gaan. Het werk was in goede handen, George was in goede handen, en het werk aan het huis vorderde nu in een tempo waar zij nauwelijks nog invloed op kon uitoefenen. En dit was wat ze zag: ze zag George, inmiddels tien keer zo lang als de eerste keer dat hij erop zat, die een gloednieuwe, lege schommel heen en weer duwde boven een rimpelloze rivier, een schommel die een bijna volmaakte kopie was van de oude.

48

Drie jaar later werd George op een ochtend als altijd bij zonsopgang wakker. Hij kookte wat water op het gasstel in de kleine keuken. Buiten hoorde hij het koeren van houtduiven, het klokken van een roodborsttapuit en af en toe het gekwetter van kwikstaarten en mussen. Terwijl hij wachtte totdat het water kookte, pakte hij een brood van de vorige dag, bukte zich om de keukendeur door te gaan, liep naar de voordeur en duwde die met zijn voet open. Hij strooide de broodkruimels rond de stakerige rododendronstruiken en wachtte met het geduld van een hedendaagse Sint-Franciscus totdat de vogels zich zouden vertonen. Toen de eerste kwikstaart kwam, klakte hij met zijn tong als blijk van bewondering en enthousiasme voor het driftige pikken. Toen kwam er een zwerm mussen aangevlogen, hij brak nog wat brood en keek elke keer als hij wat opgooide hoe ze achteruitweken en dan weer naar voren kwamen. Boven de bomen hoorde hij zoeven van vleugels en zag hij een mannetjesfazant tussen het donkergroen door duiken, met achter zich aan een spoor van brekend zonlicht.

Toen begon de ketel te zingen. Zonder zich een moment te bedenken keerde hij zich af van de ontbijtende vogels, bukte zich en ging de keuken in, hing een theezakje in een vuil kopje en schonk er water op. Uit de gebutste koelkast pakte hij een fles melk van de vorige dag en keek hoe de witte melk de zwarte thee bruin kleurde. Het kolken van het wolkje melk in de vloeistof met de kleur van eikenhout had voor hem dezelfde spanning als het pikken van de tjilpende vogelbekjes buiten. Toen keek hij even om zich heen in zijn huisje, en als hij al dankbaar was voor zijn nieuwe leefomstandigheden, dan toonde hij dat in elk geval niet. Alle verschijnselen leken in gelijke mate zijn aandacht waard. Met een lepel viste hij het afgetrokken theezakje uit het kopje en gooide het in de vuilnisemmer onder het gasstel.

Toen liep hij met het kopje in zijn hand weer door de te lage deuropening van de keuken en vervolgens door de wat hogere opening van de voordeur naar buiten, langs de gesnoeide, stakerige rododendronstruiken, door het bosje van essen, vlieren en berken naar de herstelde plantenkas.

Hij had de ruiten stuk voor stuk vernieuwd, had het frame van roestend metaal met de hand geschuurd en het geschilderd met rode menie en vervolgens met witte verf. Hij had het netwerk van draden vernieuwd waaraan de tomatenplanten vastgebonden konden worden als ze zich uiteindelijk zouden verwaardigen om op te schieten. Hij was bezig een verleden dat hij zich herinnerde te herscheppen, een staat van betovering of genade waar hij zich maar vaag van bewust was, zonder enige vreugde, verwondering of gejaagdheid, maar met een stelselmatige concentratie waar je bij een kind van drie trots op zou zijn. De tomatenplanten waren nog klein, en de stengels moesten aan de hangende draden gebonden worden om ze zoveel steun te geven dat ze omhoog zouden groeien. George dronk zijn thee met één teug op, ging de vochtige ruimte van glas en binnenstromende zonneschijn in en legde zich met zijn grote handen vol littekens toe op de tere groene stengels.

Om een uur of elf was hij aan het graven bij de wortels van de oude appelboom, de boom met de grote, kromme takken, die elk jaar doorhingen onder het gewicht van het overvloedige ooft waarvoor niemand belangstelling had. De appels bleven hangen totdat ze afvielen, en bij het graven stuitte hij op kleine, verschrompelde en bevroren resten. Ook de aarde zelf was natuurlijk bevroren – hij zou een drilboor nodig hebben gehad om er werkelijk diep in door te dringen –, maar hij hield vol. Eén wortel was te groot geworden en stak als een elleboog boven het gras uit. Hij struikelde er steeds over en hij was vast van plan daar iets aan te doen.

Toen hij eenmaal met het werk begonnen was, ging hij er langzaam en methodisch mee door totdat het af was, alsof het om het werk zelf ging, en niet om het resultaat. Hij groef dus door, en om twaalf uur had hij een behoorlijk groot, rond gat van ongeveer twintig centimeter diep gegraven. Een oud blikje, een hoefijzer en drie munten van rond de eeuwwisseling. Bij elk voorwerp had hij even gepauzeerd en een sigaret gerookt, zodat het met nietszeggende ogen geïnspecteerd kon worden, waarna het zorgvuldig opzij was gelegd, tussen de dikke kluiten uitgegraven aarde.

Het was al bijna lunchtijd toen hij het zag. Textielresten, en hoewel het doek zelf halfvergaan was, was de zoom nog intact en zaten er nog stukjes kant aan. Hij stak zijn spade voorzichtig in de bevroren grond en ging er de zoom mee langs. Hij herkende de stof onmiddellijk – dat hij hem niet herkend zou hebben was onmogelijk. Het was Nina's pauwblauwe sjaal, die hij al die jaren geleden zo vaak door zijn vingers had laten gaan. Hij boog zich voorover en hield hem precies zo weer vast, en voelde hem toen in zijn handen verder desintegreren. Hij stak de spade in de koude, verkruimelende aarde eronder, trok het bundeltje verleden eruit en legde het opzij, op het vochtig wordende gras. Een regel van het toneelstuk dat ze in de kas hadden opgevoerd begon in zijn hoofd rond te zingen, en hij vroeg zich af waarom hij die zich ineens herinnerde en niet meer kwijt kon raken. 'Zo rijpen en rijpen wij van uur tot uur, en dan verrotten en verrotten wij van uur tot uur.' Het was een regel van de nar in het bos, herinnerde hij zich, maar hoe het verderging wist hij niet meer. Op de stof zaten pauwblauwe glitters die door het patina van de klei heen schenen, of was het schimmel? Schimmel, dacht hij, zoals schimmelrand op rottend vlees, en de regels maalden door zijn hoofd: 'We rijpen en we verrotten.'

Boven zijn hoofd stond de zon al behoorlijk hoog, en van het gras stegen wolkjes gecondenseerd water op van de smeltende rijp. Hij pakte de zoom, trok er met duim en wijsvinger aan, waardoor het bundeltje in het natte gras omrolde. Hij voelde dat er een hard, rond balletje in de zoom zat, een soort kogellager leek het.

Hij trok de zoom kapot en haalde er een roestkleurige kraal uit, die hij tussen zijn vingers vol nicotinevlekken schoon probeerde te wrijven. Het oppervlak eronder glansde, en pas na enige tijd zag hij dat de kraal een parel was.

'We rijpen en we verrotten' – weer zong de regel rond in zijn hoofd, en weer wist hij niet hoe hij verderging. Wel herinnerde hij zich die dag aan de Boyne, vóór de wereldbrand, toen hij met zijn legermes de oester had opengemaakt. Hij pluisde de zoom langzaam verder uit, alsof het een knoop was die lang geleden door Nina was gelegd en waar nog meer schatten in verborgen zouden zitten. En naarmate de zoom opengelegd werd, rolde het bundeltje verder open en toonde daar, in de kruimelende aarde op het ontdooiende gras, de schatten die het verborgen had gehouden. Stukken van een schelp, dacht hij eerst, of van krabscharen. Hij herinnerde zich het kraken van de laag schelpen onder zijn voeten voor de visfabriek, maar toen hij een stukje tussen zijn vingers wreef, zag hij dat het een wit botje was.

Botjes van een klein dier, dacht hij toen, een konijn, een hermelijn, een poesje, en hij probeerde zich te herinneren of Nina een huisdier had gehad dat ze net zo gekoesterd had als haar pop Hester, want dit bundeltje was kennelijk ook van grote waarde voor haar geweest, dat ze het zo zorgvuldig in haar sjaal had verpakt, met de parel erbij die hij haar gegeven had. Hij herinnerde zich geen huisdier, het enige waar ze van had gehouden, was de pop met het negentiende-eeuwse slabbetje en kieltje geweest. Maar Hester was aan het water toevertrouwd, herinnerde hij zich, en er was een wake gehouden met theekopjes met sinaasappellimonade en kaakjes. Hij probeerde zich voor te stellen wat Nina zo zorgzaam zou hebben willen verpakken in haar pauwblauwe sjaal met de ingenaaide parel, wat zou ze als een baby kunnen hebben ingepakt en hier onder de appelboom begraven? En toen begon ook het woord 'baby' in zijn hoofd rond te zingen, samen met de woorden 'rijpen' en 'verrotten', en hij zou alle drie die woorden, baby, rijpen en verrotten, meteen onder de grond hebben willen stoppen, zoals Nina haar sjaal moet hebben begraven toen hij op

dat troepentransportschip zat – was het toen? – op weg naar de
fluitende kogels en de brand op de heuvel waar Gregory hem vandaan had gesleept, of op het strand vol lijken, waar hij zijn eigen
vinger had begraven. Maar woorden kon hij niet begraven, en hij
kon ook niet verhinderen dat ze in zijn hoofd bleven rondzingen,
dus stond hij op en kwam in beweging, alsof hij er zo aan wilde
ontkomen. Hij liep van de appelboom naar de plantenkas, maar er
was geen ontkomen aan, ze zaten in hem, zoals die kleine botjes
die nog maar nauwelijks vorm hadden gekregen ooit in Nina hadden gezeten. En toen schoot hem de hele regel weer te binnen, de
regel van de nar in het bos: 'En zo rijpen en rijpen wij van uur tot
uur, en dan verrotten en verrotten wij van uur tot uur, en daar
hoort een verhaal bij.'

Het verhaal van een dwaas, een nar, dat wist hij, en hij sleepte
het met zich mee als een narrenstok, zichtbaar voor iedereen behalve voor hemzelf. Altijd was hij de nar geweest, en altijd had hij
het narrenverhaal meegesleept, zonder iets te weten van de geheimen die het in zich borg, zonder iets te begrijpen van de toe-
dracht. En nu, na al die jaren van niet-begrijpen, vielen de stukken
van het verhaal ineens in elkaar. En hij stortte in, viel neer aan de
voet van de appelboom, zijn hoofd zakte voorover, zijn tranen
stroomden over het gerafelde corduroy en waren zo talrijk dat ze
alle aarde van de botjes onder zijn laarzen zouden hebben kunnen
wassen. Hij huilde in het afschuwelijke besef, diep in zijn hart, dat
het al die jaren anders had kunnen zijn. Hij huilde om de baby van
wie hij zich voorstelde dat Nina die hier had begraven, onder de
plek waar hij lag, om het gehuil dat uit het mondje had kunnen
komen als het niet volgepropt was geweest met verstikkende klei.
Maar het meest van alles huilde hij om die woorden uit te bannen
die nog steeds rondzongen in zijn hoofd: 'baby', 'rijpen' en 'verrotten'.

En toen, hij zou niet hebben kunnen zeggen hoeveel later het
was, pakte hij het bundeltje in de halfvergane sjaal bij elkaar, stopte het weer in de grond en dekte het af met de opgegraven aarde
die inmiddels kruimelig was geworden, zoals de kruimeltaart die

Mary Dagge vroeger altijd maakte. Hij ging erop liggen alsof hij een grafsteen was en spreidde zijn armen, en toen Nina hem later zo aantrof, zei ze: 'Je bevriest zo, George,' waarop hij zei: 'Misschien, maar ik verwarm de aarde.'

'Ben jij dan een Adonis, George?' vroeg ze. 'Een Adonis in een overall?'

De dag daarop was hij in de plantenkas op haar af gekomen. Hij hield de snoeischaar tegen haar hals, en toen ze zich omdraaide, bracht hij op uiterst onhandige wijze een sikkelvormige snee aan in haar keel. Hij zag haar bewusteloosheid aan voor de dood, maar bracht haar weer tot leven toen hij haar tussen de rozen door sleepte, tot leven en tot bewustzijn van de voortjagende wolken boven haar hoofd. Terwijl hij haar in de oude rioolput liet zakken, besefte hij dat ze nog leefde, waarna hij nog een poosje uit alle macht probeerde het hoofd te scheiden van het lichaam, dat hij toch sinds zijn vroege jeugd had gekend. Zo kwam het dat het laatste wat ze zag niet de hemel, de zee of de rivier was, maar het met bloedspatten overdekte horloge om zijn dikke pols, een horloge waarop te zien was dat het tien voor halfvier was.

49

Op de dag van mijn begrafenis is het vochtig heet en drukkend, er
staat geen zuchtje wind, de lucht is oververzadigd en de vochtig-
heidsgraad is zo hoog dat de mensen al voordat ze een stap hebben gezet beginnen te zweten. Een dag die gemaakt lijkt voor een
andere plek op aarde, Mozambique misschien, of Zanzibar, of een
of ander schatplichtig staatje aan de Nijl. Er is onweer voorspeld,
maar dat komt niet. De hemel lijkt door te buigen onder het gewicht van de onbeweeglijke donkere wolken die daar maar hangen en wachten op het moment dat ze de inhoud van hun ingewanden kunnen uitstorten over de kerk beneden, waarvan de
toren met het leiendak op zijn beurt staat te wachten totdat hij
het vlies kan doorprikken dat de regen in bedwang houdt.

Het aantal acteurs is miniem, tot teleurstelling van de uit de parochie afkomstige figuranten die lucht hebben gekregen van de
manifestatie. Toch zweten ze met z'n allen als een hele menigte.
Misschien heeft in elk leven het aantal hoofdrolspelers een verge-
lijkbare omvang, maar de voor de tijd van het jaar drukkende
lucht boven hun hoofden lijkt hun kwetsbaarheid te benadrukken, net als mijn ontstentenis en in het algemeen de afwezigheid
van een brandpunt waarop hun rouw zich zou kunnen richten.
Wat ze natuurlijk missen is een doodskist, de aankomst van de
lijkwagen, het helende ongemak van het ritueel op de schouders
tillen van mijn lichaam door de voor deze taak uitgekozen mannen, Buttsy Flanagan en George, hoewel die dat met z'n tweeën eigenlijk niet zouden hebben gekund, misschien dat Janie aan het

voeteneinde zou hebben kunnen assisteren en Bertie aan de andere kant, hijgend en fluitend door zijn emfyseem. Maar de vraag doet zich niet voor.

De kerk zelf lijkt omgeven door een aura van kalmte. Het stof dat door de voeten van de rouwenden voor de coniferen wordt opgeworpen, veroorzaakt een kernschaduw of slagschaduw, ik weet niet welke van de twee, en geeft het kerkhof verderop iets, een soort schoonheid, waardoor ik nog bijna, als ik door mijn toestand niet beter zou weten, zou gaan geloven in de eeuwige rust.

De hemel zakt omlaag, lijkt zelfs te krimpen. Iedere gedachte aan oneindigheid wordt verstikt in de onbeweeglijke, vochtige lobben van de wolken. Kom wolken, barst open. Doordrenk allen. Janie met de elegante sluier om haar grijzende haar, het zwarte pakje met de korte rok, de lavendelkleurige kousen en de schoenen met hoge hakken. Huil voor haar, doof die sigaret die ze daar onder de coniferen staat te roken. Laat druppels lopen over het elegante hoofd van Gregory, een cascade van druppels vanaf de rand van zijn ingetogen zwarte hoed. Laat spetters vallen op het oeroude, onverslijtbare tweed van de inmiddels gepensioneerde juffrouw Cannon en geef haar een reden om de golfparaplu die ze bij zich heeft open te vouwen. Het tableau vraagt om paraplu's, om een geforceerd opeendringen omdat het giet van de regen. Zodat moeder en dochters Moynihan zich eens kunnen verstaan met dokter Hannon uit Portrane.

De priester arriveert laat – hij heeft een vleesverwerkingsfabriek in Slane ingezegend – en zijn motorfiets prikkelt de vochtige lucht met wolkjes uitlaatgassen die niet vervliegen. Zijn komst heeft uiteindelijk wel het effect dat een doodskist zou hebben gehad: het begint ergens op te lijken. Ze lopen achter hem aan de smalle, driehoekige ruimte in met alleen achter het altaar een raam, uitkijkend op het water van de Boyne. Het geeft een vreemd soort opluchting dat het kerkje vol zit, dat er uiteindelijk toch publiek is, zelfs heel behoorlijk in getal. Ze zakken even door de knieën of knielen neer, ze hoesten en wachten af, terwijl de priester achter het altaar verdwijnt, om een eeuwigheid later weer te voorschijn te komen met een vergrijzende kazuifel over zijn natte habijt en met achter hem aan een misdienaartje in zuiverder wit met in zijn handen de bel en de kannetjes met water en wijn.

Dan begint het drama, gereciteerd in toonloos Latijn, de zoveelste plechtigheid ter gelegenheid van een sterfgeval, een sterfgeval van alweer een tijd geleden, het zoveelste zonder dat er een lichaam is. Er ontstaat enige verwarring over de lezingen. Gregory heeft gevraagd om lezingen, maar weet natuurlijk niet wanneer het daarvoor het moment is. Het Latijn wordt onderbroken, de priester wacht en knikt dan ongeduldig in de richting van de voorste banken. Gregory staat met een gebedenboek in de hand op. Hij loopt naar de katheder, kucht en leest langzaam en nadrukkelijk, met scherp afgemeten klanken, de regels van een lied. 'Er is balsem in Gilead,' zegt hij, en hij houdt de gedachte dat dit eigenlijk niet zo is voor zich. Bij Jeremia was die balsem er tenslotte ook niet voor de jonkvrouw, de dochter van Egypte. Al uw geneesmiddelen dienen tot niets, uw wonden zijn niet te helen.

Voor hem is er echter wel een soort balsem, al is het niet in Gilead, en die balsem arriveert halverwege zijn lezing. Een jeugdig uitziende, slanke man van middelbare leeftijd met een astrakan jas en een slappe vilthoed maakt een onzeker kniebuiginkje en slaat op de verkeerde manier een kruis. Jonathan Cornfold, toneelimpresario, van Gregory Hardy & Co, de balsem van mijn halfbroer en de tweede liefde van zijn leven.

Gregory knielt neer bij de voorste bank, Jonathan bij de achterste, de bel klinkt, en tussen hen tweeën in buigen de bewoners van de beide oevers van de Boyne het hoofd bij de consecratie.

Er daalt een plechtige stilte neer, er wordt niet meer gehoest, en ineens is het er, het gebeuren waar het om te doen was:

Er is balsem in Gilead
Die de gekwetsten heelt

De hemel gaat open, het begint te regenen, het klettert neer op de driehoek van leien boven hun hoofd en het drupt op het helwitte gesteven gewaad van de misdienaar. Dat gat in het dak moet nodig gerepareerd worden, denkt de priester, wat hij eigenlijk niet zou moeten doen, en nu kan hij het zich veroorloven dankzij de gift van meneer Hardy. Het geluid van boven klinkt als een klapwieken, en nu herinner ik het me weer, dat verrukkelijke kletteren op het dak van golfplaten op het kamertje van George en Janie, waar wij met ons drieën onder de dekens lagen, waar elke regendruppel een vallende engel was en het klapwieken dat van een duif. De parochie staat op, en zij die degene die uit het graf is opgestaan wensen te ontvangen lopen naar voren en ontvangen hem. Dan stijgen de vleugels langzaam omhoog, ofwel ze dalen vanaf de druipende houten steunbalken neer, en degenen die om mij rouwen gaan een voor een heen in vrede, zoals de duif het wil.

Buiten begint het weer te regenen, maar nu is het een ander geluid. Iedereen reageert verschillend op de regen, sommigen steken hun paraplu op, anderen draperen hun jas over hun hoofd, maar allemaal hebben ze het gevoel dat ze bevrijd zijn uit een resonerend vat. Het is een bijna tropische regenval, en de vage mist die de wolkbreuk boven de biezen aan de rivieroever veroorzaakt zou evengoed boven de biezen van Egypteland hebben kunnen hangen, aan de Nijl, als in een oud Iers lied.

Aangezien napraten op straat er door de regen niet bij is, stappen ze bij elkaar in de auto, en de auto's rijden weg, naar het huis aan de noordkant van de rivier dat nu schuilgaat achter gordijnen van water. Gregory noch Jonathan weet wie er wel of niet bij gevraagd dienen te worden, en Janie, die het wel weet, lijkt zich er, na alle slokjes uit de heupflacon die ze in haar handtas verborgen houdt, niet meer druk om te maken. Het huis wordt dan ook overspoeld door de hele drijfnatte schare, die korte metten maakt met de sandwiches van de Moynihans en de dienbladen met whisky, sherry en Guinness Extra Stout.

Als de uitgestalde flessen leeg zijn, biedt Janie aan om bij te gaan halen, en dan wordt ze, tot haar stille vreugde, door Buttsy Flanagan naar het dichtstbijzijnde café gebracht, de Nineteenth Hole in Baltray. Terwijl het cafépersoneel de extra flessen op de achterbank van de politieauto zet, slaat Buttsy binnen in de gelag-kamer met de houten lambrisering twee pinten achterover. Janie drinkt gelijk met hem op, maar dan dubbele whisky's. Hun terug-komst wordt nog verder uitgesteld, niet zozeer doordat ze een om-weg moeten maken, maar doordat ze een tijdje stil blijven staan, omdat Janie bij de schuur van Mabel Hatch wil luisteren hoe de re-gen op het dak van de auto klinkt, alsof er duizend natte handen op trommelen. Buttsy steekt een sigaret op en ziet Janies knie per ongeluk aan voor de versnellingspook, een vergissing waarvan Ja-nie denkt dat het helemaal geen vergissing is. Hun omarming die dan volgt, heeft nog tot gevolg dat haar sjaaltje in het stuur vast komt te zitten.

Met alle drank in hun lijf en beheerst door een passie waarvan ze denken dat ze die verborgen kunnen houden, voegen ze zich weer bij de feestenden, want een feest is het inmiddels geworden. Er wordt gezongen, een lied waarin sprake is van 'goede wil en gastvrijheid' maar ook van 'verkeerde vrienden' nadert zijn hoog-tepunt. Dan geeft Janie met onzekere stem haar vertolking van 'The Girl from the County Down' ten beste. Halverwege het twee-de couplet laat haar geheugen haar echter in de steek, en na de woorden *a noble call is mine* maakt ze zich ervan af door te doen als-of ze ermee klaar is. Ze laat de halflege fles Powers op de vloer ronddraaien en weet die met de punt van haar schoen zo te mani-puleren dat hij, als hij tot stilstand komt, naar Buttsy wijst. Hij komt overeind en begint aan het eerste van de zeventien couplet-ten van 'The Ballad of Blasphemous Bill'. En die kan Buttsy zich – helaas – allemaal herinneren. Weer draait de fles, en dan krijgen de gezusters Moynihan de gelegenheid hun feestnummer 'The In-dian Love Call' ten gehore te brengen, en daarna de oude juffrouw Cannon met een woord voor woord getrouwe versie van 'Fair Daf-fodils, I Weep to See'.

De levenden zwelgen in geheugenis en denken niet meer aan de doden. En later op de avond, veel later, als de aanwezigen de on-ophoudelijke regen als welkom excuus aangrijpen om de wake voort te zetten, als Gregory beneden Jonathan begeleidt in een gal-

50

De regen houdt dagenlang aan, het water in de rivier stijgt en treedt buiten zijn oevers, zodat de zijstroompjes feitelijk niet langer in een rivier uitmonden maar in een meanderend meer, dat zich klotsend tot vlak onder de gerenoveerde plantenkas uitstrekt. Het huis staat ineens pal aan de Ierse Zee, de bomen steken boven het water uit als verbaasde zeemeeuwen. Drieteenmeeuwen stappen rond op het kletsnatte grind bij de keukendeur, de schommel hangt er, een halve meter onder water, doelloos bij, een aal kronkelt zich tussen de touwen door. De getijdenstromen wassen de bovengrond weg, waardoor de rioolput aan het zoute water wordt blootgesteld en de bakstenen ombouw instort als een ei dat ineengedrukt wordt, waarna het afvalwater zich moeiteloos mengt met het zoute water en de modder van Mozambique en mijn met krioelende maden overdekte botten op drift raken.

Daar ben ik nu in opgenomen, in de horizon, in die eindeloze lijn die van de deur van de plantenkas doorloopt naar Wales en Liverpool. Er volgen dagen, eindeloze dagen dat de zon opkomt en – al voordat de ochtendmist er helemaal in is opgelost – zijn warme stralen laat schijnen over een tropisch moeras, een bayou. En als dat langzaam zakt en wegtrekt, sleept het mij mee, zodat ik de rivier word, zeewier mijn haar en de aangegroeide mosselen mijn bed, en dan sleept de trage, vrouwelijke watermassa me mee in de richting van het huis, weg van het eb, naar de vloedstroom toe.

We zijn met ons drieën, een is aan haar eind gekomen door verdrinking, een door een val, een door een tuinschaar. Soms bubbelen we, we klotsen, we zingen. We bidden voor de levenden die op de schepen boven ons voorbijgaan, voor de loods die hen leidt, voor de haven die hen opwacht. Want we weten dat zij op een dag net zomin nog zullen bestaan als wij, net zomin als de strengen van onze haren die met het getij meebewegen in de rivierbedding, net zomin als het paard dat de gerst vertrapte, net zomin als de blaadjes van de kersenbloesem die zich losmaken van de boom in de kloostertuin en neerdwarrelen op de kale schedel van de abt, die nog steeds slaapt en van hen droomt.

Woord van dank en verantwoording

Ik ben dank verschuldigd aan mijn moeder, Angela Jordan, geboren in Mornington aan de Boyne, wier verhalen over haar vader,
die schilder was en ooit exporteur van schaaldieren, voor mij
hebben gediend als een sjabloon voor mijn fantasie, en ook aan
Jacintha McCullough, geboren in Baltray, kindermeisje van mijn
jongste kinderen, die ik twee jaar lang met allerlei vragen heb las-
tiggevallen.

De volgende boeken zijn bij het schrijven van *Schaduw* van onschatbare waarde gebleken: Kathleen Tynan: *Twenty-Five Years Re-
miniscenses* (Smith, Elder & Co, 1913); sir William Wilde: *The Boyne
and the Blackwater* (Kevin Duffy, 2003); James Garry: *The Streets and
Lanes of Drogheda* (Drogheda, 1993); John McCullen: *The Drogheda
Steampacket Co.*, in *Journal of the Old Drogheda Society*, 1994, nr. 9;
Myles Dungan: *Irish Voices from the Great War* (Irish Academic Press,
1985); Robert Rhodes James: *Gallipoli* (B.T. Batsford, 1965); J.B. Lyons:
The Enigma of Tom Kettle (Glendale Publishers, 1983); Alice Curtayne:
Francis Ledwidge: A Life of the Poet (Martin Brian & O'Keeffe Ltd.,
1972); N.E.B. Wolters: *Bungalow Town: Theatre and Film Colony* (Shore-
ham, 1985); Michael Holroyd: *Bernard Shaw, vol. III: The Lure of Fanta-
sy* (Chatto & Windus, 1991).